言葉が見る夢

永岡杜人
Morito Nagaoka

同時代社

言葉が見る夢／目次

第一章

作品と作家

第一節

擬態と仕掛けの向こう側

――金子光晴『風流《ふうりゅう》尸解記《しかいき》』――

人は、生きてしまった日のことを、どこまで赤裸に、語ることができるのだろうか。それも、二十年という時が、過ぎた後に。

記憶が、いま、ここに、こうして在る「私」が反芻している物語に過ぎないのならば、「私」の記憶は、他者の記憶と事実という次元において、ぴたりと重なり合うことはない。時の流れのなかで、具体的細部《ディテール》が零れ落ち、互いの心の内奥に消え泥むものとして折りたたまれた真実《ほんとう》は、身も心もひとつになったような者どうしでも、ほんの少しだけずれている。

七十七歳だった金子光晴は、生きてしまった遠い日の真実《ほんとう》を、愛惜とともに拾い集めるために、一篇の物語を紡いだように思えてならない。だからだろうか、『風流尸解記』(一九七一)の作品世界は、人の心にも似て、さながら迷宮のようでさえある。『風流尸解記』は、いわゆる私小説の形式《スタイル》をとっていない。作者すなわち主人公と悟られぬための擬態と、作者すなわち主人公と読むしかない仕掛けが入り組んでおり、幻想的で超現実的《シュルレアル》な出来事が、暗喩《メタファー》としてではなく、奇妙な手ざわり《リアリティ》を感じさせる手法で描かれている。詩人金子光晴が『風流尸解記』という小説の型《フォルム》を借りた作品に封じ込めた遠い日の真実《ほんとう》は、擬態と仕掛けの向こう側にある、彼の心の内奥に幾重にも折り重なった襞を捲り上げることでしか、見えてこないのかもしれない。

＊

敗戦直後の東京を遠景に、〈その男〉と〈少女〉の出会いと愛別を刻印した『風流尸解記』は、冒頭の「小序」と、末尾の「後跋」の額縁に入れられた、古風な佇まいの小説である。バンジャマン・コンスタンの『アドルフ』（一八一六、大塚幸男訳）や、太宰治の『人間失格』（一九四八）に見られるように、額縁は、作者と主人公との関係を隠蔽《カムフラージュ》する装置であることが多い。『アドルフ』には、冒頭の「刊行者の言葉」と、末尾の「刊行者への手紙」、「その返事」という額縁が附されており、主人公アドルフすなわち作者コンスタン、と読まれないための周到な擬態が施されている。

作者によって〈見知らぬ人の書類から見つけだされた物語〉であるとされた『アドルフ』がコンスタン自身の物語であったことを、いまでは知らぬ者はない。大塚幸男は、「改題」のなかで、〈『アドルフ』は自伝的恋愛小説である。主人公アドルフはもちろんコンスタンその人にほかならない〉と、小林秀雄は、〈第一流の私小説〉（『私小説論』）と、中村光夫は〈ヨーロッパの私小説〉（『私小説について』）と書いている。そして、伊藤整が『小説の方法』のなかで、「仮面紳士」に譬え、明らかにした、ヨーロッパの小説の伝統こそ、『アドルフ』に附された額縁の、この上のない解説となっているように思われる。

そして個我の声が切実なものであり、自己にあまりにも即したものであるときに、それは一人の密室で読まれるにしても社会に公表されるのであるから、羞と不都合とから作者を守るために仮想を、虚構を必要とする。小説における虚構は、この必要から生れるので、告白と懺悔が真実であり、真剣であれば、それは必然にそれだけ多くの虚構のなかに自己を隠すのである。［略］この虚構は芸術家がサロンに属する紳士であり、個我の権威の確立しているヨーロッパでは一層必要なのである。彼等は他を借りずに自己を告白することが出来ない。（伊藤整『小説の方法』）

フランス文学に堪能な金子光晴が、このような事情を知らぬはずがない。だからだろうか、彼が『風流尸解記』に附した「小序」は、あからさまな擬態ではなく、作品と作者との関係を追求することを誘《いざな》う仕掛けとも読める、錯綜したものとなっている。

このものがたりの筋も、でてくる人間も、すべて、作者のつくりあげた仮空なものであって、いわば、空想小談とでもいうべきである。そして、話しかけるあいても成人ではなくて、ひとをあくがれ、恋いわたることを知りそめた少女たちである。ただ、話の末節や、状景のなかに、じぶんの経験した地勢なり事実なりがまぎれ込んでいる個所もいくつかないわけではないが、それも微にわたったせんさくで、つくりもののほうが中心になっていることには変りはない。かかる黄表紙本に筆を染めるのははじめてのことなので、なにかにつけてよい出来映えとは言われないし、附会した作者の気持、文学の常道を外れても、ひたすらに人物の生証拠をたずねて、二重に自然の落泊に捕われ、ひたすら翻弄されるがままになって、結局は、筋立てにかかわりなく、おのれの痩骨をさらすことに終るのだ。

〔『風流尸解記』「小序」〕

『アドルフ』のみならず、作者名をパラテクストとしてもつ近代小説は、どのような擬態を施そうが作品は腑分けされ、作者の「私」は、テクストのなかから拾い上げられる。〈ものがたりの筋も、でてくる人間も、すべて、作者のつくりあげた仮空なもの〉、〈空想小談とでもいうべきである〉としつつ、いくら作者がそのように言ってみても最後には〈結局は、筋立てにかかわりなく、おのれの痩骨をさらすことに終る〉と書かざるを得なかったのは、ヨーロッパの小説だけでなく、すべての近代小説がもつそのような構造を、金子が熟知していたからにほかならない。つまり、彼は、読者が『風流戸解記』を、自身と、彼の死後『金子光晴のラブレター』（一九七六）を出版し金子との関係を暴露した大川内令子との、遠い日の事実を素材にしていると読むことを知っていたのである。では、なぜ、金子は、作者すなわち主人公ではない、という擬態を取り続けたのだろうか。

『風流戸解記』は、『アドルフ』の顰みに倣えば、〈死んだ親友の身寄りの物語〉という形をとっている。そして、主人公の〈その男〉は、〈かつて、文学青年であったこともあり、また舞台ではすこし皺枯れた低声で鄭衛の調をうたうので人気があ〉った役者、〈物分かりのいいのを自惚れていた所謂自由主義者の一語学教師〉だった過去をもち、〈戦争に批判的な態度をとって良識者面をしていた〉人物、つまり、作者の面影をコラージュした男性に、〈少女〉は、モデルとされる大川内令子とは異なる、盲目の女性として描かれている。

この擬態は、読者の眼を晦ます目的だけではなく、金子の、小説のリアリティに対する考え方と関係があるように思われる。金子は、日本の私小説を〈なかなか独特なもので、コンスタンの『アドルフ』や、ルソオの『懺悔録』ふうなものとは、よっぽどおもむきがちがっているので、自分を俎にのせるとか、自画像を描くとかというのとは、わけがちがっている。心理的であるよりも、心境的なもの〉（「私小説」一九五九）とし、〈小説は、日記そのままの形をとることもあれば、実験報告の形をとることもある。実録そのままの形もとる心理小説というものの性格ほど、そのすじ道をはっきり説明してくれるものはない。主人公の心の底にわけ入り、あるいは外部に現れた反応を総合してみて、一連の関係をさぐりだし、精神医のようなやり方で、人間族の滅びるときまで人間の心理や行動を決定づける「不変の方則」を応用して、人間心理のリアルを追求することは、なるほど、がっちりしているように見えるが、それは、実人生の活写図というよりも、多分に人間心理の類推の模様化というようなものに近くなりそうだ〉(「リアルの問題」一九五九)と記している。

七十七歳になった金子は、二十数年前の、生きてしまった日の真実《ほんとう》を『風流尸解記』に封じ込めようとしたのだが、〈人間心理のリアル〉は〈実人生の活写図〉、つまり、その時の事実の似姿を小説に再現することではなく、いま生きて在る「私」が遠い日の「私」の〈心の底にわけ入り〉、〈精神医のようなやり方で〉分析し、〈人間心理の類推の模様化〉を行うことでしかつかめないことを知っていた。作品に書き込まれた少女殺しや屍体の沈む沼は、現実に起こった事や現実にあった場であるはずはないが、これらは暗喩《メタファー》として作品に持ち込まれたものではない。〈鬼〉にそそのかされ少女を殺し、沼に沈めたことにしか、遠い日の「私」の〈リアル〉は、真実《ほんとう》は、なかったのである。金子光晴が『風流尸解記』に施した擬態は、〈実人生の活写図〉のもうひとつ奥にある真実《ほんとう》を抉り出すためのものなのである。

擬態の意味がそのようなものであるとするならば、金子には「仮面紳士」の意識はなかったのだろう。『風流尸解記』には、擬態と同時に、主人公〈その男〉すなわち作者金子光晴と読める、つまり〈おのれの痩骨をさらす〉仕掛もちりばめられている。たとえば、大川内令子と金子そのままの〈少女〉と〈その男〉の年齢差や、背景となる敗戦直後の新宿や、金子の住まいのあった吉祥寺界隈の街並みの描写は、作者自身を想起させるに十分である。これらは、同時に、幻想的で超現実《シュルレアル》的な作品内の出来事を小説空間から浮遊させないための装置でもある。しかし、〈その男〉と、作者金子光晴とを決定的に結びつける仕掛けは、『風流尸解記』に挿入された詩人金子光晴の詩にある。

『金子光晴全集』第九巻「後記」によれば、『風流尸解記』に挿入された詩のうち、詩人金子光晴の作品として既に発表されていた主なものは、「失明」（『群像』一九五二年八月号）、「宙天からからだが……」（『新潮』一九五三年六月号、原題「逆光をうけたすばらしい肖像／Rコに」）、「雨の唄」（角川文庫一九五四年十月刊）、「沼のへりから・・・・・・」（『小説中央公論』一九六〇年十月号）の四篇である。これらの詩が書かれた一九五二（昭和二七）年から一九六〇（昭和三五）年前後の金子光晴と、〈少女〉のモデルとされる大川内令子との関係を『金子光晴全集』第十五巻「年譜」から摘記すれば、以下の通りとなる。詩の発表時と年譜を読み合わせれば、これらの詩が大川内令子との関係のさなかで書かれたものであることがわかる。

昭和二十三年（一九四八）五十四歳　三月、詩人志望の大川内令子が訪れる。これより光晴と令子の恋愛関係が始まる。

昭和二十八年（一九五三）五十九歳　三月二十三日、大川内令子と婚姻届。

十二月十六日、令子に無断で協議離婚を届出、二十二日、三千代と婚姻届。

昭和三十三年（一九五八）六十四歳　二月十三日、令子の父伝七没。令子を佐賀県塩田町久間村に帰し、光晴も後を追う。村の寺で詩について講演。

十二月五日、三千代にかくれ、協議離婚届。二十七日、令子との婚姻届。

昭和四十年（一九六五）七十一歳　三月、令子と協議離婚。二十日、三千代と三度めの婚姻届、森家に入籍。


金子光晴は、清岡卓行との対談（『ユリイカ』一九七二年五月号）で、〈詩の部分は例えていえばオペラにおけるアリアですね、ああいうところに、詩があたるわけでしょうか〉という清岡の質問に、〈それは、やはり効果も考えてね、つなぎですね。つなぎでもって、まあ、あとが一変する場合もあるでしょう〉と答えている。周知のように、アリアとは、歌劇でオーケストラの伴奏をもつ、抒情的な独唱歌曲のことである。金子光晴が『風流尸解記』に、その時代に歌った詩を挿入したことの意味を考えるとき、抒情詩と自己表白との関係を述べた伊藤整の言葉は、示唆的である。

「誰しも詩の中でしか懺悔をしない。」とゲエテが言ったことを私は思い出す。［略］ゲエテがそう言ったとき、彼は自分の「詩と真実」的な散文を否定したのではなく、抒情詩が人間の内奥の心の震えを表現する強力な方法であることを言ったのにちがいない。抒情詩は、音楽を伴い、韻律の枠のなかに自己を閉じこめて、ひそかに内奥の情感を吐き出したのであろう。それはしかし、歌謡として他人の前で歌われる作法であったために、その情感の全姿態をあらわにすることができなかった。事実の経緯、そのあらわな姿は、詩においては必ず隠れて姿を現わさないのであった。その部分を音楽が分け持って抽象的に表現したのだろう。そして結末の詠嘆のみが音楽の雲の中にまぎれて鋭く立ちのぼった。それ故、詩は音楽と韻律を身にまとい、曖昧な美しさに隠れ、詠嘆のみによって、嘆き、疑い、愛撫し、訴える自己を表白することができた。〔略〕／しかし多分、ボオドレエル時代から、あるいはブレイクの時代から、抒情詩は、公衆の前で歌われるという約束が空虚であることが反省された。詩は音楽に依拠せず、言葉自体の中に音楽を持とうとするようになった。その時から詩もまた一人の人間が一人の室で読むものとなった。そういうものとしての思念の、また表現の細心さと大胆さ、告白の迫真性と人間の悪と罪の意識の昇華の道が、詩の中に開けたのであろう。それは方法としてのサンボリスムを生んだ。（伊藤整『小説の方法』）

伊藤整がここで明らかにしたことは、抒情詩が自己表白や告白の手段であるということである。しかし、抒情詩は、〈韻律の枠〉や、〈言葉自体の中に音楽を持とうとする〉こと、〈方法としてのサンボリスム〉のために〈事実の経緯、そのあらわな姿〉を表現することには、適していない。〈詩が小説等の散文學と區別されて、本質上に韻律を要求したり、特殊のフォルムを約束したり、言葉の印象的な美的感性を必須とするのは、詩という文學そのものが、本来他の散文學と異なるところの、高貴な美意識と藝術性とを、本質上のエスプリとする為に外ならない〉（萩原朔太郎「詩形の變遷と昭和詩風概説」一九四〇）からである。それを表現するのは、叙事詩や小説である。

金子光晴は、『風流尸解記』に遠い日の真実《ほんとう》を、封じ込めようとした。しかし、それは、詩という形式だけで表現できるものではなかった。ここに、〈人間の内奥の心の震えを表現する〉詩と、〈事実の経緯、そのあらわな姿〉を表現する散文とによって構成された『風流尸解記』の方法の、必然性を見いだすことができるのである。

では、この四篇の詩は、金子の自己を、どのように表白しているのであろうか。

『風流尸解記』の導入部におかれた詩「失明」は、〈その男〉と〈少女〉の出会いを象徴しているが、それが心ときめく恋愛の予兆などというものからはほど遠いものであることを伺わせる。第三連で詠われた自己を取り巻く状況、〈内側から、止め途もなしにくずれはじめたこの物音〉、〈ことごとく、僕からそむいて、立退いてゆくものどもの息ずれ、身のうごき〉の〈あわただしいものの気配〉。このような状況が、〈まったくじぶんの席のないところへ帰ってきたのだ。というのは、僕としての仕事はこれで終ったという感が深かったのだ。［略］当面の闘争の対象を失って、じぶんの位置すら安定しない、空隙の世界に浮いてしまったという感じだった〉（『詩人』）という敗戦後の、金子の精神状態を表している。このような状況の中での恋愛を、〈なぜまた僕は、逃げようと機《しお》をうかがって／さわさわとおちつかない君のこころを、放そうとしなかったのだ〉と、とらえている。そしてその行為は〈血泥で貼付いたズボンをはがすときのように／如法闇夜のふかみから、すっぽりからだをぬけなかった〉ことと併置され、譬えられる。そうであってみれば、第一連の失明の意味は、「恋に目が眩む」とか「恋は盲目」などというありふれた心理の象徴ではなく、まさに〈まぶたのうえに、墓がのりかかる〉ことによっての失明、〈少女〉との恋愛という〈地獄めぐり発端〉へ、眼を瞑って歩み出すことの象徴といえるだろう。

殺されたはずの〈少女〉と過ごした〈梅雨があけるまで、それから真っ正面の夏が来て、過ぎるまで〉の部分の冒頭におかれた詩「逆象」は、シュールレアリスムの絵画を思わせるイメージの底流に、虚無を漂わせ、その虚無を宇宙のなかでの人間存在という地平で謳い上げている。冒頭に置かれた〈宙天からからだが吊《つる》されていた。透明なそのからだの背後をよぎり／光と／雲が、／／ながれる〉という絵画的なイメージそのものも虚無的ではあるが、美しい。虚無的であるが故に美しいのかもしれぬそのイメージは、その一夏が、金子光晴にとって、美しくもあった、ということを想像させる。だからこそ詩「雨の唄」のような恋愛詩も書けたのだろう。「雨の唄」の十三連〈二輪の切り花が、もつれてあゆむ。／雨のセロファンに包まれて。〉のイメージは、哀切な愛情表現であるといえる。しかし、「逆象」で〈からだが死んでいることまで／しらないであそび狂う精子ども〉にたとえられる、この恋愛の空虚感を、金子は、凝視している。〈不滅の真実と、萎れる肉の／いずれに僕が、こころひかれたのか〉と自己の心理を分析した金子は、そのような自分や人間の存在を、〈破れた子嚢《しのう》、宇宙に散乱する千万の胞子がえがく、うすくて、むなしい皮袋の夢よ〉と、人間存在の微少さのなかでとらえようとしている。

一九六〇年になって書かれた詩「沼のへりから」は、「失明」、「逆象」と異なり、自我は背後に退き、一人の〈少女〉を追憶とともに詠っているようにも読める。この詩が大川内令子との関係のなかで書かれたものであるとしても、詩に詠われた〈少女〉は、出会いから十三年、三十代後半になっていた令子そのものではなく、追憶のなかの少女だった令子であろう。別れを心に秘めた男に、第三連・四連で〈少女〉がいう〈——生きていることは、つらいこと。／たべることもいや、みかん三袋だけ。／／土はきたないし、／木も、こわい。／すきなものは、水だけ。／水にうつって　揺られているものだけ……。〉の言葉は哀切であり、その言葉を詩に刻印する金子の心も、哀切である。

そしてこの〈少女〉の〈ささやき〉を受けて、主人公の〈その男〉が〈たべるのが嫌《いや》なんておもってはいけませんよ。［略］あなたは、やっぱり、みかん三袋ですか?·〉と、〈少女〉を説得することに端的に表れているように、挿入詩によって語る語り手、つまり、詩人金子光晴と主人公は、一体化しているのである。

この詩と散文が地続きとなっている部分こそ、主人公すなわち詩人金子光晴と読むことのできる仕掛ともいえるのである。ここにおいて、『風流尸解記』の作者で語り手の金子光晴、詩人金子光晴、作品内の時間を生きた〈その男〉すなわち金子光晴という、三人の金子光晴の顔が、明確な輪郭をもって浮かびあがってくるからである。『風流尸解記』は、作品内の時間を生きた〈その男〉すなわち金子光晴の心理を、詩人金子光晴がほぼ同時的に詩で語り、七十七歳の『風流尸解記』の作者で語り手の金子光晴が詩を挿入しつつ、散文で語るという構造になっているのである。

＊

金子光晴は、擬態と仕掛の向こう側に遠い日の真実《ほんとう》を、大川内令子との〈愛情の果ての骨も臓腑も手づかみの親和の世界〉を封じ込めた。そして、そこから人間存在の奥深いところに光を当てようと試みたのだろう。『風流尸解記』には、次のような一節がさりげなく置かれている。

元来、人間は、快楽をもとめることで生身《いきみ》を知り、その快楽が地獄の業火で燃えさかるものであることを知れば、筋道はいたって簡単で、［略］それによって愚鈍でお先まっくらな人間が、わずかにおのれを客観しながめるために、燧石《ひうちいし》に火を打ちちらす契機《きっかけ》ともなるものである。

人間存在の奥深いところに錘鉛を下ろそうとしたときに、金子には二つの方法意識があった。一つは、詩集『人間の悲劇』(一九五二)の「序」にある〈僕の生涯を何べんでもやり直すことのできる唯一の方法〉としての〈自叙傳〉であり、もう一つが「リアルの問題」で述べられた〈主人公の心の底にわけ入り、あるいは外部に現れた反応を総合してみて、一連の関係をさぐりだし、精神医のようなやり方で、人間族の滅びるときまで人間の心理や行動を決定づける「不変の方則」を応用して、人間心理のリアルを追求すること〉である。この二つの方法意識の結晶として、『風流尸解記』という小説がある。『風流尸解記』は、〈実人生の活写図〉のもう一枚下にある〈人間の心理の模様化〉を描出するために「他を借りて自己を告白する」フランス心理小説の型《フォルム》を用いて書き出された。しかし、遠い日の真実《ほんとう》は、心の襞の裏側にこびり着いた澱《おり》を掻き出すことでしか見えてこない。〈精神医のようなやり方で〉、〈主人公の心の底にわけ入〉ればわけ入るほど、金子光晴の「私」は主人公を通して作品のなかに浮かびあがり、〈自叙傳〉のように〈おのれの痩骨をさらすことに終〉ったのである。

しかし、先に述べたように、金子光晴には、このことは計算済みのことであったように思われる。ただ、自分の〈心理の模様化〉には成功した金子光晴も、小説に告白された遠い日の「私」の真実《ほんとう》が、他者の心にどのような波紋を投げかけるのかを計算できていたかは、疑問である。モデルとされる大川内令子は、金子の死後出版された『金子光晴のラブレター』（聞き書き江森陽弘、ペップ出版、一九七六）で次のように述べている。

この小説を書く前、／「ウサギ（私のニックネーム）をモデルにするから楽しみにしておきな」／といっていましたが、実際に作品を読んでみると、初めて肉体関係を持った旅館や、その時の様子など、まあよくもこんなにそっくりに書けたものだと、あきれるくらい生々しく記述しているんです。／読み終わったとき、結局、私は金子光晴に心から好かれていなかったのかな、と思い、胸に大きな穴があいたようで、むなしくて仕方ありませんでした。

「私」の真実《ほんとう》とは、他者にとっては、かくも残酷なものである。しかし、それを表現しなくてはいられないのが文学者という存在なのだろう。だとすれば、擬態の意味は、実際には届かなかったが、〈少女〉すなわち「あなた」ではない、という大川内令子へのメッセージ、つまり、金子光晴の、大川内令子への消え泥む、愛情の残り火にこそ、あったのかもしれない。

第二節
言語についての小説
―リービ英雄論―

リービ英雄の『高速公路にて』（二〇〇六）は、変わりつつある現代の中国の姿を写し出した作品である。だが、作品を通奏低音のように流れている作者の言語に対する意識が、言語についての小説という、もうひとつの読みを呼び寄せる。


黒いアウディが黄河大橋に入った。

うしろの窓から、大橋の下を流れているへどろよりすこしだけ明るい色の水面が見えてきた。船が一隻も通っていないのに水面はところどころ波立っていた。

運転手の口から、チュアン、という音が出た。うしろの座席でかれは耳を澄まして、それを船《チユアン》と受けとめて、俺の小さいときには船がたくさん通っていた、というようなことを言いつづけている、北京とか上海ではまず聞かない方言を聞き分けた。向こうの岸が地平線のかなたに隠れて、地球のカーブすら感じられるほど広い川の上をいくつもの渡し船が行き来している写真を、『悠久なる大陸』という日本の書物の中で見たことをかれは思い出した。〔『高速公路にて』〕

『高速公路にて』は、こう書き出される。ここには、人が言葉を交換する際に当然起こっており、それでいて意識されることの少ない行き違いが描出されている。〈運転手〉は、彼が子どもの頃見たであろう光景を想起し、幾隻もの船が往来していたかつての黄河を語っている。〈チュアン〉という〈音〉を聞いた〈かれ〉は、それを〈船《チュアン》〉という言葉に変換し、〈俺の小さいときには船がたくさん通っていた〉という意味として了解した。だが、そのとき〈かれ〉が思い浮かべているのは、〈『悠久なる大陸』という日本の書物〉のなかにあった〈写真〉なのである。〈運転手〉が子どもの頃に見ていた〈船《チュアン》〉と、〈かれ〉が思い出している写真のなかの〈渡し船〉が同じものであるはずはない。それでも二人は、船が幾隻も行き来していた、かつての黄河の光景を共有したかのように、今はそうではない、という現実を了解し合っている。言葉の交換と互いの了解、そして現実の把握という、論理で説明することが難しい、極めて人間的な営みが『高速公路にて』を貫くもうひとつの主題《テーマ》となっている。

〈かれ〉は、〈黒いアウディ〉のスモークガラス越しに、中央分離帯を越えて高速公路を横切ろうとする〈黒い物体〉を見る。はじめは〈後ろ脚で直立した黒い鹿〉のように見えたものは、〈上着もズボンも黒い、やせた男〉だとわかる。そのとき〈運転手〉が〈ノンミン！〉と〈するどく叱る声をもらした〉。

のうみん、とかれの頭の中で響いた瞬間にはもはや黒い服の人が車線を走りきり、そのまま右側の青いガードレールを飛びこえて、下の野原へおりてしまった。

五、六秒経つと、農民が黄色い野原の上を、五十メートルほど離れた赤いレンガの農家へとゆっくり足を運んでいる姿がアウディの真横に見えた。

それは家へ帰る人の、慣れた足取りだった。

農村を真っ二つに割って高速公路が開通したのか。「ノンミンを一日に何度も見かけてすれ違う」と運転手が苛立ちでさらに加速されたような早口でつぶやいているのを、かれは黙って聞き分けた。〔同前〕

中国語の〈ノンミン〉という声は、〈のうみん〉という頭のなかの響きを経由して、日本語の〈農民〉という言葉になって〈かれ〉に到来した。そのとき、現前する〈上着もズボンも黒い、やせた男〉は、その土地に住む〈農民〉として了解されたのである。そう了解した〈かれ〉には、〈五十メートルほど離れた赤いレンガの農家〉は〈男〉の家に、〈男〉の歩みは〈家へ帰る人の、慣れた足取り〉に、見えてくる。そして、この高速公路の建設によって分断された、かつてはひとつだった〈農村〉の姿も浮かび上がってきた。今見た光景をそのように構成したのは、〈農民〉という言葉である。その言葉が発せられなければ、〈かれ〉にとって〈上着もズボンも黒い、やせた男〉は、高速公路を横断した者以上の意味を持たず、高速公路の建設によって分断された〈農村〉に思いが至ることもない。

言葉は、人の志向性を方向づけ、世界を構成する。だが、言葉は、ときに現前するものが示す以上のことを語り、意味づけることもある。〈かれ〉は、〈最初の漢字が発掘された殷墟として『悠久なる大陸』にも書かれている名所〉で、〈頭の骨が、その身体の骨からすこし離れてい〉る〈人の骨〉を見る。

途中で石碑が立っているのに気がついた。これ以上文字を読もうとする気はなく、通り過ぎようとしたところ、石碑に書かれている名前が目に入った。足を止めて、石碑を読もうとした。最後の一行がわかった。

奴隷社会の残虐さを示す教科書的な一例といえる　　毛沢東

文字から、かれは目まいを覚えた。さらに足を速めた。土の盛り上がりと、ガラスの覆いと、陳列殿と、入場券売り場と、鳥居のようだが鳥居ではない赤い門が、視野を流れて行った。ガランとした駐車場に黒いアウディをすぐに見つけた。〔同前〕

〈かれ〉が覚えた〈目まい〉は、〈奴隷社会の残虐さ〉がもたらしたものではない。石碑に書かれた〈最後の一行〉の持つ言葉の過剰さが〈かれ〉に〈目まい〉を起こさせたのである。現前しているのは、〈頭の骨が、その身体の骨からすこし離れてい〉る〈人の骨〉である。もちろん、はじめからそうであったはずはなく、誰かが切断したに違いない。その出来事は、その人の生が終わるときであったのか、死後なのか、そして何のためにそうしたのか、今となっては誰にもわからない。その死を悼み、物語を紡ぐことができるのも、その出来事の現在における不在を指し示すことができるのも、言葉だけである。だが、この〈最後の一行〉は、そういう言葉ではない。現前するものが示すことを凌駕し、読む者の志向性を一方的に方向づけ、過剰に意味づける言葉である。

原始共産制社会から古代奴隷制社会へ、中世封建制社会をへて資本主義社会へ、そして社会主義社会から共産主義社会へ、という歴史の道程を描き出したのも言葉である。かつて何億もの人々によってこの言葉の「普遍性」が信じられていた中国で、今、農村を分断して建設された真新しい高速公路をドイツ製の高級車である〈黒いアウディ〉が疾走していく。〈五階建てや六階建ての、ピンクやオレンジ色の新築マンション〉が建ち、〈金色や水色の髪の毛の高校生〉が〈アルファベット名のファッション・ブティック〉のある商店街を歩いている。〈かれ〉が感じた〈目まい〉は、あるいは、そのような変化のなかで置き去りにされた言葉がもたらしたものかもしれない。

現実を把握し、思考するためには言語が必要である。その一方で、言葉は行き違い、すれ違い、人の志向性を方向づけ、迷わせる。〈翻訳家として日本に住み着〉き、『悠久なる大陸』という日本の書物〉を思い出しながら中国を歩く〈かれ〉は、中国語と英語と日本語の、言葉の渦のなかを彷徨っている。

帰りの高速公路で〈アウディ〉は、急に速度を上げ、急に下げる。〈かれ〉には、〈その動きは、運転手が自分の意志の他の何かに動かされているよう〉に感じられる。そして〈アウディ〉は、緊急車線に入って止まる。〈運転手はかれに何の説明もせず〉車を降り、追尾していた車から降りた、黒や灰色の作業服を着た男たちと〈かれ〉には聞き取ることのできない〈濃厚な方言〉で話し始めた。

> ガラス越しの言葉がすこしずつ途絶えているような気がした。黒い服装と灰色の服装が窓の前から一斉に退いた。
> 運転手がもどって、黙ってエンジンをかけた。走りだしてから丸一分が経ったあとにかれはようやく、何があったのか、とためらいがちに標準語で聞き出した。

運転手は、一瞬考えてから、スモークガラスのために先生《シエンシャン》がいるのがかれらに分からなくて、俺は一人だと思われたらしい、と答えた。夜の高速公路は、一人で走っていると危ないこともある、とそれっきり黙り込んで、速度を上げた。〔同前〕

作品末尾のこの場面が、出来事としての明確な像をなさないまま終わるのは、言葉が〈かれ〉に届いていないからである。行き違いすれ違おうとも、人は言語によってしか出来事の像を結ぶことができない。〈濃厚な方言〉であることによって理解できなかった〈運転手〉と作業服の男たちの言葉、〈夜の高速公路は、一人で走っていると危ないこともある〉と言ったきり〈運転手〉のなかに折り畳まれてしまった言葉が語り手と等身大の〈かれ〉に届かない以上、〈かれ〉はその出来事の全体は有意味なものとして把握できず、断片的に語るしかない。『高速公路にて』は、言語で現実を構成し語る、ということの可能性と不可能性を問う、言語についての小説である、とも言えるのである。

つねに作品の底部を流れているリービ英雄の言語に対する意識は、英語、中国語、そして日本語の三つの言語を往還することによって形成されたものである。カリフォルニア州バークレーに生まれ、六歳から十歳まで台湾で育ち、一旦アメリカへ戻った後、十六歳から日本とアメリカを行き来する生活を送ったリービ英雄は、自分のなかにある三つの言語を〈母国語としての英語、子供時代の「第二母国語」としての中国語、そして思春期からの「継母国語」としての日本語〉（『久しぶりの北京語』）ととらえている。人生を区切るいくつかの時期を、それぞれ異なる言語のなかで過ごしたことは、人間と言語との関係を考える上でも、リービ英雄の小説を考える上でも、重要な意味を持っている。

はじめて日本に住んだ十六歳からの二十数年間、普通のアメリカ人がカリフォルニアやミネソタにおいて英語で経験する人生の出来事を――物語の最小単位を――ぼくは桜木町、西早稲田、本郷、高円寺、新宿、東中野という場所において日本語で経験した。（『星条旗の聞こえない部屋』「あとがき」）

記憶は、過去形の言語で編まれた物語である。そして、人は、記憶の連続性のなかで、自分が他の誰でもなく、唯一固有の生を生きていることを確認する。その物語がひとつの言語で編まれているとしても、記憶のなかの他者の声に満たされた言葉は発せられたままの言語で保存されているであろうし、物語そのものが複数の言語で編まれている可能性もある。リービ英雄が、自らのアイデンティティを「複数性」や「動き」で語ろうとすることと、記憶のなかに複数の言語が存在することは、無関係ではない。

リービ英雄は、『万葉集』の研究家、翻訳家としてのもうひとつの顔を持っている。『万葉集』に書かれた、千年以上前の古層にある日本語を、現代の英語に移しかえていく作業を通して、彼は、日本語の持つ独特な感性をつかんでいった。その過程は、『英語でよむ万葉集』（二〇〇四）に瑞々しく再現されている。たとえば、〈春過ぎて　夏来《きた》るらし　白妙《しろたへ》の　衣乾《ころもほ》したり　天《あめ》の香具山〉という歌が、季節の移り変わりを「白妙の衣」という視覚的イメージでとらえ、「過ぎる」という言葉で表していることについて、次のように述べている。

ひとつの季節が「過ぎる」という経過の中に「時間」が視覚的に見えてくる。それは日本語の詩歌の伝統において根本的な手法となっていく。持統天皇の香具山の歌は、書きことばとしての日本語の出発点において、ひとつの手本をなしている。

だから、「過ぎる」は、きわめて重要な日本語なのである。その英訳は、pass とか passing になる。「過ぎてゆく」ことを一千余年にわたって描きつづけてきた和歌も、物語も、それらの英訳を読んでいると、pass, passing, passed という動詞がどれだけ多く出てくることか。〔『英語でよむ万葉集』〕

四季のある日本では、時の移ろいは、目に映る風景の変化として感じられる。夏が「来る」ということは、ある日、それまでとは違う風景が目の前に開けるということであり、昨日までの風景は失われたのではなく、「過ぎた」のである。新しい季節の到来を古い季節が過ぎ去ったことと重ね合わせてとらえ、言い表す日本語の感性を、数多くの〈pass, passing, passed という動詞〉が指し示している。このような古層にある日本語の手ざわりを感じながら、リービ英雄は、現代の日本語を自らのなかに培っていった。

そして、ひとつの言語を他の言語に置き換えるという行為は、言語によって作りだされた世界が「現実」をそのままに写し取ったものではなく、「現実」から独立したものであることを浮かび上がらせた。リービ英雄は、実際に見た香具山が〈mountain（山）ではなく、hill（丘）にすぎない〉ことに気づいたときの驚きについて次のように記している。

けれども逆に、実際にある小さな風景から、雄大で厳《おごそ》かな言葉をつくり出す構造的な想像力に圧倒されるということを、何度も経験しました。現実のスケールは小さいのだけれども、『万葉集』にはひとつの非常に充実した世界がありました。実際の風景と言葉の間にズレがあるから、逆に言語そのものによってつくられている世界に目が覚めたわけです。それは一種の畏敬に変わり始めました。〔『日本語に魅せられて』〕

言語で切り取り、構成した世界を、さらに言語で書き表す。言語を介在させることによって、書かれたものは、「現実」と微妙なズレが生じ、「現実」から独立したものとなる。日本語の書き言葉の持つ不思議な作用が、リービ英雄を日本語で書くことに誘《いざな》った。

そして、日本語で創作することの可能性を示唆したのが、「帰化人」であると伝えられる山上憶良の歌である。柿本人麿と山上憶良を読み比べ、〈同じ国の同じ古代の同じ日本語の詩歌なのに、原文で読む感触も、外国語に翻訳するときに翻訳に求められる資質もかなり違う〉ことから、リービ英雄は、憶良の日本語に「越境性」を見いだした。

しかし、「元は何なに人であった」という出自をめぐる学説とは別に、漢文脈に通じて数かずの漢詩を残している同じ表現者が、「バイリンガル的」な感性で和歌も書いた、と思うと、山上憶良の真の「越境性」が浮かび上がるかもしれない。〔『英語でよむ万葉集』〕

古層にある日本語の書き言葉が、すでに「越境性」を持っていたことは、複数の言語を往還する者だけが開くことができる現代の日本語の可能性を指し示している。

ミハイル・バフチンは、次のように述べている。

……文学的創造の過程において他者の言語との相互照明はまさに自己の（そして他者の）言語の「**世界観としての**」側面を、その内的形式を、そして固有の価値評価のアクセントの体系を照らしだし客観化するのである。他者の言語に照らしだされた場において文学の創作意識に対して立ちあらわれるのは、もちろん自己の言語の音声学的体系でも、その形態論的特質でもなく、その抽象的な語彙でもない。そこに立ちあらわれるのは外でもない、言語を具体的な、最後まで翻訳しきれない世界観にするもの、即ち**ひとつの全体としての言語の文体**なのである。〈伊東一郎訳、『小説の言葉の前史より』、強調原文〉

言語は、それぞれに異なる内的形式や言葉の領野を持ち、その言語独特の文体を形成している。人が言語で世界を構成するとき、その文体から逃れることはできず、異なる言語を使用することは、世界を別様《オルタナティブ》に構成することになる。複数の言語を往還することは、世界を多元的に構成し、自分のなかに先験的にある言語の自然性に埋没していては見ることのできない、もうひとつの世界を開くという可能性を秘めている。

こうして、つねに言語についての問いを作品底部に据え、その問いの存在によって作品の主題《テーマ》がより重層的に展開される、リービ英雄独特の小説の方法が生み出された。そして、デビュー作『星条旗の聞こえない部屋』（一九八七）が書かれたのである。

『星条旗の聞こえない部屋』は、英語を「母語」とする者が日本語で書いた小説という新しさとともに、日本語で構築された世界を、外部の視点から、日本語で突き抜けようとしている点に、その衝撃力を秘めていた。

十七歳のユダヤ系アメリカ人〈ベン・アイザック〉の目を通して見た日本は、目に見えない境界が張り巡らされていた。大学で日本語を学び始めた〈ベン〉に、〈イングリッシュ・コンバセーション・クラブ〉に所属する日本人大学生は、英語で質問を浴びせる。〈あなたはベトナム戦争について罪悪感《ギルト》を感じませんか？　広島に原爆を投下したことについては？〉、〈あなたは日本人のユニークなココロについてどう思いますか〉。そして〈ベン〉がユダヤ系だと知ると、〈じゃ、あなたはシオニズムについてどう思いますか〉。世界の他の都市と較べても遜色のないように見える都会の大学のなかで、〈ベン〉は英語を話す日本人によって、まるでアメリカ人やユダヤ人を代表する人物であるかのように扱われる。

西洋の「文明」を摂取してつくられた「近代日本」は、思想や制度、文化は積極的に取り入れたが、一つだけ決して受け入れなかったものがある。それは、「人」である。国籍、言語、民族、文化、この四つが強く結びついているという確信のもとに「日本人」というカテゴリーが形成され、「外」から来た者は「外人」として排除されてきた。そして、アメリカ人やユダヤ人もそのような強固なアイデンティティを持っていると思い込んでいる。だが、〈アイザック〉というユダヤ系の姓をもち、外交官の父に従いアジアの国を転々とし、アメリカで少年時代を過ごした〈ベン〉には、そのようなものはない。

アイデンティティの不確かさのなかで、自分とは何かを言葉で言い当てようとする十七歳の〈ベン〉は、日本語と出会うことによって、さらに自分の奥底にあるものが揺らいでいくのを感じている。横浜のアメリカ領事館にある家を出た〈ベン〉は、泊めてもらった友人の下宿の割れた鏡に映る〈完成しそこなった奇妙なジグソー・パズル〉のような自分の顔を見て、こう考える。

ベンは自分を呼ぶときのことばを次々と脳裏に浮べてみた。幼少の頃から使っていた「I」、「me」、十七歳になって覚えた「私」、「僕」、安藤に出会って使い始めた「俺」……しかし鏡に映っている切れ切れの顔には、どれ一つも当てはまらない。かれは動いてみた。外からの細い光の筋が埃を貫き、割れたガラスの表面に閃いた。

Where, father, where ?

どこか、歪められた光の向うへ誘われている気がした。しかしガラスに映っているその反射を、見つめれば見つめるほど、自分のどんな名称の裏にも空虚しかない。彼は恐くなった。目をそむけて、素早く玄関の方へ戻った。〔『星条旗の聞こえない部屋』〕

主語となる自称詞の揺らぎによって、述語が続かなくなる。英語の「I」でも、日本語の「私」、「僕」、「俺」のいずれでも定位することのできない自分。〈ベン〉は、単に英語と日本語という二つの言語に引き裂かれているだけではない。自分のなかに先験的にあるのではない、もうひとつの言語によって〈ベン〉は、英語で編まれていた自分の不確かさを知った。そして、自分を言い表す言葉をつかみそこねたことによって、言葉で編まれている「私」というものの空虚さに恐れを抱いたのである。
〈ベン〉をそういう場所へ誘《いざな》ったのは、時と場合によっていくつもの自称詞を使い分ける曖昧さをもちながらも、その言語を正確に書き話すことができるのは自分たちだけだという頑なな確信に満ちた「日本人」社会だった。

公園の向うに広がる港は、防波堤まで外国船でいっぱいだった。アメリカの船、ロシアの船。安藤がいつか、「おやじさんとこからがいこくせんがたくさんみえるだろう」と言ったのをベンは思い出した。そして今、自分も思わず日本語で港を眺めていたのに気がついた。がいこくせん。外の国の船。alien ships。外の人間を、alien を、父を運んできた船。オランダ人、ポルトガル人、アメリカ人、紅毛と碧眼、黒人とユダヤ人、色様々の毛唐を運んできた黒船、商船、軍艦。そして自分も。And I……No、違う、おれ……おれもそんな船に乗ってやってきた、でも、おれは絶対に違う！　誰に向けていいか、何語に翻訳すればいいか分らない訴えが喉につかえた。見晴らし窓の枠の中でベンには不可能な反省を求めて光っている父の大きな青灰色の目から自分の同じ色の目を逸らして、かれは銀の深鍋に箸をつけた。〔同前〕

日本語で世界を分節した〈ベン〉は、自分が越えられない目に見えない境界の存在、自分を

「外人」として囲い込み、一人の人間として扱わない日本人の意識を、その歴史とともに理解した。そして、〈外の人間〉という日本語と〈alien〉という英語の狭間で、その境界を越えようとする自分の意志を〈何語に翻訳すればいいか分らない〉のである。

『星条旗の聞こえない部屋』は、言語とアイデンティティの奥深いところでのつながりと、国籍、言語、民族、文化の結びつきを信じてやまない「島国日本」の見えない境界の存在を、鮮やかに描出している。だが、やがて、リービ英雄のなかに〈……日本と西洋だけでは、日本語で世界を感知して日本語で世界を書いたことにはならない〉(『ぼくの日本語遍歴』)という意識が芽生えていった。そして、そのときに立ち現れてきたのが〈第二母国語〉としての中国語である。

一九九三年八月、リービ英雄は、〈第二母国語〉の記憶を求め、中国大陸に初めて渡った。そして、その体験をもとに書かれたのが『天安門』(一九九六)である。

地下道から上がったばかりのかれは広場の端に立っていたのだが、立っていたところからそう遠くない敷石の上にもかげろうがおどっている。

ひむかしのの、い、い、い、い、に、と頭の中でそんな日本語が突然の酔いのようにさっと浮かび上がった。かぎろひのたつみえて、い、い、い、い、い、い。

そんな日本語が浮かんでしまったのに、「かげろう」の正式な英語は、思い出せなかった。

まわりに溢れている何千人の、誰一人にも通じない、口にすればたわごとのように聞こえるだろう。〔『天安門』、傍点原文〕

〈かれ〉が立っているのは、天安門広場である。そして、かつて〈かぎろひのたつみえて〉という〈古代の日本語〉を〈ぼくには見える、朝の炎の立つのが〉という現代の日本語を経由して〈I can see the flames of morning rise〉と翻訳したことを思い出す。到来した万葉集の〈ひむかしののに〉という言葉によって〈かれ〉は、英語でも中国語でもなく、日本語で世界を分節した。今〈かれ〉の前に開かれている世界は、中国語を話す〈まわりに溢れている何千人〉の人や、英語を話すときの〈かれ〉が見ているのとは異なる姿をしているはずである。

日本語で世界を分節した〈かれ〉は、毛沢東の遺体が安置されている廟に入っていく。そのとき〈かれ〉が口にしたのは、台湾に駐在する外交官だった父が一九五〇年に軽蔑の口調で呼び捨てにした〈Mao〉でも、一九六〇年代に自ら呼んでいた〈Chairman Mao〉でも、中国語の〈毛主席《マオジュシー》〉でもない、日本語の〈マオ〉であった。〈かれ〉の家族は、大陸から逃れてきた中国人女性と父との恋愛によって崩壊した。〈かれ〉が日本語で分節した世界に存在するのは、歴史的な存在としての毛沢東ではなく、〈まるでかれの家族を破壊するためであるかのように、黒髪の女を大陸から追放した毛主席〉だったのである。

日本から中国大陸に渡り、はじめて天安門広場を歩いたとき、あまりにも巨大な「公」の場所の中で、逆に私小説的な語りへと想像力が走ってしまった。アメリカとは異なった形で自らの言語の「普遍性」を信じてやまない多民族的大陸の中を、歩けば歩くほど、一民族の特性であると執拗なほど主張されてきた島国の言語でその実感をつづりたくなった。まずは、血も流れた大きな敷石の踏みごたえと、そこに隣接した路地の、粘土とレンガを固めた塀と壁の質感を、どうすれば日本語で書けるか、という描写の意欲を覚えた。そのうちに、アメリカ大陸と中国大陸の二つのことばを媒介とした感情が記憶の中で響く一人の主人公の物語を、想像するようになった。〔『ぼくの日本語遍歴』〕

日本語と「私小説」という日本文学の形式を用いることによって、リービ英雄は、中国大陸と毛沢東についての、極めて私的な実感を言語化することができたのである。

リービ英雄が中国語を〈第二母国語〉として獲得したのは、アメリカ国務省の職員だった父とともに、六歳から十歳まで暮らした台湾である。中国大陸から逃れてきた人々が話していた北京語が、リービ英雄にとっての〈第二母国語〉なのである。では、なぜ中国語のなかに戻っていくのに台湾ではなく中国大陸だったのだろうか。

ぼくは子供の頃に見た台湾の風景を、間接的に確かめるために大陸に来たのだ。その風景を日本語の私小説の中で書くために来たのだ。(『我的中国』)

台湾にある現実の故郷の風景ではなく、それを思い起こさせる風景を中国大陸に探す。この求めるものと、それを感じさせる現実との錯綜した関係は、言語で世界を構成し、現実と非現実の間《あわい》を生きる人間の、奇妙な在り方を指し示している。そして、それを意識することが、言葉の新たな相貌を切り開いていった。たとえば、「家」という言葉である。

「私小説的紀行」と評された『我的中国』(二〇〇四)には、「家」という言葉で、言語化することが困難な、人を奥深いところからつかんで離さない、ある思いを言い表そうとしている箇所がある。

洛陽の旧市街の路地を歩きまわっていた〈ぼく〉は、練炭を山積みした荷車を止めて、四人の男女がたき火をしているところに行き合わせる。

練炭の強烈なにおいと、たき火の木片が燃えるにおいが立ちこめて、そこに向かって歩くぼくの方へと漂ってきた。

香ばしくはない、しかし、なつかしい、という以上に、いつか、どこか自分の家にあった、自分の生活にあった、もし目をつむればそれが立ちこめていた年齢にもどされてしま

いそうな、練炭とたき火と石の塀のにおい。〔同前〕

〈練炭とたき火と石の塀のにおい〉は、具体的な記憶の想起ではなく、それを越えて、直接身体に浸み入るようにして〈ぼく〉に到来している。かつて住んだ、あの家やこの家ではない、だが、自分が確実にいた場所と時間に、思考を越えて連れ戻してしまうような感覚が〈ぼく〉を包んでいる。それは、もはや場所としての具体性を持たず、「家」という言葉でしか言い表しえないものなのである。すでに失われ、どこにもない「家」、それは自分のなかにしか存在しないのであり、その思いを引き出してくれる別のものの存在によってしか感じられない。

そのようなものを探して中国大陸を旅している〈ぼく〉に、広州に向かう夜行列車のなかでスピーカーから流れる〈子供のコーラス〉の声は、台湾の家で耳にした北京語の記憶を甦らせる。

我的中国《ウオーデジヨングオ》！　我的中国《ウオーデジヨングオ》！
とくりかえしくりかえし、子供のコーラスが、揺れる車輛の隅から隅まで響き渡った。
われてきちゅうごく！
生ぬるいビールで頭がまわりはじめた。
窓の外の大陸も揺れた。

大陸は暗かった。ぼくは窓をじっと眺めているうちに、思わず闇の中から自分の家を探している自分のまなざしに気がついた。〔同前〕

ここで言う「家」も現実の場所ではない。〈ぼく〉が今住んでいる新宿の木造アパートでも、かつて住んだ台湾の家でもない、どこにもなく、行き着くことができない場所。しかし、心の片隅にいつもあり、求めてやまない場所。それを感じさせてくれるものを探して中国大陸を歩く〈ぼく〉を描くことによって、リービ英雄は、日本語の「家」という言葉の深層にあるものを切り開いて見せた。

日本語で変わりつつある中国大陸をとらえ、日本語の小説に書くという営みをつづけていたリービ英雄は、河南省開封で、一千年前にユダヤ人が中国人に「なった」痕跡に辿り着いた。この出来事を素材として書かれたのが『ヘンリーたけしレウィツキーの夏の紀行』(二〇〇二)である。西洋人の名である〈ヘンリー〉と日本人の名である〈たけし〉という二つの名前、そしてユダヤ人の出自を表す〈レウィツキー〉という姓をもつ日本在住のアメリカ人大学教師を主人公とするこの小説は、名前とアイデンティティをめぐる物語でもある。

街のなかでは外国人を意味する〈ローウェイ〉という声を浴びせられる〈ヘンリー〉は、河南省の地方都市にある〈新世界大飯店〉というホテルでは〈Welcome back, Mr. Lewitsky〉と迎えられる。かつては中国共産党のゲストハウスだったこのホテルは、アメリカと香港の合弁会社に経営が委託され、世界の大都市にあるホテルと変わらない空間を作りだしていた。レストランの入り口近くに置かれた大型テレビには、〈共産主義少年団と同じ赤いネッカチーフを結んでいる学生服の子〉や、ジーパンとTシャツの子たちが〈WHAT'S YOUR NAME!〉と、発音の練習をしている映像が映し出されている。

中国共産党からホテルの経営を任されている西洋人の〈ジェームス〉は、〈人民に服務せよ、ではなく、お客さんにサービスしよう、というこの国になかった発想〉を導入し、服装から接客態度まで従業員を徹底的に指導することを英語で説明した後、次のように〈ヘンリー〉に語る。

「そして最後には名前を与える」
大部屋の隅から上海の歌謡曲の断片が流れてきた。「ジェームズ」は熱弁をふるった。
「名前を与えることによって、現代人としてのアイデンティティ――プライドと言ってもいい――を与えるのだ」(『ヘンリーたけしレウィツキーの夏の紀行』)

このホテルの中国人従業員は、英語を話し、〈ローズ〉、〈ヘレン〉などと西洋人の名を名乗っていた。

ここには、名前とアイデンティティをめぐる微妙な、そして緊張を孕んだ問題が横たわっている。名前は、それに続く述語がどのように変化しようとも揺らぐことのない主語、自己の生の連続性と全体性を支える言葉でもある。他者がそれを与え、新たなアイデンティティを付与することは、歴史を振り返るまでもなく、ひとつの暴力として機能することが充分に考えられる。だが、人種や民族がかつて所属していた集団を表す記号に過ぎなくなっている人々もいる現代において、別の名を名乗り、新しいアイデンティティを獲得することは可能なことなのだろうか。

〈Lewitsky〉という姓から〈ヘンリー〉がユダヤ系アメリカ人であることを知った〈ジェームス〉は、〈一千年前の京だった小さな都市〉に、シルクロードを経て中国に渡り中国人になった〈古代のユダヤ人〉がいたと告げる。

「They became」久しぶりに耳を打つ英語の音の中で、そのことばがひたすらに大きくへンリーの耳に響いた。

かれらは、なった。

かれらは渡って、そしてかれらは渡った結果、他の何かになった。

「かれらはみんな趙《チャオ》となり李《リー》となって、そして趙《チャオ》とか李《リー》として生きながら宗教を維持して、一千年、そこにいつづけてきたみたいですよ」(同前)

〈ジェームズ〉は、一千年前にユダヤ人が〈趙《チャオ》〉や〈李《リー》〉となったことと、現代の中国でホテルの従業員が〈ローズ〉や〈ヘレン〉になることを同じだと考えているのだろうか。それは、「become」、「なる」という同じ言葉で言い表すことができる。しかし、この二つの「なる」には、決定的な差異がある。中国人になったユダヤ人の存在は、「越境」することの可能性、つまり、人が生まれや民族を越えて自らが選び取った新たな場所で生きていくことの可能性を指し示している。しかし、ホテルの従業員が〈ローズ〉や〈ヘレン〉と西洋人の名を名乗ることは、今や世界中を席巻しようとしているアメリカを中心とする市場経済の波が中国にも及んでいることの象徴に過ぎない。

　この話を聞いた〈ヘンリー〉は、父が台湾で〈李先生《リーシエンシエング》〉と呼ばれていたことを思い出す。台湾では〈外から来た人が「この国」の名前を命名される〉昔からの習慣があると語った父は、自ら〈我姓李《ウオシングリー》〉と名乗り、他の「リー」と区別するために〈木子李《ムーヅリー》〉と付け加えていた。そして〈ヘンリー〉の記憶は、キリスト教宣教師の〈祈りましょう〉という声を無視して〈目を開いたまま、遠くを見ていた〉父の姿へと移り、〈父は、当然のことのようにここにいる、とどこにも感じなかったから自分にこんな名前を与えたのか〉と、〈たけし〉という自分のもうひとつの名前をとらえ直すのである。〈ヘンリー〉には、自らを〈たけし〉として無条件に受けいれてくれた人たちのなかで、〈父からもらったもう一つの名前で生きていた。たくさんのかれらの声の中に、たけしが生きていた〉日本で過ごした青春時代の記憶があった。

開封を訪ねた〈ヘンリー〉の思いは、中国まで渡ってきたのなら、もうひとつの海を越えて日本までやってきたユダヤ人がいてもおかしくない、というところまでひろがっていく。だが、〈ヘンリー〉は、自分に向かって発せられる〈老外《ローウエイ》！〉という声で、現実に引き戻される。〈おれはおまえたちと同じ民族だ、同じかもしれない、同じじゃないとは言いきれない〉。このとき、喉の奥からほとばしり出そうになったのは、〈ヘンリー〉の声ではなく、〈たけしの声〉だったのである。

〈ヘンリー〉は、中国人になったユダヤ人がいた痕跡、今は病院となった、かつてのシナゴーグの井戸に辿り着く。

だれかが、いた。
大陸のことばが消えて、日本語の思いがヘンリーの頭に浮かんだ。
なった。
だれかが、なった。
なったことの唯一の証拠の前に、ようやく辿り着いた。
窓から、千年前からずっとあったような、よどんだ青色の光が漏れていた。
ヘンリーの頭の中で、日本語のことばが大きく、こだました。
がいじんが、

がいじんが、がいじんではなく、なった。
ヘンリーは疲労とともに何年ぶりかの落ち着きを感じた。〈同前〉

一千年前にシルクロードを渡り中国人になったユダヤ人がいた。その事実を〈ヘンリー〉は、〈がいじんが、がいじんではなく、なった〉と、日本語でとらえた。それから一千年の時を経て、今住んでいる島と大陸が飛行機で結ばれ、複数のアイデンティティを連想させる名前と、かつていた島と別の大陸の記憶をもつ〈ヘンリー〉のような人がいる現代に、どうして〈がいじん〉は〈がいじん〉でしかないのだろうか。

路地を抜けてバスターミナルに向かう〈ヘンリー〉の背に、〈What's your name?〉という子どもの声が届く。古代の越境の痕跡と、現代における人種や民族、文化が形作る境界。〈ヘンリー〉の思いは、人間の一千年の営みそのものへと向かっていく。それは、「近代」が開けた扉と、閉じた扉の両方を考えることであり、その根底にはアイデンティティというものへの根源的な問いがある。

二〇〇一年九月、古代における越境の痕跡を訪ねた旅から帰ったリービ英雄は、家族に会うためにニューヨークに向かっていた。そして、経由地であるカナダのバンクーバーで、「9・11」と遭遇した。『千々にくだけて』（二〇〇四）は、その体験を日本語で語った小説である。『千々にくだけて』は、翻訳家の〈エドワード〉が乗った飛行機があと二十分でバンクーバーの空港に着く、という場面から書き起こされている。八時間前に成田で飛行機に乗った乗客は、このときニューヨークで起きた出来事を知らない。その出来事は、着陸した機内に流れる機長のアナウンスによって彼らに到来する。〈the United States〉、〈has been a victim〉、〈of a major terrorist attack〉、〈アメリカ合衆国は、甚大なテロ攻撃の被害者となった〉。〈エドワード〉は機長の話す英語をこう翻訳した。何かただならぬことが起きたことは、アメリカへのフライトを拒否されて滑走路に並んでいる様々な航空会社のジャンボ機が物語っている。だが、このとき、出来事の全体をつかんでいる者はいない。それを伝えている機長の声も〈自分でも把握しきれていない状況をそのまま伝達しようとしているよう〉なのである。

日本語のアナウンスが流れると、隣の席に座っていた日本人の〈老女〉が〈エドワード〉に話しかける。〈今日の夜は空港のベンチで寝ることになるかもしれない〉という〈エドワード〉の言葉に、〈老女〉はこうこたえる。

「戦争が終わったときのことを、あなたは知らないでしょう」

「ええ、もちろん」エドワードは不意をつかれて、老女の、化粧で自分の顔よりも白い顔をちらっと見返した。

老女は、今起きたことを理解しようとしているようにまっすぐ宙をじっと見て、それから、「大丈夫ですよ」と言った。「戦争が終わったとき、わたし、三日間も駅のホームで寝たことがある。いざとなったときは大丈夫ですよ」
　老女の声には思わぬ力がこめられていた。〔『千々にくだけて』〕

人は、把握することが難しい出来事を、過去を参照項に言語で象ろうとする。〈老女〉は、〈今起きたことを理解〉するために、少女の頃遭遇した戦争の記憶を呼び寄せた。〈エドワード〉は、〈アメリカ合衆国の出来事について「戦争が終わったとき」のことが日本語で引き合いに出されているのを今まで聞いたことがない〉と戸惑いを覚えつつ、〈戦争〉という言葉に誘われたかのように、〈母の家が燃え上り、妹が橋から落ち〉る場面を連想してしまう。言葉は、一瞬にして現実をつかまえることもあれば、それを突き抜けて、あらぬ方向へと人を連れて行くこともある。
　空港のターミナル・ビルで誰かが発した〈ハイジャック〉という英語の声に、〈なんだ、たかがハイジャック事件なのか〉と安心した〈エドワード〉は、その直後に出来事を映し出す大画面のテレビ映像を見る。

　エスカレーターを下りている間にはよく見えなかったが、テレビの画面には大きすぎる昆虫に似た物体が空を飛び、横から、妙に意図的に、高層ビルの上層階に衝突する映像がくりかえし映っていたのである。〔同前〕

あの禍々しい映像を、これだけ的確な日本語で表した文章に出会ったことはない。それは、間違いなく飛行機だった。しかし、飛行機には見えなかったし、見たくはなかった。〈大きすぎる昆虫に似た物体〉だった。そしてその〈物体〉の動きは、事故と言うには〈妙に意図的〉だったのである。

〈エドワード〉は、出来事をそのままに映し出したこの映像を見た。だが、〈エドワード〉には、出来事の全体は見えていない。〈a major terrorist attack〉という機長の言葉と、飛行機がビルに衝突する映像とは、直接には結びつかない。その二つを結びつける言葉の不在が、出来事をその意味とともに把握することを妨げている。

ホテルの部屋に入った〈エドワード〉は、窓を通して聞こえてくるテレビの音に、世界中がその出来事の意味を求めてテレビをつけていると感じる。テレビをつけると、映像とともに〈like a mushroom cloud〉というアナウンサーの声が聞こえる。〈きのこ雲〉という半世紀以上も前に原爆を言い表した言葉で、アナウンサーはその日の出来事を何とか言い当てようとしているのである。

しかし、出来事を語る言葉は、やがて、ある過剰さを帯びてくる。

evildoers

付けっぱなしにしていたテレビから、そんなことばが漂っていた。

最初は、何のことばか分からなかった。ただアメリカ南部特有の間延びした声のかたまりだった。エドワードの少年時代の教会のサンデー・スクールで、南部出身の牧師が聖書を唱えていた声を、四十年ぶりに思いださせるような音だった。

evildoers、と男が言っていた。

悪を行う者ども、と下手な和訳が頭に響いた。日本語にはすぐならないことばだった。

〔同前〕

〈evildoers〉、この言葉を発しているのは、〈新しい大統領〉である。そして、〈容疑者〉とされた男の顔写真には、〈infidels〉、〈異教徒ども〉という字幕が付される。アメリカでは〈エドワード〉のような少年時代を送った者が多いのだろう。そのような者たちの記憶に働きかける言葉を〈新しい大統領〉が使い、字幕がそれを増幅する。「大きな物語」が凋落したといわれているポストモダンな二十一世紀に、最も古い「大きな物語」のひとつである宗教対立の言葉で出来事を意味づけようとすることが、〈エドワード〉に、〈一千年前のテレビ討論を見ているような〉奇妙な錯覚を覚えさせる。

〈victim〉、〈evidoers〉、〈infidels〉、〈被害者〉、〈悪を行う者ども〉、〈異教徒ども〉。過剰に意味づけられた言葉によって象られた出来事が、「現実」として世界を動かしていく。イギリスやドイツで行われた〈追悼会〉の映像には、〈世界が悲しみにつつまれている〉、〈地球が一つとなった〉というアナウンサーの声がかぶせられる。自分たちだけの世界を自分たちの言語で語ることで、それ以外の世界が不可視なものとして切り捨てられていく経過を『千々にくだけて』は見逃してはいない。

そして、このように出来事を一方的に意味づける言葉は、テレビから流れてくる被害者の家族たちの言葉、怒りや悲しみを含んだ言葉を呑みこみ、それを聞く者をある方向へと向けていく。〈悪を行う者どもはかならず罰せられる〉、〈異教徒どもに死を〉。復讐が正義である、という論理は、被害者の家族たちの怒りや悲しみに対する共感を追い風にして、膨まされていくのである。

だが、一方に、ディテールを語り、出来事の手ざわりを伝えるもうひとつの言葉がある。それは、たとえば〈エドワード〉が〈ニューヨークの人は普通のときでも細かい話をするものだ、と日本語で思いながら〉聞いている、妹の電話の声である。

その日の朝、妹は夏の終わりだというのに、二月のニューヨークに降るような〈淡雪〉を見た。変だと思ってキッチン・ドアを開けると、空にはマンハッタンの方から灰の川が流れていた。そして降ってくる灰のなかには〈紙の切れはし〉があった。〈蝶をつかむように〉それを手に取ると、そこには〈Please discuss it〉というワープロの文字があり、次の行には〈with Miss Kato at Fuji Bank〉と、書いてあった。

〈ミス・カトーはどうなったのか。テレビを見ながらわたくしはそのことばかり考えていた〉と締めくくられるこのエピソードは、アメリカは〈悪を行う者ども〉、〈異教徒ども〉の攻撃を受け〈被害者〉になった、という言説を攪乱し、出来事のもうひとつの側面を浮かび上がらせている。〈エドワード〉は〈evildoers〉という言葉を聞いたとき、〈砂の城のように崩れた二つの建物の中にいた人たちも、たぶん、口にしたことはなかっただろう〉と感じていた。口にするどころか、その言葉を〈新しい大統領〉と共有しない人々も出来事のなかにいたのである。

同時にひとつの出来事を体験しても、それぞれのパースペクティブとコンテキストによって、出来事は異なる相貌をもって立ち現れてくる。出来事を過剰に意味づけ人々を政治的に方向づけようとする言葉と、出来事の細部を見つめその渦中にいた人たちを思う言葉。〈エドワード〉が、〈新しい大統領〉や何代もの元大統領夫妻が集った追悼会を伝えるテレビを見ながら、〈かれらは、何ごとにもさらされていない〉と感じるのは、彼らが語る言葉が出来事の深部に届いていないからである。

後から振り返れば、「9・11」は、結局、過剰に意味づけられた政治の言葉によって象られ、それを「現実」として世界が動いていった。アフガニスタンやイラクで、ニューヨークで失われた命を上回る命が奪われた。しかし、そこで発せられたであろう被害者の家族の怒りや悲しみに満ちた声は、アメリカや日本のテレビから流されることはなかった。

「双子の塔」と呼ばれていたその高層ビルが、二〇〇一年九月十一日に倒された。マンハッタンのスカイラインに、黒いすきまがあいた。その直後に、被害者たちを思って「一緒に喪に服しましょう」、しかし、その破壊の原因については「一緒にバカになることはやめましょう」と書いてアメリカ中から罵声を浴びた「スーザン」の本が、「スーザン」が客にもなっていたその本屋に置かれた。〔『スーザンの残したことば』〕

リービ英雄は、短いエッセイにこう記している。被害者を思い喪に服することと、政治的に意味づけられた言葉で象られたことを「現実」だと思い込み、その渦に巻き込まれることは、同じではない。スーザン・ソンタグの言葉は、被害者への追悼を復讐へと導く政治的な言葉の空虚さと危うさをついている。リービ英雄がバンクーバーの空港で足止めされるという形で間接的に経験した「9・11」をそのままに日本語の小説に書いたことは、スーザン・ソンタグの言葉と響き合うものがある。

同時中継によって流された映像と出来事を象る言葉は、「9・11」を同時に、直接体験したかのような錯覚を人々に与えた。だが、出来事をそのままに映し出しているように見える映像も、それを語る言葉も、出来事の一面しか切り取っていない。この日本語の小説を読む人々は、〈エドワード〉よりもさらに間接的にしか「9・11」を経験していない。間接的にしか経験していないことを意識することによって、一定の距離を置いて出来事と向かい合うことができるはずである。出来事の意味は、語られなかった言葉や、これから語られるであろう言葉のなかにあるのかもしれない。そのことを『千々にくだけて』は静かに、ある衝撃をもって訴えている。

二〇〇四年、リービ英雄は、再び開封を訪れ、『我是』（二〇〇八）を書いた。『我是』には、『ヘンリーたけしレウィツキーの夏の紀行』では言い尽くすことのできなかった思いが込められている。その思いは、「9・11」とともに幕を開けた二十一世紀において、〈がいじんが、がいじんでなく、なった〉一千年前の出来事を言語化し、生かしていくことは可能なのだろうか、という問いとなって作品の底部を流れている。

『我是』は、開封の〈路地で生きていた最後のユダヤ人の末亡人〉である〈老女〉の家を、〈かれ〉が訪ねる場面から書き起こされる。〈老女〉の家には、先客がいる。〈たぶんオランダか、ドイツなまりの英語〉を話す男女のヨーロッパ人と、その〈ヨーロッパ人より流暢な英語〉を話す通訳の〈黒髪の若い女〉である。その〈黒髪の若い女〉の英語の声を、〈かれ〉は聞いている。

〈ここが北宋の京、世界一の都市だった頃から、かれらはここに八百年いた〉、〈八百年前に、シルクロードの長い道程を経て、ここへ到着した〉、〈西洋の端から旅立ち、砂漠をさまよい、そしてこの都市の路地裏の者となった。なったとき、皇帝から、あなたがたはもはやここの者だ、だから外国の名前はおかしい、と言われました。皇帝は、かれらに新しい姓を与えました〉、〈かれらはアジア人になりました。そして同じ西の砂漠からここにたどり着いたムスリムと一緒に八百年、中華民族として生きてきたんですよ〉。

〈かれら〉とは、誰を指しているのだろう。もちろんそれは、八百年前に〈ここへ到着した〉人々から〈八本差しの蝋燭立て〉の後ろにある〈スーツ姿の遺影〉となった〈老女〉の夫まで、開封に住んだ何世代にもわたるユダヤ人を指している。しかし、その幾人もの人々を〈かれら〉として語ることができるのだろうか。

〈かれ〉が、〈自分の家の中を占めた三人の白人の不可解な声を聞き、当惑した表情で立ちつくしていた〉〈老女〉に〈拙い標準語〉で話しかけたのは、翻訳された言葉ではなく、〈老女〉の言語で話し合いたかったからに違いない。

かれは老女のそばへゆっくりと寄った。七十歳をゆうに越えたしわだらけの細長い顔だった。自分の胸の下あたりから見上げているその顔に向かって、かれは拙い標準語で、
我的《ウオデ》父《フ》親是《チンシル》、と言いかけた。
自分の口から大陸の標準語が出ようとしたときに、頭の中で島国の言葉も響いてしまった。
私の父は
その瞬間、大陸の言葉では「でした」が言えないことに、とつぜん気がついた。

かれは薄暗い空気の中でありもしない過去形をつかもうとして、あわてふためいた。「でした」が見つからない。かれはたどたどしい言葉をつむいだ。

　私の父はユダヤ人
　あなたのご主人と同じ

老女の細長い顔で、そのことを確かめるように表情がわずかに動いた。

かれの父はその前年、日本の病院で亡くなった。老女の夫もいない。

かれはまた口を動かし、我是《ウオシル》、と言い出した。「われ、これ」と頭の中を日本語が横切った。私の父はいない。私はいる、私の父も、私も、是。〔『我是』〕

今、〈かれ〉は、自分の父親もユダヤ人である、という事実を〈老女〉に伝えようとしている。その事実は、父親の死後も変わることはない。従って、〈私の父はユダヤ人〉と現在形で言っても差し支えないはずである。だが、日本語では、死者を現在形で語る習慣はない。ユダヤ人である、という事実は変わらなくても、それが死者に関することであれば「でした」と過去形で言うのが普通である。

〈かれ〉が今、発している言語は、〈大陸の標準語〉である。だが、死者となった父親への思いは、日本語で編まれているにちがいない。〈我的父親是《ウオデフチンシル》〉と言いながら、〈私の父は〉という日本語が〈かれ〉の意識をとらえ、その〈島国の言葉〉が頭のなかで響いた。そして〈「でした」が言えないこと〉に躓いた。〈かれ〉が躓いたのは、「是」という言葉である。〈大陸の標準語〉では「……である」や「はい」、「そうです」を意味する「是《シ》」は、日本語では、「これ」、「この」、「ここ」など、現前するものを指す言葉である。すでに死者となった父を「是《シ》」という言葉で言うことが〈かれ〉に違和を感じさせた。

〈かれ〉は、言いたいことを言いたいように言えない〈大陸の標準語〉で〈我《ウオ》、是《シル》、とためらいがちの声〉を絞り出して話し続ける。〈私は、あなたの子供たちと同じ〉。〈老女〉は〈かれ〉の手を軽く握るが、〈かれ〉は〈恥のようなものを覚えて〉顔をそむけてしまう。〈かれ〉が感じた〈恥のようなもの〉は、言葉のすれ違いによって〈老女〉にある感情を引き起こさせてしまったことから生じている。言葉は、いつも余剰と余白をもって伝えられる。そして、そうとは気づかずに、人と人とをすれ違わせるのである。

ヨーロッパ人の質問は、続く。

アンド・ゼン？　という金切り声が耳の後ろでこだました。
それから、どうなったのか。
ゼイ・リターンド、という、もう一つのアクセントの、英語の答えが聞こえた。
開封のユダヤ人は、帰りました。革命の後に、かれらのほとんどは祖国へ帰りました。
ネイティブ・ランド、と黒髪の女が確かにそう言っていた。〈同前〉

八百年離れていた国が〈祖国〉と言えるのだろうか。そして、〈あなたがたはもはやここの者だ〉と姓を与えられた者が住み慣れた地を去らなければならなくなった〈革命〉とは何だったのだろうか。通訳の〈黒髪の女〉の英語の言葉は、事実を語ってはいる。しかし、その事実の羅列は、人間の現実をとらえているのだろうか。

人は、言語で出来事を構成し語るしかない。だが、八百年もの長きにわたる人々の営みを、わずかの言葉で語ることは難しい。それは、すでに要約という範疇をこえて、事実であって事実とは言えない領域への言葉の侵入としか言いようがないのである。〈かれ〉が〈老女〉に〈あなたに会えてうれしい〉とだけ言って路地にもどったのは、言葉によってその出来事をとらえ話し合うことの困難さを感じたからかもしれない。

路地を歩き出した〈かれ〉は、〈清真寺〉とかかれた扁額がかけられている山門に辿り着く。山門のなかをのぞいた〈かれ〉は、灰色の壁面に〈阿拉是唯一的神〉と書かれているのに気づく。そこは、イスラム寺院であった。〈かれ〉は、〈老女〉の家の裏の病院が、かつて〈清真寺〉というシナゴーグであったことを思い出す。イスラム寺院とシナゴーグが八百年間同じ名前であったことは、通訳の〈黒髪の女〉の〈そして同じ西の砂漠からここにたどり着いたムスリムと一緒に八百年、中華民族として生きてきたんですよ〉という英語の言葉以上のことを物語っている。

帰りの〈アウディ〉のなかで〈かれ〉は、〈運転手〉に何回開封に来たのかときかれる。〈十四、五回〉と答えた〈かれ〉に、運転手は〈なぜ、十四、五回も？〉とさらに尋ねる。

かれは返事に詰まった。やがて、古い路地が好きだ、と言った。そして一瞬ためらってから、路地の奥の、何かを探している、路地の奥の、自分の家を探している、とそこまで言うつもりはなかったが、言った。〔同前〕

〈かれ〉は、〈自分の家〉を探していた。そこに住んだことがない〈かれ〉の家が、開封の路地裏にあるはずがない。〈自分の家〉という言葉でしか言うことのできない〈何か〉、言語化することの難しいある人間的な感情を、〈かれ〉を開封の路地裏に招き寄せた。だが、この感情をわずかの言葉で伝えることは、困難である。〈かれ〉の言葉をつかみ損ねた〈運転手〉は、〈あなたは中華民族じゃないでしょう〉、〈日本人は中華民族の支流だと言う人がいます〉と、対話によってその言葉をつかもうとする。しかし、〈不是《ブシル》〉、〈日本ではそんな言い方をする人はいません〉という〈かれ〉の答えに、言葉は〈運転手〉の脇を擦り抜けていってしまうのである。

帰りの高速公路は、封鎖されていた。開封の近くの農村でムスリムの運転するタクシーに漢民族の少女がひかれたことを発端に〈漢民族と、回《ホイ》と呼ばれるムスリム・マイノリティーとの間で騒動〉がおき、携帯電話で連絡を取り合い〈古代のシルクロードにまで延びた新しい高速公路《スーパー・ハイウエイ》を経て、西域から武器を持った大勢のムスリムがトラックに乗り込んでかけつけた〉ことが原因だった。八百年間、ユダヤ人とムスリムは、同じ名前のシナゴーグとイスラム寺院で、それぞれの宗教を守りながら、漢民族として生きてきた。しかし、高速公路が都市を結び、携帯電話でいつでも連絡を取り合うことができるようになった現代において、漢民族とムスリムは、武器を持って争っている。〈がいじんが、がいじんではなく、なった〉一千年前の出来事は、どのように言語化され、現代に生きる人々に伝えられていくべきなのだろうか。古代における民族や宗教を越えた共存の事実と、現代におけるその可能性を、言葉で指し示すことは、できないのだろうか。『我是』は、そのことを問うている。

開封を再訪した〈かれ〉の旅は、さまざまな思いを残して、終わりに近づく。『我是』は、次のように擱筆される。


かれは、我是《ウオシル》、とささやいた。

西へうねる大陸の暗闇に向かって、われこれ、と重ねて言った。

そして我的《ウオデ》父親是《フチンシル》、とひとりで言いつづけた。

誰にも聞かれないのにそんな言葉が口から出るのは初めてだ、と気がつき、もう一度口に出した。

東の京から、洛陽と、西の京を経て、高速公路がまっすぐに、西域の砂漠へと延びていた。

我是、につづく言葉は何も口から出ないまま立ちつづけたという夢想を、日本に帰ってからしばらく頭からぬぐい去ることができなかった。〔同前〕

〈我是《ウオシル》〉と〈われこれ〉、二つの言語の狭間に〈かれ〉は、立っている。そして、〈「でした」が言えない〉大陸の言葉で、語りえぬ父を語ろうとした〈我《ウオ》的《デ》父《フ》親是《チンシル》〉。現前する「私」と、今はもういない父。〈かれ〉が〈我是、につづく言葉は何も口から出ないまま立ちつづけたという夢想〉をぬぐい去ることができないのは、発せられなかった言葉、言語化できずに心のなかに折り畳まれ、日本に持ち帰った思いのせいなのかもしれない。

リービ英雄の小説は、つねに言語に対する問い、言語で世界を構成している人間が、さらに言語でどこまでのことが言えるのかという問いを、作品底部に潜ませている。このような小説の方法は、リービ英雄が三つの言語を往還し、日本語を他者の言語として、その外部と内部の両面から見るという視点を持ったことによって生み出されたものである。小説のなかで、「日本語で」、「英語で」と、そのときどきに聞き、あるいは思考している言語を明示しながら語っていくことは、日本語で世界を構成している作中人物を、語り手が日本語で語る、という構造を意識させることによって、それ以外の言語によって立ち現れるもうひとつの世界の可能性を指し示している。

言語は、すべての経験に先立って、「私」のなかに自然にあるように思いなされている。この言語の先験性と自然性が、言語に対して反省的な距離を置くことを妨げている。そして、単一の言語使用は、この傾向を助長する。「私」が使用している日常言語によってすべてのことを語ることができ、言語によって構成された世界は、現実を正確に写し取っているという錯覚に陥る。だが、言語は、それほど便利な道具ではない。人は、言語によって世界を構成していると同時に、言語によって構成された世界しか見ることができないのである。そして、無反省な言語使用は、人を思いもよらぬ方向へと導いていくこともある。同じひとつの言葉が、人を生かす文脈でも、人を殺す文脈でも用いられてきたことは、歴史が示す通りである。

リービ英雄の小説は、日常の言語のさらに奥底にある、言語のもうひとつの姿を示すことによって言語の先験性と自然性を突き崩し、読者に言語そのものと向きあうことを求めている。そのことは、言語で編まれた世界と「私」の自明性を問い直すことにつながっていく。「私」のなかに先験的にある言語と一定の距離を置くことは、異なる言語を往還することによってのみ実現されるのではない。言語とは、そもそもが他者から到来したものであり、「私」の言語は他者の言語である、という言語そのものの構造を意識し、「私」が使用している言語の内的形式の独自性と言葉の領野に目を向けることによっても、それは可能なのである。

リービ英雄の小説を、言語についての小説として読むことは、人間と言語と世界の関係を根底から問い直す、そのような思考へと誘《いざな》うのである。

第三節

内なる他者の言葉

—磯崎憲一郎と平野啓一郎の交叉—

それぞれが独立したいくつかの作品によって、ひとつの思考に誘《いざな》われることがある。それは、作品を読むことのなかに、自分自身を読むという、もうひとつの行為が内包されているからなのかもしれない。

日常世界の傍らに佇むもうひとつの世界を言葉で象ろうとする磯崎憲一郎と、時代の先端にある人間を見据え、エンターテイメント的な方法を取り入れはじめた平野啓一郎は、手法や作風という点から見れば対極にある作家だと言うこともできる。だが、ふたりの作品に通奏低音のように流れている生の手ざわりは、そのような違いを超えて、響き合うものを秘めている。その共鳴が、ポストモダンな現代における、言語論的に解体され、他者と交錯し重なり合う、「私」の奇妙な在りようを浮かびあがらせるのである。

磯﨑憲一郎の小説は、時間についての小説であると言われている。確かに、そこには普段、私たちが見過ごしてしまいがちな時間に対する意識が描出されている。たとえば、『肝心の子供』（二〇〇七）には次のような一節がある。

こういう風景の流れを、ブッダはじっと動かずに、ネムの巨木の陰に座って眺めていたわけだ。王宮の庭の丘に生えるこの大きな木に、彼は子供のころから自分でもなぜだかはよくわからない愛着を持っていたのだが、いまこうして、あらためて根もとに座って見上げてみると、何十年、ことによると百年以上まえからここに生えているのであろうこの老いた木ですらも、ブッダが物心ついてからのたかだか十年のあいだに、葉の広がりも、枝の分かれ方も、木肌に生《む》す緑色のコケも、背丈も、ぜんたいの形も、ということは地面に映る影の形も、すべてが変わってしまっていた。花が咲くときは一晩でいっせいに咲き、散るときは一晩で散ってしまう。枯葉が落ちるときも、新芽が吹くときも同じだ。にもかかわらずどうしてなのか、植物が変化するまさにその瞬間、ふたつの状態の境い目というのを見据えた憶えは、少なくともブッダにはなかった。〔『肝心の子供』〕

いつのまにか時が流れ、意識せぬままに自分をとりまくあらゆるものは変化している。時間的存在である人間が生きるとは、おそらくこういうことなのであろう。だが、こう言ってみることはできないだろうか。時の流れをこのようなものと感じるのは、人が時間を含むあらゆることを言葉で分節しているからだと。

出来事は、捉えられ決定されたものとして、言葉で経験される。であるならば、人は、出来事に先立つことも並び立つこともできない。そして、時間も言葉で分節される。〈ことによると百年以上まえから〉、〈物心ついてからのたかだか十年〉と言葉で捉えられた時間は、物理的な時間と同じ幅を持つことはできず、主観的な幅に引き延ばされたり圧縮されたりする。

こう考えてみれば、このとき〈ブッダ〉の心を掠めていったものも想像することができるような気がする。生きてしまった時間と、言葉で分節された時間の幅のずれ、そしてその間におきた思いもかけぬ夥しい変化に対する驚き。だが、これは、〈ブッダ〉でなくとも、少し長く生きた人なら、誰にでも訪れる生の手ざわりである。だから、現代を生きる『終の住処』（二○○九）の〈彼〉もこんなふうに思うのである。

> どうしてこんなことになってしまったのだろう。結婚は彼が望んだわけでも、妻が望んだわけでも、どちらかの両親が強要したわけでもなかった。ところが青年期末期の孤独と、そんな甘えなどすぐさま断ち切ってしまえという、遠いどこかから繰り返し聞こえてくる時間が進むがごとくの非情な声は、誰もがはっきりと感じていたのだ。だからなのか別の理由なのか、ふたりが結婚を決めたことを誰かが酷く後悔しているわけでもないというの

もまた、いつのまにか過ぎ去った時に対する気持ちとてもよく似ているのだった。〔『終の住処』〕

人は、時間から抜け出ることはできず、自らもまた変わっていく。それを〈非情〉だと思おうと思うまいと時間は進んで行き、過去は、〈酷く後悔しているわけでもない〉が、悔いるような思いとともに思い起こされる。生きてしまった時間というものは、構造的にこのような性質を帯びている。生きた時間の一回性が、過ぎ去った時間を想うとき、悔いに似た思いを呼び寄せるのである。

人は、生まれた時から時間的存在なのではない。言葉で時間を分節するようになってはじめて時間的存在として立ち現れる。それは、「永遠」という言葉に思いを巡らせ、それを断念するときなのかもしれない。『世紀の発見』(二〇〇八)には、次のような場面がある。休日の朝、両親と三人で眠っていた子どもの〈彼〉は、ひとり先に目を覚ます。

閉め切った木の雨戸には、硬貨ほどの大きさの節穴《ふしあな》がひとつだけ開いている。そこから射し込む朝日が、手を伸ばせば触れることができそうなほどしっかりとした質感を持った一筋の光の棒となって、まだ薄暗い寝室を斜めにつらぬいて、彼のとなりに眠る母の掛け布団のうえ、ちょうど腹のあたりに白く輝く楕円をつくっていた。冬の朝だった。光の棒の内部には、細かな埃が生き物のように漂っているのがはっきりと見えた。世界中のどんな生物学者もまだ発見していないのだが、埃だってじつは生き物なのかも知れない、ならばそれを証明するために、埃の観察と研究に一生を捧げてみるのも良いだろう、彼は真剣にそう考えた。こんな冬の朝の時間が家のなかにある限り、店に客が来なくても、どんなに貧乏であろうと、ときたま両親が激しい喧嘩をしようと、我が家には何の問題もない。永遠に大丈夫だろう。〔『世紀の発見』〕

子どもの頃、このような時間に身を委ねながら、〈彼〉と同じように、父と母と自分のいる〈我が家〉という小さな世界が〈永遠〉に続くと信じた者は少なくないだろう。だが、このとき〈彼〉が感じた〈永遠〉が、もし時間的な無限性や無時間性だとすれば、それは言葉が見させた夢、としか言いようがない。人間は、〈永遠〉から見放された、時間的存在でしかない。有り体に言えば、父や母はやがて老い、〈彼〉もまた、いつまでも彼らの小さな子どもではいられないのである。〈永遠〉という言葉を誘い出したのは、朝日と雨戸の節穴がつくり出した〈一筋の光の棒〉である。太陽の光は、人間が誕生する前から人間が滅亡した後も地球に降り注ぐという意味で、永続的な存在であると言える。『眼と太陽』（二〇〇八）に描かれた、それを浴びている人々を〈みな聖書の登場人物めいて〉見せる〈二千年前の人々が浴びたのとまさに同一の太陽から発せられた光〉は、そのような永続性を表している。そして、時間的な無限性や永続性という意味での〈永遠〉が、この無時間的な存在が見させる夢や、祈りにも似た人間の願いでしかないことに気づくことから、時間というものが開かれる。

時間は、すべての者に等しく流れているように見える。だが、それを分節する言葉によって異なる相貌をもって立ち現れる。であるならば、問われるべきは、言葉のふるまいであるとも言えるのである。

磯﨑の小説の魅力は、言葉のふるまいにあると言っても過言ではない。それは、いくつかの短篇に端的に表されている。そこでは、物語《ストーリー》や論理《ロジック》による線的《リニア》な読みが排除され、言葉のふるまいが屹立している。『ペナント』(二〇〇九)には、初めて訪れた街でコートの前ボタンを失くした〈男〉が、行ったことのない店の床にひとつのボタンが落ちているのを見つける場面がある。それを〈紛れもなく、男のコートに付いていた四つ穴の茶色い練りボタンだった〉と書いたとき、現実の似姿を言葉で象ったのではない、もうひとつの世界が開かれる。もし、その出来事が「偶然同じボタンを拾った」というような当たり前の言葉で分節されていたら、〈驚くには値しません。あなたのような類《たぐい》の人間は、つねに人生の最後の一日を生きているのですから、物の方が先回りしてあなたの到着を待っている〉と語り出される〈老婆〉の言葉も、作品末尾で〈少年〉が見る〈とてもよく似た木、ということではなくて、セザンヌの描いた松の木そのもの〉も、ナンセンスや錯誤に過ぎなくなってしまうのである。そして、磯﨑の小説の言葉を考える上で欠くことのできない作品が、『世紀の発見』である。

『世紀の発見』を読んだとき、その言葉のふるまいに、何度も躓いた。だが、躓き続けたわけではない。あるところでは、それがまるで自分の体験を言葉に置き換えたとしか思えないような奇妙な懐かしさを感じさせ、その心地よさに身を任せていると、小石に躓くようにひとつの転倒が起こるのである。たとえば、〈母親から頼まれた買い物と集金を済ませ〉た九歳の〈彼〉が夏の夕暮れ時の鉄橋で〈巨大な〉機関車を見る、次のような場面である。

そのときだった。もしかしたら、まさにいま、機関車は汽笛を鳴らすのではないだろうか？　いや、鳴らすに違いない、彼はほとんど確信めいたものを感じた。そして次の瞬間、じっさいに機関車は汽笛を鳴らした。初めは低く、一瞬の間を置いてから、空まで届くような大きな音がこの空間ぜんたいに響き渡った。予知というほどではないにしても、これからもうまもなく起こる近い未来が分かってしまうということは、この世界の盤石さへの、反論しようのない証明のようにも思えた。〔同前〕

子どもの頃の出来事、あるいはその記憶というものは、大人になってからの論理や経験則では説明のつかぬ、ある不可思議さを秘めている。だが、私が言いたいことはそういうことではない。注目すべきは、出来事を構成する言葉のふるまいである。〈彼〉に到来したのは、機関車が汽笛を鳴らすに違いないと思った直後に汽笛が鳴った、という出来事である。〈彼〉は、この出来事を「偶然そうなった」とか「予想通りのことが起きた」という言葉でなく、〈これからもうまもなく起こる近い未来が分かってしまう〉という言葉で捉えた。人は、言葉で出来事を構成し思考する。言葉は、思考の乗り物である。「偶然」とか「予想」という言葉に乗って「驚き」という単純な感情に行き着いてもおかしくないときに、〈彼〉は〈予知〉という言葉に飛び乗り、〈この世界の盤石さへの、反論のしようのない証明〉という途方もない場所へと飛翔する。

このような言葉のふるまいは、この場面だけではない。〈休みの日の朝〉、ひとり目覚めた〈彼〉は、布団のなかで〈たがいちがいに組み合わされた天井の板の合わせ目をアミダ籤のように辿る〉。誰もが子どもの頃に似たような経験をしているのだろう。だが、〈彼〉は、その最中に〈この世界を駆動している根本の摂理に触れているような気分〉を感じるのである。いったいこの他愛のない遊びのどこに〈この世界を駆動している根本の摂理〉が潜んでいるというのだろう。いや、そもそも〈この世界を駆動している根本の摂理〉というものが存在し、それを感じることができるのだろうか。

〈彼〉の言葉は、いわゆる誤用ではない。また、その文が無意味なわけでもない。ただ、可塑的《プラスチック》であり過剰なのである。その過剰さが言葉を空洞にしているとも言える。〈この世界の盤石さへの、反論のしようのない証明〉や〈この世界を駆動している根本の摂理〉などという言葉からは、幾通りもの意味を汲み出すことができるだろう。だが、そのいずれが『世紀の発見』という小説のなかで適切なのかを問うことは、全くとは言えないまでも、あまり意味がないように思われる。ウィトゲンシュタインが言うように〈語の意味とは、言語内におけるその慣用〉（藤本隆志訳、『哲学探求』）であるならば、ひとつひとつの言葉の可塑性と過剰さに躓き、そのつど立ち止まって考えるのではなく、その言葉のふるまいに身を委ねるしかないからである。

クリプキは、言語ゲームに関して興味深い指摘をしている。言葉と意味とを結びつけているものが、私たちがその言語の規則に従うというふるまいでしかないのだとすれば、同じ一つの言語を使用しているように見えて、実はそれとは異なる規則に従っている者が紛れているというのである。クリプキは、そのことを「プラス」と「クワス」という二つの関数を使って説明している。「1＋1＝2」、「1＋2＝3」……と最初のうちは「プラス（＋）」と「クワス（⊕）」という異なる関数を使用している者も答えは一致している。ところが、「68＋57」の答えは「プラス」を使用している者は「125」であり、「クワス」を使用している者は「5」なのである。何故なら「クワス（⊕）」という関数は、〈もし、x,y＜57 ならば x ⊕ y ＝ x ＋ y そうでなければ x ⊕ y ＝ 5〉（黒崎宏訳『ウィトゲンシュタインのパラドックス』）だからである。「クワス」のような言葉を使用している者が確実にいることを、私たちは経験的に知っている。日常的な何気ない会話をしているときには、彼は私たちの言語ゲームの規則に従っているようにふるまっている。だが、抽象度の高い込み入った話を始めた途端に、彼の言葉は理解不能になる。彼の言葉は、確かに私たちの言語ゲームの語彙のなかにあるのだが、私たちとは違う規則で使用しているのである。確信犯的に「クワス」のような言葉を使用する者もいる。詩人とか小説家と呼ばれる、言葉を芸術として使用する者たちである。彼らは、作品のなかに「クワス」のような言葉を紛れ込ませることによって、読む者が使用している日常言語が「プラス」でしかないことを気づかせ、言葉の新たな相貌と、その言葉のふるまいによって分節される別様の世界を、開いてみせるのである。

〈彼〉は、どうしてこのような言葉のふるまいをするようになったのだろうか。それは、おそらく母と関係がある。〈彼〉が公民館の中庭の池で〈恐らく人間の子供と同じくらい、ちょうど彼の背丈ぐらい〉の〈巨大なコイ〉を見る場面がある。友人にそのことを告げようとすると、〈待ちなさい。黙っていなさい。お前がいま目にしたことは、けっして他の人間にはいってはならない〉と〈どこからともなく、低くゆっくりと話す、諭すような声〉が聞こえてきた。〈彼〉は、自分の身に起こるこれらのできごとが〈すべて母が仕組んだことなのではないか〉と感じている。もちろん〈彼〉の母は、全能の神ではない。汽笛が鳴る、と〈彼〉が思った直後に汽笛を鳴らすことも、巨大なコイを見たときに〈諭すような声〉を響かせることもできない。だが、〈彼〉が気づいているように、〈こういう事件は母と関係〉がある。

人には、言葉と意味を結びつける原初的な経験が欠如している。他者がゲームをするのを脇から覗き、そのやり方をおおまかに把握し、実際にプレイすることによってゲームに習熟するように、人は言語を身につける。他者と同じようにふるまうことでゲームの世界が開かれるように、他者から到来した言葉で分節することによって、人は世界を原初的に経験するのである。そうであるならば、最も身近な他者である母の言葉のふるまいが、〈彼〉の世界の開かれ方に影響を与えていないはずはない。

『世紀の発見』のなかには、母の印象的な言葉がいくつか記されている。〈よくよくじっくり見ていたら、木が型にはめられたようで、息苦しかったから。かわいそうだったから〉、〈何いってるの？　我が家の犬はいままでも、これからもずっと、いつまでもポニーのままなのよ〉。一見、何気ない会話《ダイアローグ》のように見えるが、他者に同意を求めるわけでも、その理由を述べて説得するわけでもなく、結論だけを告げるその言葉は、独白《モノローグ》と言ってもよいほどである。そして、農家の鶏を噛み〈条例上の「家畜に危害を加えた危険な犬」〉として保健所に送られた〈ポニー〉が帰ってきた場面の母の言葉も同じ構造で発せられる。

首輪もせず、体じゅうが何か分からぬ黄色いもので汚れ、腟から下の毛は泥で固まって、出血はしていなかったが鼻の脇と左耳に少し切れ目が入っていた。ずいぶんと痩せてしまっていたので、これがポニーであることが信じられず、じつはとてもよく似た、まったく別の野良犬なのではないかと彼は内心恐れた。ところが母は、覆いかぶさるようになって頬ずりをしながら、「お前は、ほんとうによく帰ってきたよ。よく頑張った。偉かったねえ、ポニー、ポニー」と犬の頭を何度も、何度も撫でてやるのだった。……（中略）……夏の夜、ポニーが餌を食べているあいだずっと、母はとなりにしゃがんで団扇で扇いで、ポニーに寄ってくるやぶ蚊を追い払ってやっていた。そんな母の姿を見るたびに彼は、この家で起こるいっさいの奇跡は、彼女じしんがそれを自覚していようといまいと、やはり母が仕組んでいるように思えるのだった。（同前）

処分されるために保健所に送られた犬が、一ヶ月後に何十キロも離れた町から帰ってくれば、それは〈奇跡〉と言う他はない。だが、それは〈やはり母が仕組ん〉だことなのである。つまり、出来事そのものが〈奇跡〉なのではない。〈どうやって保健所から脱出することに成功したのか？〉、〈家までどのようにして帰ってくることができたのか？〉という当然の疑問や、〈じつはとてもよく似た、まったく別の野良犬なのではないか〉というじゅうぶんにあり得る可能性に目を向けることなく、そこにいる犬を〈ポニー〉だと断定する母の言葉のふるまいが、〈奇跡〉を構成しているのである。もし違う言葉のふるまいによって分節されていたのならば、出来事は別様のものとして〈彼〉に立ち現れていたはずである。そして、〈そういったいっさいは誰も知ろうとしなかったし、あれから何十年も経ったいま〉もそのことを問い質そうとしない〈彼〉の在り方が、出来事を〈奇跡〉として維持しているのである。

このような母の言葉のふるまいに従うことによって、〈彼〉の世界は構成されている。知らず知らずのうちに、〈彼〉のなかに他者の言葉が入り込み、他者と同じような言葉のふるまいをすることによって、〈彼〉の世界は開かれていた。そのことに〈彼〉も気づいている。ナイジェリアの高速道路で〈固定式の電話機と筒状に巻いたペルシア絨毯〉を持って物売りの少年が近づいてきたときに感じた〈子供のころから時間をかけてでき上がった、いまさら抜け出すことのできない思考の型のようなもの〉とは、まさに、〈彼〉の内奥に入り込んだ他者の言葉のふるまいなのである。

そう考えてみれば、作品末尾で、〈彼〉が〈黒いカーディガンを羽織って店のレジの前にきちんと正座して座り、少しだけ体を捻らせながらレジの端のわずかな平らなスペースを使って〉母が書いていたメモを、見ようとすることの意味も自ずと明らかになってはこないだろうか。

つまり、在るのは唯一、母の報告だけではないか。
あのメモだ。母がいつもレジの隅で書き留めていたメモ、あれが怪しい。あそこに秘密が隠されているに違いない。もしかしたら単に売り上げの集計表とか納品書とか請求書などの伝票の束なのかも知れないが、それが日記としての機能を果たしている可能性だってある。とにかくあれを見なくては！　それもいますぐ！〔同前〕

母のメモに隠されている〈秘密〉とは、〈彼〉の前に開かれている世界の、その開かれ方である。それは母の言葉に、そのふるまい方にある。そのメモがもし〈日記としての機能を果たしている〉としても、もちろんそこに〈彼〉の人生のすべてが書かれているわけではない。ただ、そこには、幼い頃〈彼〉のなかに入り込み、〈彼〉の世界を構成してきた言葉のふるまいが記されているに違いない。だが、結局、〈彼〉は、母のメモを見ることができなかった。タクシーに飛び乗って実家に向かった〈彼〉は、運転手が不案内だったために、実家近くの〈古墳公園〉という場所でタクシーを降ろされた。母のメモの代わりに〈彼〉に見たのは、公園の入口に立てられていた看板であった。

根戸船戸二号墳
本古墳は前方後円墳の変形と考えられ、墳丘中央に軟砂岩の横穴式石室を持つ。周辺からは須恵器や鉄器が発見されている。
七世紀最終末の古墳で、以後、古墳は造られなくなる。全長約二十二メートル、高さ一・六メートル。〔同前、強調原文〕

そこは、〈彼〉が少年の頃、アカタテハに誘われるように辿りつき、友人の〈A〉とはぐれた〈枯れた芝に覆われた丘のような、小山のような場所〉だった。かつては、〈彼が見ていることによってその光景も成り立っているかのよう〉に、自分との関係で分節され記憶に書き込まれていた場所が、いまは他者の言葉で分節されて〈古墳公園〉として在ることは、ある象徴的な意味を持っている。それは、すべての事物は、それを分節している者との関係によって成立している関係的存在であり、言葉によって存在が与えられる言語的存在であるということである。そこは、もともと古墳であり、子どもの頃の〈彼〉がそれを知らなかっただけだ、とも言えるかもしれない。だが、人間にとって、関係性と言語の外部で、もともと何かとして存在しているものなどない、と言うこともできるのである。

このような事物の存在の仕方は、大乗仏教中観派の龍樹《りゅうじゅ》（ナーガルジュナ）が『中論』で展開した存在の在りようを想起させる。

〈それ自体〉（自性）が縁と因によって生ずることは可能ではないだろう。因縁より生じた〈それ自体〉は〈つくり出されたもの〉（所作のもの）なのだろう。（中村元訳『中論』）

龍樹はこう記している。つまり、事物は独立してそれ自体の本質を持つものではなく、その在りようは関係性である「縁起」によって成立する。それゆえに、すべては「無」ではなく、「空」なのである。事物をそのようなものとして捉えることは、言語以前に実体として存在するものを前提とせず、すべてを言語的存在とみなすウィトゲンシュタインの言語ゲーム論と通底している。この東洋の古代思想と西洋の現代思想の奇しき邂逅のなかにこそ〈古墳公園〉の存在の仕方がある。

であるならば、ひとり「私」だけが内実を備えた主体として屹立できようはずがない。「空」である「私」は、その時々に出会った他なるものとの意味論的関係において、言語で象られているのである。『世紀の発見』には、四十歳を過ぎた〈彼〉と娘が、日曜日の朝の小学校の校庭で、〈二年生か、三年生ぐらいの男の子がふたり〉遊んでいるのを見ている場面がある。ひとりがジャングルジムのてっぺんに一気に登ってブランコに乗っている友だちに〈おい！〉と呼びかけた。

「上手だねえ」娘がジュースから口を離してひとこと、彼に向かって、笑って語りかけた。彼は不意を突かれた。愕然とした。二歳の子供のぎこちないその言葉は、まるで彼じしんが「上手」であるかのように、いっさいの時間を超えて、自転車を乗り回し、森で遊んで木登りをしていた少年のころの彼に向けて発せられたように聞こえてしまった。そして異様な力強さで感じたのだ――そうか、森で見たアカタテハも、ジャングルの白いヤギも、もしかしたらあの大きなコイだって、みんなこの子だったんだ、おれの娘だったんだな。俺は馬鹿だな。そんな明らかなことに、どうしていままで気がつかなかったのだろう――

〈同前〉

少年の頃から出会った不可思議なもの、〈森で見たアカタテハ〉、〈ジャングルの白いヤギ〉、〈あの大きなコイ〉と〈俺の娘〉、一見、何の脈絡のないものが結びつけられるのは、そのいずれもが〈彼〉と現実とを媒介するものだからである。〈アカタテハ〉は少年だった〈彼〉に現実から離脱する誘惑を与え、〈白いヤギ〉は森の入口に立って〈彼〉が現実から離脱しようとするのを拒んだ。〈あの大きなコイ〉は現実には存在するはずがない、という形で〈彼〉と現実とを相対させた。これらのものは、現れ方は異なっているが、意味論的形式としては同じなのである。そして、それらが夢だったのかもしれないと思えるほどに朧気になったいま、〈彼〉を現実に繫ぎ止めておくものは、自分とは異なる現実を生きる娘という他者だけなのである。「私」と「私」を囲繞する世界をこのようなものとして感得したとき、〈彼〉に次のような生の手ざわりが訪れる。

「つまり俺は、誰のものでもある、不特定多数の人生を生きているということだな」しかしそれは自嘲などと呼ぶには程遠い、じつは奇妙な達成感だった。そう感じることによって、彼は長い回り道をしたあとでようやく人生の軌道に戻ってきたような安堵感に浸っていた。〔同前〕

〈彼〉は、妻と幼い娘と住む自分のアパートと同じ造りの向かい側のアパートからひとりの女が出てくるのを見てこう考えるのだが、この思いは、そうであったかもしれないもうひとりの自分を戯れに想像することや、自分の人生をありふれたものだと考えることとは決定的に異なる、ある質感を備えている。戯れの想像は〈奇妙な達成感〉などもたらしはしないし、ありふれたという感覚は自分の生の固有性を前提とし、それが同じように固有の生を生きている多くの人と大して変わらないと感じることから生まれるものである。〈彼〉が自らの生の固有性と一回性をいとも簡単に手放し、〈誰のものでもある、不特定多数の人生〉であると感じるのは、「私」が「空」だからである。「空」である「私」に他者の言葉が到来し、同じく「空」である他者や事物との意味論的関係においてひとつの世界が成立している。いま、ここに、こうして在る「私」がそのようなものであるならば、妻ではなく〈あの女〉との関係で成立したかもしれない、もうひとりの「私」と世界は、いま現実に成立している「私」と世界の傍らに佇んでいるとも言えるのである。

磯﨑の小説が日常的な時間を解体してみせるのは、時間を含むあらゆることを、他者から到来した言葉で分節している、人間の奇妙な在りようを言い当てようとしているからに他ならない。線的《リニア》な時間というものが、言葉が見させる夢でしかないのだとすれば、そのような時間を生きる「私」もまた幻かもしれないのである。

『世紀の発見』をこのように読んでみれば、磯﨑の他の作品も時間についての小説というだけではないもうひとつの相貌をもって立ち上がってくるように思われる。『眼と太陽』は、次のように書き出される。

日本に帰るまえに、どうにかしてアメリカの女と寝ておかなければならない。当時の私はそんなことを考えていた。そんなときに出会ってしまったのがトーリだった。人間は無防備な状態であればあるだけ、自分でも気づかぬうちに既知のものを引き寄せている、ということらしい。〔『眼と太陽』〕

〈私〉が気づかぬうちに引き寄せている〈既知のもの〉とは、初めて経験する出来事なのに、あたかも過去を反復するように、〈私〉を動かしているあるもののことである。そもそも〈私〉の欲望は、現前する女性に対する内発的で直接的なものではなく、〈アメリカの女〉という言葉が引き寄せる実体のないものに対する欲望であり、いまそうしなければ後で後悔するかもしれない、という時間の転倒が引き寄せた欲望である。そして、それは、〈そんなとき出会ってしまった〉現前する〈トーリ〉に対する欲望へと転化される。〈私〉を動かしているのは、欲望である。だが、その欲望には、他者がいる。かつて他者が欲望したように、〈私〉は欲望したのである。〈アメリカの女は一見華奢に見えても、乗っかられてみるとずいぶん重いものなんだよ。そんな話を遠藤さんから聞いたことがあった。はたしてトーリも重かった〉という一節は、〈私〉が〈仕事仲間の遠藤さん〉という他者の欲望を反復したことを示している。

『眼と太陽』は、一人称で書かれた小説だが、そこには驚くほど希薄な「私」しか見出すことができない。おそらく磯﨑は、その内面まで語り尽くせるはずの人称を用いることによって、逆に内面などないことを指し示そうとしたのである。〈私〉は、〈遠藤さん〉の〈気をつけろ〉という言葉に反発しつつ、その言葉に引きずられるように〈トーリ〉と結婚するのだが、ニューヨークのレストランで語られる〈遠藤さん〉の回想は、それが〈遠藤さん〉の過去なのか〈私〉の過去なのか曖昧になり、二人はまるで同一人物であるかのような錯覚に誘《いざな》われる。「私」のなかには、他者がいる。過去の時間のなかで関係してきた他者は、時間の経過のなかで去ったのではなく、「私」の内奥に住み着いているのである。

そりゃそうだよな、この女にだって父親がいた。しかもそれは背の高い父親だった。トーリの娘や、トーリじしんと同じような子供時代が、冷静な頭で考える時間軸上の遡及とはまったく別のところに、動かしがたく在る。改めて考えるまでもなく、そんなことは当たり前じゃあないか！　あの教会の向かいのカフェで会った、エンジ色のブラウスの女もいっていたじゃないか、世界中のどんな人間だって、人生の時間の一分、一分をかけて、今日という日に到達したのだと。〔同前〕

確かに、当たり前のことである。人間は誰もが〈子供時代〉から〈人生の時間の一分、一分をかけて、今日という日に到達した〉のである。だが、その過程で形成された「私」は、実体ではなく、他者との関係性と他者の言葉で編まれた織物なのである。だからこそ、カラスが飛んでいるのを見て、〈鳥という生物があういう羽と胴体のバランスでもって、じっさい空を飛んでいるのだから、人間がつくった飛行機が飛ぶのだって不思議ではないよなあ〉と考えた〈私〉は、〈自分の思考法というか、思い付きの順番がそんな風になってしまっていることに〉驚いたのだし、自分のなかにある〈根拠のない楽観主義〉を〈私は思春期、とくに高校時代にそういう楽観主義に慣れ親しんでしまったのだとずっと思ってきたのだが、もしそうでないとしたら、それは私の母親の影響だったのかも知れない〉と考えたりするのである。そのような人間の不可思議さが〈冷静な頭で考える時間軸上の遡及とはまったく別のところに、動かしがたく在る〉、〈子供時代〉に隠されていることを〈私〉は〈トーリ〉の娘〈ミア〉を見て気づく。

向かい側に座っているトーリは、隣のミアにアルファベットを教えていた。紙ナプキンにボールペンでEの文字を大きく書いて、それを子供になぞらせていた。三歳の子供でも、つまり人間として生き始めて三年も経っているのに、まっすぐの線いっぽん書くことが出来ないんだな。すると今度は逆に三千五百年前にギリシアで発明されたアルファベットを、三千五百年経ったいまでも人間は生まれてすぐに書き始められるわけではないのだ、人間

なんてたかだかそんなものではないかという安堵感が起こった。〈同前〉

人が記憶を遡っていくと、あるところで途絶えてしまう。確かに、「私」は、生まれたときから、いまこのときまで、「私」として連続しているはずである。だが、記憶は、影絵のような世界から朧気に立ち上がってくるだけであり、生まれたその日にまでは辿り着けない。この記憶の彼方にある時間に言葉は他者から到来し、「私」の原初的な記憶は、他者の語らいのなかで捏造される。他者の言葉は、その非在の記憶とともに「私」の内奥に住みつき、他者との関係のなかで次々と増殖していくのである。この内なる他者の言葉でしか、世界も「私」も象ることはできない。だとすれば、誰のものでもない「私」だけの一回限りの生は、誰のものでもある他者の生を反復しているだけだということにもなりかねない。

飛行機の座席には窓側からトーリ、ミア、私の順番で座った。ミアは搭乗券に記された新しい苗字となるアルファベットの文字をボールペンで上から何度もなぞっていた。離陸して雲を抜けると、そこにはやはり聖書の時代から変わらぬ太陽が輝いていた。窓から射し込む逆光のなかで、トーリとミアの影がひとつに混ざり合って、区別がつかなくなった。〈同前〉

『眼と太陽』は、このように擱筆される。もし、〈聖書の時代から〉見続けてきた眼というものがあれば、ひとりひとりの人間の生というものは、このように見えるのかもしれない。

磯崎の小説の登場人物が感じている生の手ざわりの一歩先には、虚無の深淵が顔をのぞかせている。だが、彼らは、その深淵の傍らで立ち止まる。それは、おそらく彼らが見ているものが「無」ではなく、「空」だからである。「空」である「私」と世界は、他者から到来し「私」の内奥に入り込んで他者性を隠してしまった、内なる他者の言葉で象られた意味で満たされている。もし、異なる言葉のふるまいで分節されていたならば、全く別様のものとして立ち現れていたかもしれないし、他者が見た夢を反復しているだけなのかもしれない。こう考えることは、不定形な「私」をさらに不定形な世界に投げ込むような、不安を感じさせる。だが、磯崎の小説が試みようとしていることは、そういうことである。

＊

平野啓一郎は、『ドーン』（二〇〇九）のなかで、〈分人 dividual《ディヴィジュアル》〉という言葉で、現代における「私」の在りようを言い当てようと試みている。〈分人主義 dividualism《ディヴィジュアリズム》〉とは、分割できぬものとされていた〈個人 individual《インディヴィジュアル》〉が他者との多様な関係性のなかから言葉で編まれたいくつもの〈分人 dividual〉の束でしかなく、〈接する相手次第で、僕たちには色んな自分がいる〉という考え方である。

平野は、これまでもいくつかの作品で、ネット社会のなかの言語化された「私」の分裂、拡散という現象を描いてきた。そういう視点で見てみれば、『ドーン』は、『顔のない裸体たち』（二〇〇六）から『決壊』（二〇〇八）を経て辿りついた、ひとつの地平だと言うこともできる。『顔のない裸体たち』は、インターネットの出会い系サイトで知り合った〈吉田希美子〉と〈片原盈〉という一組の男女の転落の物語である。そうではなく、〈ミッキー〉と〈ミッチー〉という一組の男女の転落の物語と言うべきなのかもしれない。〈ミッキー〉は〈吉田希美子〉の、〈ミッチー〉は〈片原盈〉の「ハンドルネーム」、つまり、別称であり、それぞれは同一人物である、と論理的には言える。だが、二人は、〈ミッキー〉と〈ミッチー〉として生きていた時間に起きた出来事によって、社会に捕捉され、検索の結果〈吉田希美子〉と〈片原盈〉と同定されたとも言えるのである。

「名前／ミッキー　年齢／30歳　地域／滋賀県　身長／162cm　体重／49kg　オッパイ／美乳　性感帯／乳首　職業／その他　好みのセックス／ノーマル　体型／ナイスバディ　経験人数／片手に収まるくらい　コメント／しばらくカレシがいなくて、淋しくしています。一緒にたのしい時間を過ごしてくれる方、連絡待ってます。近郊の方だとうれしいです！」。これが、〈吉田希美子〉が出会い系サイトに掲載した〈ミッキー〉のプロフィールである。〈吉田希美子〉は、男たちからのメールによって何度か書き換え、ネット社会のなかに〈ミッキー〉というひとりの女を作り上げた。従って、ここに言語化された〈ミッキー〉は、中学校の社会科教師としての日常を生きる〈吉田希美子〉とは具体的細部《ディテール》において異なっている。だから、〈片原盈〉との関係が始まった頃、〈吉田希美子〉は〈ミッキー〉という役を演じていると思っていた。

加うるに、彼女は、そこで逸脱した自分を〈ミッキー〉という別人に委ねていた。もし彼女が、〈ミッキー〉という固有名詞を所有していなかったならば、彼女の存在は〈片原盈〉の面前にまでだらしなく連続し、そこでの逸脱は、〈吉田希美子〉に羞恥の感情を引き起こさせたであろう。しかし、〈ミッキー〉という固有名詞は、逸脱した彼女を彼女自身から区別し、その意味で彼女を護っていた。〈ミッチー〉の棲む世界は、あらゆる社会関係の真空であり、人のいない場所であり、〈片原盈〉と〈吉田希美子〉は、そこで存在しない〈ミッチー〉と〈ミッキー〉という二人の人間として淫らに戯れ合っていた。しかし奇妙なことに、肉体はその存在しない二人によってこそ所有され、彼ら自身として出現し、日常に於いては〈吉田希美子〉も〈片原盈〉も、それをないものとして完全に人目から覆い隠していた。〔『顔のない裸体たち』〕

〈ミッキー〉は、〈日常〉の〈吉田希美子〉からの〈逸脱〉であり、〈ミッキー〉という固有名詞をもつ〈別人〉であることによって、〈日常〉の「私」が維持されているように思われている。だが、こうも言えないだろうか。〈吉田希美子〉は、〈ミッキー〉という〈別人〉を所有することによって、「私」を手に入れたと。「私」は、言葉で編まれた織物である。言葉の意味が差異のなかでしか明らかにならないように、言葉で編まれた「私」もまた、差異のなかでしかその姿を現さない。ネット社会で〈ミッキー〉という女を造形する過程で、そうではない「私」が言葉で編まれた。つまり、〈ミッキー〉が〈吉田希美子〉から分離されたことによって、〈吉田希美子〉の「私」が姿を現したのである。そうではなく、〈吉田希美子〉は、〈吉田希美子〉として生きてきたとも言えるだろう。確かに、誰もが自己の生の連続性を維持する記憶を持っている。だが、「私」という実体がある、という意識は、連続した生を生きてきた実在する「私」の歴史性が見させる夢なのかもしれないのである。

やがて〈ミッチー〉は、〈ミッキー〉との性行為を撮影し、インターネットの掲示板に〈ミッキー&ミッチー〉の名で投稿するようになる。偶然にそのサイトを見た〈吉田希美子〉は、そこに顔にモザイクがかけられた〈ミッキー〉の「顔のない裸体」を発見する。〈ミッチー〉とふたりだけの〈社会関係の真空であり、人のいない場所〉でしか現れないと思われていた〈ミッキー〉は、ネット社会に実在させられていた。そして〈吉田希美子〉は、自分の裸体が多数の男たちに欲望されることで、一種の〈優越感〉を持つのである。

彼女は他の女の裸体を見て、自分の裸体を一層愛するようになった。そして、何千という男の欲望の的となることで、自分に自信を持った。〈片原盈〉に対してさえ――出会ったあの日、傲岸に不服の感を漂わせていた〈片原盈〉に対してさえ、最早卑屈な感情を抱く必要はなかった。その何千という男たちの中で、敢えて〈片原盈〉でなければならない理由は何もなかった。単に今のように、快感を求めるためだけに性交をするにしても、もっとマシな男はいくらでもいるはずだという気がした。〈同前〉

〈彼女〉が愛したのは、すでに〈吉田希美子〉のものではなく〈ミッキー〉の裸体である。そして、〈吉田希美子〉は、ネット社会のなかに〈ミッキー〉として実在し自立することで、〈片原盈〉との関係を清算することを決意した。現実の世界に生きる〈吉田希美子〉ではなく、バーチャルな世界のなかの〈ミッキー〉が〈ミッチー〉から自立すること、このことを最も恐れていたのは〈ミッチー〉である。だからこそ、〈片原盈〉は、現実の世界に生きて在る〈吉田希美子〉に結婚を申し込んだとも言えるのである。

〈野外露出〉の撮影のために入り込んだ小学校で教師に見つかり、〈ミッチー〉がサバイバルナイフで教師に襲いかかるという出来事によって、二人は、現実の社会に捕捉された。そして、〈ミッキー〉は、〈吉田希美子〉と同定された。〈ミッキー〉の「顔のない裸体」と〈吉田希美子〉の顔は接合され、ひとりの人物が構成されたのである。

だが、これはいったい誰なのだろう。犯罪は、刑法が定めた構成要件を満たす行為を責任能力のある法的な主体が行うことによって成立する。従って、そのとき捕捉されたのは法的主体としての〈吉田希美子〉ということになる。しかし、それだけでは〈片原盈〉が取り押さえられた後に、〈吉田希美子〉に浴びせられた〈……誰やねん?……あ?……お前は一体、誰なんや?……〉という問いに答えることはできない。虚構と現実の綯い合わせ方は、二通りあったはずである。

両者が同一人物であると暴露された時、ネットの掲示板では、こんな類の悪戯が見られた。〈ミッキー〉の画像は勿論のこと、〈吉田希美子〉の画像もまた、恐らくはその生徒らによってネット上に公開されていた。両者を並べてみると、一方の女は、ただ首から下だけが露《あら》わになっていて、首から上が隠されている。今一方の女は、逆に首から上が露わになっていて、下が隠されている。従って、両者の首から上を切り取り、交換してやれば、もっと単純なモンタージュが二つ——ネット用語に準ずるならば「コラ(コラージュ)」と言うべきであろうが——出来上がるというわけである。その一方は、頭の先から足の先まで、完全に露わな女である。そして他方は、顔も体もすっかり覆い尽くされたのっぺらぼうの女である。〔同前〕

〈吉田希美子〉は、〈頭の先から足の先まで、完全に露わな女〉として、社会に晒された。人々はその露わな姿を〈吉田希美子〉の〈**本当の姿**〉(強調原文)だと信じた。その一方で、モザイクのかけられた顔を持つ〈ミッキー〉は、〈顔も体もすっかり覆い尽くされたのっぺらぼうの女〉として、見えなくなってしまったのである。だが、〈ミッキー〉の裸体に〈吉田希美子〉の顔を貼り合わせたその映像は、着衣の〈吉田希美子〉の姿に〈ミッキー〉のモザイクをかけられた顔を合成した映像と同じように〈**本当の姿**〉（強調原文）ではない。〈吉田希美子〉は、後者の映像のように、誰でもあり誰でもない存在として綯い合わされることも可能だったのである。ネット社会というバーチャルな世界が立ち現れたことによって、そこに存在するのとは別の、現実の世界に住む〈**本当の自分**〉（強調原文）が存在するかのような錯覚が呼び寄せられた。ネット社会は、言葉と映像で構築された、虚構の世界である。虚構の「私」を意識することによって、まるで鏡の反対側にいるかのような実体としての〈**本当の自分**〉（強調原文）が措定される。だが、現実の世界に存在する「私」も言葉で編まれた織物に過ぎない。現実があるから言葉で編まれた虚構が存在するのではなく、虚構があるから言葉で編まれた現実が存在するかのように思いなされるのである。

『決壊』の〈崇〉もまた、弟〈良介〉殺害の容疑者としてその存在を問われる。

「……刑事が俺に、正体を見せろ！って怒鳴ってたよ。正体だよ、正体。——そんなこと言うんだって新鮮だったな。……俺には、色んな顔があり過ぎる。どれが本当か分からないって。——そんなの、誰だってそうだよ、ある程度は。違う？……刑事たちは、つい最近まで、俺のことなんて知らなかった。事件があってから、慌てて俺の情報を掻き集めてきたに過ぎない。あいつらの情報は、偏っているし、限られている。間違ってさえする。そこから、いい加減な帰納的推論を行って、俺の正体というのを捏造し、そこから今度は、またいい加減な演繹的推論で、俺が良介を殺したと思い込んでいる。ああいう事実があるから、こういう人間だろう。——そういう人間だから、今度はこんなこともするだろうって、それだけのことだよ。……マスコミだって同じだ。情報が複雑で、人格の推論が難しい人間は、行動の推論が難しいから、何をしでかすか分からない、得体の知れない人間ということになる。……」（『決壊』）

〈崇〉が苛立っているのは、犯罪被害者の遺族であるはずの自分が容疑者として扱われているからではない。近代的な知の枠組みのなかでしか思考することができず、そこで編まれた言葉しか発することができない他者と、そうではない自己とのずれに苛立っているのである。〈崇〉は、「主体」というものを実体的に捉え、〈帰納的推論〉と〈演繹的推論〉によって「真実」に到達できるという姿勢を、根底から疑い、〈人間は、決して完結しない、輪郭のほどけた情報の束〉であり、〈情報源としての俺自身と、そうした情報の寄せ集めとが完全に一致することなんて、あり得ない〉と考えている。情報は言葉で編まれており、思考もまた言葉で行われる。であるとするならば、〈崇〉の苛立ちも、また一つの方向を指し示している。それは、言葉と世界と「私」の関係に対する異和である。

「そうだな、……俺は、外国にいた頃から、言葉についてよく考えるようになってね。それは結局、自分自身について考えることなわけだけど、……言葉っていうのはね、どうも、不自由にしか遣いこなせない時よりも、巧みに易々と遣いこなせている時の方が、本当に痛烈に人を裏切るものなんじゃないかっていう気がする。これは呪わしい実感だね。……俺は、自分の言葉が形作っている世界――自分自身を拘束して、自分の周りの人間まで巻き込んでいるその世界のことを考えるとね、体中が内から張り裂けてしまうみたいな痛みを感じるんだよ。それは、俺の意志の力では、どうにもならなくなってる。……どう考えてもね、俺という人間の能力の中で使いものになりそうなものといったら、言葉くらいのものだよ。他には何もない。だけどね、その唯一の能力が、俺には時々、吐き気がするほど厭わしく感じられるんだよ。……」（同前）

言葉は〈巧みに易々と遣いこなせている時の方が、本当に痛烈に人を裏切る〉。言語の自然性と先験性に対する決定的な懐疑が〈祟〉の根底にはある。すべてのことは、言葉で捉えることができ、言葉を連ねることによって現実に到達できるというのは言葉の見させる夢でしかない。〈祟〉が言うように〈言葉は結局、永遠に現実には到達できない〉のである。人は言葉で世界を構成することしかできないが、〈言葉は結局、永遠に現実には到達できない〉という拘束性に囚われている。それは、言葉が先験的でも自然なものでもなく、他者から到来したものだからである。他者から到来した言葉では「私」が言いたいことを正確には言えない。いや、それ以前に、「私」が言いたいことは他者によって形作られている。言葉は、すでに他者によって何度も発せられ意味と結びつけられてきた。そして人は、他者のそのような言葉のふるまいに従いながら言語を身につけてきたのである。「私」が感じていることは、他者がそのように言葉で分節するように感じている、とも言えるのである。言語はそれが発せられるとき、すでに集合的であり個的な歴史性を纏っている。

〈崇〉の異和は、言葉を通路として「私」と世界に拡がっていく。言葉は、かつて誰かが見た夢を携えて「私」の内奥にひっそりと沈殿していく。そしてあたかも「私」が見たかのように夢を反復させる。言葉は「私」と世界を現出させると同時に、「私」と世界を消し去っていく。言葉をそのようなものとして意識することは、明晰さを手にすることでありながら、ひとつの病であるとも言えるのである。

「……俺はもう、ずっとこんな奇妙な錯覚に薬漬けにされている。――俺を誤らせているのは、結局、言葉だろうか？　まだ本当に小さかった頃から、俺は自分の周囲に、言葉が猛烈な勢いで生い茂ってゆくのを感じていた。俺自身が、その蔦にすっかり絡め取られてしまって、自由な身動きなんて、一つもないんだ。それがいよいよ密になって、俺にはもう、世界の影しか見えない。いいや、きっと、言葉の向こう側で何か動いているらしい、気配くらいしか察していないんだ。俺はただ、その影とばかり四六時中戯れている」（同前）

言葉で編まれた世界と「私」は、実在はするが実体ではない。それは言葉が見させる夢、あるものの〈影〉でしかない。影は、常にあるものの影である。だが、影はそのものの形を正確には写し取らない。光の位置によってそれは大きくも小さくもなり、形を歪ませる。影だけを見て、そのものを見ることを忘れることから言葉の病が生まれるのだが、多くの人は言葉の見せかけの自然性と先験性に埋没し、そのことに気づくことなく過ごしている。

この言葉の病を座標軸に〈崇〉、〈良介〉、〈悪魔〉の三人の登場人物を並べてみれば、〈崇〉が〈悪魔〉と誤認され、〈良介〉が殺人の標的とされるという『決壊』の構図が浮かびあがってくる。〈悪魔〉は、影を影として正確に識別し、その歪みを人間の歪みとして世界に実現しようとする。〈世界中の殺意を、世界それ自体の秩序だったリストアップに逆らって、同時多発的に、匿名的に活性化させる〉ことを目論む〈悪魔〉は、こう語る。

「神は、形而上学だ。しかし、悪魔は絶対に実在する！　悪魔こそは受肉した言葉だ！

イエス・キリストという発想が冴えているのは、初期のラテン教父たちが、それに気がつき、対抗する必要を感じたという点だ。――そう！　そもそも！　いいか？　悪魔の不在に耐えられないのは、他でもない、人間自身だ！　人間は、自らの内なる危険に言葉を与えて、外へと追い出してしまわなければ、どうしてもそれを自分自身と混同してしまう。まったく哀れで、惨めな動物だ。殺人犯、強姦犯、放火犯、窃盗犯、……自分がそんな人間でないと信じるためには、自分でないそんな存在が絶対に必要なのだ！　それこそが、つまりは悪魔だ！　語られた言葉は、どこかに受け止める場所がなければ、永遠に人間どもの世界を空転する。そうして、誰かが不意にそれに手を伸ばし、あるいは自分自身が、思いがけずその役割を担わされてしまうことが恐くて仕方がない。――悪魔は実在する！　いないのであれば、無理矢理にでも捏造しなければならない！　それについて語り、それと敵対し、それを処罰することでしか、人間は自らの善性を盲信できない。――分かるかね？　悪魔は、平和という白昼夢の中で見られるべき夢の中の夢だ！」（同前）

〈悪魔〉の論理は、明快である。神も悪魔も人間が言葉で紡ぎ出した虚構《フィクション》でしかない。神の全能性が人間の不可能性の裏返しであり、悪魔が〈自分がそんな人間でない〉ことを証明するために捏造されたものであるように、それらは二項対立的に「私」を象るための虚構《フィクション》である。「そうではない」という対立項を立てることによって、不定形な「私」に実体のごときものが与えられる。従って、そのようにして析出された人間の〈善性〉も、また虚構《フィクション》でしかなく〈殺人は、人間の必然だ〉ということになる。この論理は、言葉で編まれた世界と「私」を〈影〉だと感じ、〈人間だから、誰かを殺すかもしれない〉という〈崇〉の意識と中心をずらしながらも重なり合う円を描いていると言える。

〈良介〉は、〈悪魔〉や〈崇〉と対極に位置する場所に立っている。それは、言葉が、ものが作り出す影などではなく、そのもの自身に届いているという意識である。久しぶりに実家で顔を合わせた〈崇〉と〈良介〉の「人を愛する」ということについて交わされた会話は、そのことを如実に物語っている。

「好きだから、一緒にいたい、と心からそう思う」という言葉で「人を愛する」という人間の営為を象ろうとする〈良介〉は、あまりに素朴ではある。だが、妻や息子への想いを何とか言葉にしようとするもどかしさがその短い応答に滲み出ている。発話している間もまるで自分の腕に抱きしめているかのように感じられる愛おしい者への想いというものを信じて疑わない〈良介〉には、それを現に在るものとして言葉で他者に伝えることができるという確信がある。つまり、〈良介〉にとって、言葉と世界と「私」は、そうと意識されずに、齟齬なく結び合わされているのである。

それに対する〈崇〉の言葉の過剰さは何だろう。この会話のなかで〈崇〉は〈見えているものを見るなと命じるのは無茶だ〉とも言っている。確かに〈崇〉には「人を愛する」ということを素朴に言葉で象ることはできないし、十八世紀に出版されたベンサムの著書の引用とその題名を皮肉って差し挟むような形でしか言い得ないのである。だからこそ言葉によって事物から隔てられ〈世界の影〉しか見えなくなっている〈崇〉には、〈あいつは、俺にとっての痛切な現実〉だと感じられていたのである。

だが、〈崇〉の言葉は、〈良介〉にとって一つの暴力として機能している。おそらく、〈良介〉には、〈崇〉の言葉は正確には伝わっていない。〈兄貴は、頭で考え過ぎなんだよ〉という言葉は、〈良介〉が〈崇〉の言葉と論理をほとんど理解できていなかったことを窺わせる。これは、もはや対話ではない。二人の間に残されるものは、言葉と論理を操れる者とそうでない者の絶望的な非対称性だけである。そして、この非対称性は、二人の間に政治的な関係を作り出す。言葉は、人間を関係づけつつ隔てるのである。

〈言葉がお前自身と完全に一致するように責任を持て！〉。〈良介〉の殺害を記録したＤＶＤのなかで、〈悪魔〉はこの言葉を繰り返しながら〈良介〉に暴行を加える。言葉が影でしかないことを知っている〈悪魔〉は、〈良介〉がインターネットのホームページ〈すぅのつぶやき〉に言語化した「私」と、〈良介〉自身が一致しないことも知り尽くしているはずである。にもかかわらずこのように求めるのは、〈孤独な殺人者の夢想〉という自らのホームページに殺意を塗りつけた〈北崎友哉〉がそうであるように、言葉が編みだした不幸な「私」こそが殺意を体現する者だからである。〈僕の妻は醜く、僕の息子は出来損ないで、僕は無能だ！〉、〈僕は不幸だ！　この世界は、ただ悪意と憎悪とを以てしか僕を迎え入れず、呪詛と共に厄介払いする！〉と言いさえすれば命を助けるという〈悪魔〉の提案は、そのことを端的に示している。〈良介〉がこの申し出を拒否し〈僕は妻を愛してる！　息子を、良太を愛してる！　この世界が好きで、この世界のみんなのことが好きだ！〉と叫ぶとき、〈全身を清澄な戦慄が駈け巡ったかのように、決然とした、晴れやかな表情で、まるで画面の向こうからこちらが見えているかのように、まっすぐに祟の方を向いた〉のは、この言葉が〈悪魔〉だけに向けられたものではないことを示唆している。

言葉で編まれた世界と「私」とは何か。この問いを突き詰めていけば行くほど世界と「私」は遠ざかっていく。それは、その問いを推し進めているのもまた言葉だからである。言葉を思考するのも言葉である、という円環から人は逃れることはできない。この出口なしの迷路に入り込んだ〈祟〉や〈悪魔〉は言葉の病に喰い尽くされ、素朴に言葉で象られた世界を生きた〈良介〉は言葉の病に取り憑かれた者に殺害された。そういった意味で『決壊』は、言葉で世界を分節し思考する人間の、救いのなさを描き尽くしているとも言えるのである。

平野啓一郎は、このような救いのない世界を描いたからこそ『ドーン』を書いたとも言える。『決壊』の〈祟〉と『ドーン』の主人公〈佐野明日人〉は、一つの出来事によって結びつけられている。『決壊』の末尾で〈祟〉は電車が迫る駅のホームの点字ブロックを跨いだ。この行為が自殺を意味するのかは明瞭ではないが、『ドーン』の〈佐野明日人〉は〈誤って中央線の市ヶ谷駅のホームから転落しそうに〉なり〈すんでのところで周りにいた乗客らに助けられた〉過去を持っている。〈明日人〉は、出口なしの『決壊』の世界から這い出てきた人物なのかもしれない。

『ドーン』は、二〇三六年のアメリカを舞台としている。近未来小説の多くがそうであるように、『ドーン』も、いま形をなしつつある状況を既に在る現実として描出することによって、未来から現在を照射する構造をもっている。『ドーン』が描きだした近未来は、〈分人dividual〉、〈散影divisuals《ディヴィジュアルズ》〉、〈可塑整形〉など、いくつかのキーワードで構成されている。〈個人individual〉は、他者との多様な関係性のなかで形作られたいくつもの〈分人dividual〉を抱え込み、その一方で、防犯カメラとインターネットを組合せ個人の行動を追跡できる〈散影〉というシステムが社会に張り巡らされている。そして、あらゆる場所で自分の姿を記録されてしまう時代に対応するように、〈顔の中に、俗に塑性シリコンと呼ばれている物質《プロテーゼ》〉を埋め込んでいくつもの顔を持つことができる〈可塑整形〉という技術が開発された。

『ドーン』の作品世界は、個人の分裂・拡散と監視社会の進展という、現在進みつつある状況の行き着く先はあるいはこのようなものなのかもしれない、と思わせるリアリティを持っている。だが、『ドーン』のなかで二〇三六年の現実は、その具体的細部は描かれているが、アメリカという国家が直面している状況そのもの、たとえば、〈東アフリカ戦争〉などは場面としては描写されていない。それは二〇三六年の現実が未だないからではなく「現実」が「虚構」の対語ではなくなっているからである。

民主党の大統領選挙用映像を作成している〈ウォーレン・ガードナー〉は、いくつもの戦争の映像のなかからその一つに目を留める。それは〈今際《いまわ》の際に、ベッドを取り囲む家族四人に、何かを——そう、きっと何か大切なことを——語りかけようとする少女〉の映像であった。

> 少女は、何かを語ろうとしていた。何を言おうとしていたのだろう？ 目が落ち窪んで、ひどく頬が痩《こ》けていた。高熱に煮崩れて、意味を逃してしまったような言葉が、虚しく微動する口から吐き出される様が、ありありと目に浮かぶようだった。……（中略）……ウォーレンは、三度《みたび》、その少女の姿を見つめた。そして、ゆっくりと両手を解くと、テーブルの上に肘をついて、人差し指を目頭に据えながら、鼻と口とを覆うようにして手を合わせた。
>
> 何も感じていない、という実感と、彼は静かに向かい合った。（『ドーン』）

〈ありありと目に浮かぶよう〉なリアルな映像から〈何も感じていない〉という〈ウォーレン〉の〈実感〉は、すでに現在を生きる私たちにも兆《きざ》し始めている。あまりに多くの情報が出来事とほぼ同時に流される時代にあって、人々は映像も言葉も誰かの視点によって切り取られ語られたものであることに慣らされてしまった。出来事をそのままに写し出しているように見える映像や言葉も、ある文脈に置かれ提示された瞬間に意味を帯びている。その意味が映像や言葉から現実を感じさせる力を奪ってしまったのである。二〇三六年のアメリカでは、世界そのものが巨大な虚構として人々の前に立ち現れている。

『ドーン』は、そのような世界を反映するかのような小説の構造をとっている。二〇三六年のアメリカ大統領選挙と、二〇三三年から約二年半にわたって行われた有人火星探査というふたつの物語が交錯し、共和党副大統領候補〈アーサー・レイン〉の娘で女性宇宙飛行士〈リリアン・レイン〉の宇宙船内での妊娠と、〈東アフリカ戦争〉で使用された〈ニンジャ〉と呼ばれる生物兵器の開発というふたつの出来事をジグゾーパズルのピースを埋めていくように結びつけ、大統領選挙の行方と〈リリアン〉を妊娠させ自らの手で堕胎手術を行った日本人宇宙飛行士〈佐野明日人〉の〈分人〉の在り方を決定していく。

この物語に介入してくるのが、〈人気の小説共作サイト《ウィキノヴェルWikinovel》〉に掲載された〈《ドーン》シリーズ〉という小説である。二〇三六年のアメリカでは、ネット社会という架空の世界に存在し、多数の匿名の作者によって書き換えられ増殖していく虚構の世界が現実を追い越し、もうひとつの現実を象っている。はじめは小説のなかの小説だとわかるように断片的にしか姿を現さなかった〈《ドーン》シリーズ〉は、小説『ドーン』と融合し、最終節のひとつ前に置かれた〈メルクビーンプ星人の見た夢〉では、それがどちらなのか判然としなくなる。そこにはこのような会話が差し挟まれている。

「席について、アストー。ミーティングをします。」

メアリーに促されて、狭いシートに滑り込んだ。遅れているニールを待つ間に、明日人は、隣のリリアン・レインに小声で話しかけた。

「僕は、さっき、夢を見ていたんだ。」

「そう？　どんな？」

「地球に帰還したあとの夢なんだけど、……忘れてしまった。でも、なんだか、大変だったよ。」

「……大変よ、きっとわたしたち。」

「そうだね。―やっと僕たち、メルクビーンプ星人の見ている夢の中から脱出できそうだね。」〈同前〉

小説全体が夢だったともとれるこの会話によって、『ドーン』の小説世界は一気に無効化するような転倒に晒される。最後の一ピースさえ嵌めれば完成するジグソーパズルはひっくり返され、その残像のなかに最終節〈帰還〉がはめ込まれるのである。

『ドーン』には、繰り返し世界が〈あまりにも複雑になりすぎた〉ことが語られている。世界がそのように変容しているのに、〈個人 individual〉だけが分割不可能な実体として存在し続けられるはずがない。〈分人主義 dividualism〉は、そのような時代が強いた個人の在りようだとも言える。現実は多元的に存在し、他者と「私」の現実は一致しない。そして「私」のなかでも現実はひとつではなく、現実と一致できるのは「私」のなかにあるひとつの〈分人〉だけなのである。だからこそ、十年前の〈東京大震災〉でひとり息子の〈太陽〉を喪った〈明日人〉は、アメリカに渡りＮＡＳＡの宇宙飛行士となった。新たな〈分人〉を生きることで、過去の〈分人〉を相対化していたのである。

『ドーン』のなかには、過去の〈分人〉と決別するためにそれまで居た場所を離れ、新たな場所で異なる〈分人〉を生きようとする人物が描かれている。〈インディアナ州のゲイリーみたいなギャングだらけの街から出てきて〉宇宙飛行士となった〈ノノ・ワシントン〉、〈用済みになって見捨てられた工場の町〉、〈デトロイト郊外のグランヴィルみたいな貧民街〉出身の〈ディーン・エアーズ〉。だが、過去は消しようもなくつきまとってくる。別人になりきることはできない。可塑整形によって顔を自在に変え〈ソルト・ピーナッツ〉や〈ジム・キルマー〉という複数の別人を行き来した〈ディーン・エアーズ〉と〈散影〉非協力地域で落ち合った〈ウォーレン・ガードナー〉は、短期間に幾度も変えたために元に戻らなくなってしまった〈キュビズム時代のピカソが描いたみたいな〉彼の顔を見て次のように考える。

このバケモノみたいな顔の男が、本当にジム・キルマー、いや、ディーン・エアーズなのだろうか？《散影》に引っかからないわけだ。幾つもの顔の瓦礫が山積みされたみたいになっている。ディヴィジュアルの溶解がそのまま顔に表れたかのようで、何人かの人間の特徴が、誰が誰だか分からないようにごちゃ混ぜにされていて、収拾がつかなくなっていた。〔同前〕

だが、『ドーン』のなかで〈分人主義〉は、必ずしも否定的な意味だけを帯びているのではない。たとえば、民主党の大統領候補〈グレイソン・ネイラー〉の主任スピーチライター〈ケイン〉は、〈アメリカは、この圧倒的な巨大さの故に、どんな交渉相手とも、基本的には非対称的な権力関係に立たされてしまう〉が〈外からの強制による服する形ではなくて、内発的であると納得される〉形で相手を変えることができるだろうかという〈ネイラー〉の問いを、〈ネイラー〉と自分との関係に置き換えて次のように答える。

あなたが私に、何か強い影響を及ぼすとします。しかし、私はその影響を、直接に個人individual《インディヴィジュアル》として受け止める前に、私の中で、私の母との間のディヴ、父との間のディヴ、妻とのディヴ、大学時代からの親友とのディヴ、恩師とのディヴ、その他のすべてのディヴを通じて検討できます。そうして、不当と感じたり、受けつけたくないと感じれば、処分するか、あなたとの関係にだけ、限定しておけばいいのです。

しかし、もしそのあなたとのディヴを、母とのディブや友人とのディヴが気に入れば、リンクします。受け容れるでしょう。私は、そのあなたとのディヴを、ベーシックなディヴとして、他の人間との関係にも採用します。—そう、その時つまり、私は変わったということではないでしょうか？　あなたの影響を受けつつ、最後は内発的な決断によって。

〔同前〕

〈分人〉化することによって、言葉のもつ政治性を乗り越えて他者と対話し、内発的に自分を変えることができるという〈ケイン〉の言葉は、〈分人主義〉の可能性を語っていると同時に、『決壊』の〈崇〉が陥っていた言葉の病からの脱出点を指し示している。ポストモダニズムによって「言語論的転回」がもたらされた後、言葉によって構築されているものに対する懐疑が広まった。それは「近代」の病を暴くとともに、あらゆるものに対するシニカルな態度というもうひとつの病を蔓延させた。その病を乗り越え他者と向かい合うひとつの方法を〈分人主義〉は指し示している。

そして、有人火星探査船《ドーン》での出来事を告白した後、〈プロファイルを書くようなつもりで〉自らの人生を日本語で辿り直しているうちに〈明日人〉に訪れたのは、〈分人主義〉が出会わせてくれるもうひとりの他者であった。

自分という人間のなにがしかが表現されているその文章のいずれの箇所も、彼の中の分人が、今日まで様々な機会に少しずつ人から譲り受け、彼個人のものとしてきた言葉によって作られていた。そうして今、書くということを通じて、彼の中のすべての分人が響き合い、彼にその分人を生じさせたすべての人々が内から彼に語りかけて、次に発するべき言葉を代わる替わる教えていた。〔同前〕

他者との関係性で生み出されたいくつもの〈分人〉のなかに他者の言葉が息づいている。その他者の言葉は、すでに外からではなく〈内から〉語りかけてくるように感じられている。で、〈分人主義〉は、内なる他者との対話を可能にするひとつの契機なのである。そういった意味で、〈分人主義〉は自己分裂でも自己の相対化でもなく、忌まわしい記憶を切り捨てるための操作的な概念でもない。他者との関係性のなかで、他者から到来した言語で編まれた〈分人〉の束でしかない「私」を生きる人間が、生の連続性と全体性を回復しようとしたとき、その〈分人〉を生じさせた内なる他者と対話するしかないのである。

平野が『ドーン』で辿りついたのは、虚構が現実を追い越してしまったような現代における「私」の在りようだったと言えるのである。

＊

磯崎憲一郎が日常的な時間意識を解体し、平野啓一郎が近未来を舞台とすることによって言い当てようとしていることは、実在するが実体ではない「私」というものの奇妙な在りようなのである。〈誰のものでもある、不特定多数の人生を生きている〉という『世紀の発見』の〈彼〉の感覚と、〈接する相手次第で、僕たちには色んな自分がいる〉という『ドーン』の〈明日人〉の意識は、他者との関係性のなかで、内なる他者の言葉によって世界や「私」を象るしかない人間の生の手ざわりがもたらしたものである。

言葉が見させる夢でしかない不定形で可塑的な世界や「私」は、ボルヘスの『円環の廃墟』（一九四一）や、ベケットの『名づけえぬもの』（一九五三）などにも描かれてきた。二十世紀の半ばには、幻想的な世界や、ほとんど狂気に近い独白《モノローグ》という形でしか言語化できなかったことが、いま、磯崎と平野によって日常世界と地続きの作品世界と物語《ストーリー》をもって語り出されたのである。

現代を生きる人々に徐々に広まりつつあるこのような意識は、いったい人間をどのような場所へ導いて行くのだろうか。現実は仮象に過ぎないと自分だけの物語を捏造し、憎悪だけで他者と向きあおうとする奇妙な犯罪の多発をこのような「私」の在り方と結びつけることも可能だろう。『決壊』は、そういう「私」の在りようの極点を描いたものと言うこともできる。だが、磯崎や平野が言おうとしていることは、そういうことではない。

平野は、『バベルのコンピューター』（二〇〇四）のなかで〈あらゆる差異によって隠蔽されている人間の単一性 oneness をユーモアとともに摘出し、顕在化させる〉という主題を持つ

〈アイドローイング〉という架空の映像作品について次のように述べている。

差異の存在は寧ろ前提であり、ただそれが、或るメタ次元の価値の体系内に回収されると、無効な条件となってしまうという発想が、この作品の根本である。〈『バベルのコンピューター』〉

言うまでもなく、ひとりひとりの人間の生は、具体的細部において異なっている。近代においてそのような差異のなかにある人間を束ねていたのは、民族や国家、宗教、歴史、思想といった「大きな物語」だった。それらのものが言葉で編まれた物語に過ぎないことが明らかにされ、「大きな物語」に接続された「私」の「小さな物語」を語ることが困難となった現代において、立ち返るべきは、人間と言語と世界の関係という根源的な問題であるとも言えるのである。

個から普遍へという道筋が近代小説の枠組みであったとするならば、近代が構築した普遍性がいったん壊れてしまったポストモダンな現代において、小説が辿るべき運動は、メタ・レベルにおける人間の単一性という地点から開始されるのかもしれない。

他者から到来し、他者性を隠してしまった内なる他者の言葉でしか世界も「私」も象ることはできない人間の在りようを描きだした磯﨑憲一郎と平野啓一郎は、すでにその歩みをはじめているのである。

第四節　日常と異邦

―〝故郷〟の崩壊―

エドワード・W・サイードは、故国を追われ異邦で暮らすことを強いられた人々の在りようについて、次のように述べている。

エグザイル生活の多くは底なしの喪失感の埋め合わせに、思いのままにあやつれる新世界を創造することについやされる。多くのエグザイルたちが小説家やチェス・プレーヤーや政治活動家や知識人になるのは驚くべきことではない。こうした活動のそれぞれは、物的対象には最小限のこだわりしか見せないかわりに、流動性や技能には最大限重きを置くからだ。エグザイルの新世界は、論理的に見て当然のことだが、不自然な世界であり、その非現実性は、小説の世界に似ている。〔『故国喪失についての省察』大橋洋一他訳〕

エグザイルの世界が不自然であり、その非現実性が小説の世界に似ているのは、彼らを現実に繋ぎ留めておく、過去との親しさが失われてしまったからだ。記憶のなかの自分を映し込める風景と切り離されることによって、彼らは、断片的な現在《いま》を生きる他なくなる。よそよそしい貌をした現前する異邦の事物を、故国に遺してきたものに重ね合わせ馴染もうとしても、そのことによって事物に与えられる「ずれ」や二重性が、あたかも、作り物の世界を遊歩するかのように感じさせるのである。ロシアからの亡命者であったウラジミール・ナボコフがドイツ滞在中に執筆したロシア語小説『賜物』(一九三七〜三八)には、そのような奇妙な世界の手ざわりが次のように描かれている。

フョードル・コンスタンチノヴィチに似た若者は(似ていたからこそ、チェルヌィシェフスキー夫妻はフョードル・コンスタンチノヴィチに特別な愛着を抱いていたのである)気がつくといつの間にかドアの前にいて、部屋を出て行く前に半身になって父のほうを向いて立ち止まった。それにしても、彼の組成は純粋に想像上のものなのに、この部屋に座っている誰よりもその存在が濃密なのは、なんということだろう! ワシーリエフと青白いお嬢さんはその体を透かしてソファが見えていたし、技師のケルンがそこにいるとわかるのは鼻眼鏡《パンスネ》のきらめきによってのみで、リュボーフィ・マルコヴナもまた同様、フョードル・

コンスタンチノヴィチ自身も、ひとえに故人とのおぼろげな一致のおかげで存在を保っているようなものだった。しかし、ヤーシャは完璧に本物で、生きていた。そして、その姿にじっと見入ることを妨げるものはただ自己保存の感覚だけだった。〔『賜物』沼野充義訳〕

若き亡命詩人の〈フョードル〉が、一人息子の〈ヤーシャ〉を亡命先のドイツで喪った〈チェルヌィシェフスキー夫妻〉の家を訪ねる場面である。生者が背景が透けて見えるほどに朧気で〈鼻眼鏡《パンスネ》のきらめき〉や〈故人とのおぼろげな一致〉に支えられなければ存在できないのに、死者である〈ヤーシャ〉は、濃密な質量を備えてそこに在る。この生者と死者の反転、現前と不在の転倒にこそ、異邦のよそよそしい現実のなかで、失われた親しさを求めようとする者の、時間と空間の捩れが表されている。

エグザイルの喪失感は、子を喪った親の悲しみに似ている。彼らには、馴染みのものに囲まれ、安らぎとともに繰り返される日常は永遠に戻らないように思い做される。喪失の瞬間から異なる相貌をもって迫ってくる現実と和解しようとするのならば、現前するもののなかに喪失したものとの〈おぼろげな一致〉を見出す二重のまなざしを獲得し、偽りの安らぎに逃げ込むしかない。異邦に生きるとは、不条理に耐えることだ。異邦には、言語を介在させなくても了解できる馴染みのものはない。たとえそれが間違っていようとも、言語によって説明を与え、了解可能なものに翻訳し、世界と折り合いをつけなければならない。従って、生きて在る世界は、言語だけで構成された小説の世界に近づいていくのである。
ナボコフが『賜物』から二十年近くの歳月を経て発表した英語小説『ロリータ』（一九五五）には、〈空間用語〉と〈時間用語〉の置き換えという言い方で、エグザイルの小説的な世界が定住者を含むあらゆる人間の生を覆っていく様を示唆した部分がある。語り手の〈ハンバート・ハンバート〉は、〈九歳から一四歳までの範囲で、その二倍も何倍も年上の魅せられた旅人に対してのみ、人間ではなくニンフの（すなわち悪魔の）本性を現すような乙女〉を〈「ニンフェット」と呼ぶこと〉を提案したいとした上で、次のように述べている。

ここで私が空間用語を時間用語で置き換えていることに、読者はお気づきになるだろう。実のところ、「九歳」や「一四歳」というのは島の境界線として思い浮かべていただきたい。鏡のような浅瀬と薔薇色《ばらいろ》の岩場がある魔法の島で、そこには我がニンフェットたちが棲息《せいそく》し、霧深い大海に囲まれている。〔『ロリータ』若島正訳〕

ここには、ナボコフとプルーストの主題が交叉した、煌めきのような瞬間が垣間見られる。『ロリータ』は、扇情的な小説でも、幼児性欲を扱った興味本位の小説でもない。『失われた時を求めて』の最終章にある〈われわれが時のなかに一つの場所を占めていること〉（井上究一郎訳、傍点原文）を移ろいやすい少女の姿に塗り込めた一篇なのだ。プルーストは、〈現実のなかに記憶の情景を求めるのは矛盾である〉とも記している。時間は、場所から何かを抜き取り、そこに立つ者に決して同一のものとしては到来させない。同じ場所であるはずなのに、どこかが違う。この輪郭のずれこそ、懐かしさの住まいである。ナボコフが生い立ちの地を再訪することによってではなく、自伝や小説のなかに芸術的手法で幼年時代を甦らせようとしたのは、時間が空間に及ぼすこのような作用を熟知していたからに他ならない。故国からの移動が異邦への追放であったように、時間の経過は、私たちから確実に何かを奪い、異邦へと誘《いざな》う。時間的存在である人間が生きて在ることとは、それだけで〈境界線〉を踏み越えてしまうことなのだ。馴染みは、ある一定の時間の経過によって育まれるはずなのに、時の移ろいは私たちを馴れ親しんだ世界から追放する。時間的存在である人間のこの奇妙な在り方こそ、ナボコフが解き明かそうとした謎なのである。

日本語文学において、異邦に在ることによる世界の変容が小説の主題として前景化してくるのは、リービ英雄や多和田葉子ら、いわゆる「越境」した作家の登場以降である。彼や彼女は、複数の言語を往還することによって、「母語」で象られていた、ある意味、静的な世界を、流れゆくものとして別様に開いて見せた。そして、世界を感受する触手としての言語の存在を際立たせ、私たちが「現実」と呼んでいるものが、言葉で編まれた、脆く危うい、幻視に近いものであることを、指し示したのである。

だが、日本語文学でも近代における定住者の世界がエグザイルのそれに近いところにあることは、以前から語られていた。たとえば、小林秀雄は、『故郷を失った文学』（一九三三）のなかで〈東京に生れながら東京に生れたという事がどうしても合点出来ない、又言ってみれば自分には故郷というものがない、というような一種不安な感情〉について次のように述べている。

思い出のない処に故郷はない。確乎《かっこ》たる環境が齎《もたら》す確乎たる印象の数々が、つもりつもって作りあげた強い思い出を持った人でなければ、故郷という言葉の孕《はら》む健康な感動はわからないのであろう。そういうものは私の何処を捜しても見つからない。振り返ってみると、私の心なぞは年少の頃から、物事の限りない雑多と早すぎる変化のうちにいじめられて来たので、確乎たる事物に即して後年の強い思い出の内容をはぐくむ暇がなかったと言える。思い出はあるが現実的な内容がない。殆ど架空の味いさえ感ずるのである。（小林秀雄『故郷を失った文学』）

近代は、人を流れのなかに追いやった。連続する変化のなかにある近代都市東京に生まれ育った者には、子どもの頃の面影を映し込む風景がない。記憶では、確かに「ここ」であるはずなのに、様変わりしてしまった「そこ」は、まったく別の場所のような、よそよそしい貌をしているので、記憶のなかの自分の姿の方が作り物のように思えてくる。都市は劇場で、そこに住む者は俳優のようなものだ。幕が下りるたびに舞台装置は作り直され、生きた時間は舞台で役を演じたときのように、部分としてしか記憶されない。小林秀雄は、続けてこうも言っている。

上述のような誇張した場合を考えないでも、母親の子供の頃の話を話を聞いている時でもよく感ずる事だが、別に何んの感動もなくごく普通な話をして、それでいて何かしらしっかりとした感情が自《おのずか》ら流れている。何気ない思い出話が、恰《あたか》も物語の態を備えている。羨《うらやま》しい事だ、私には努力しても到底つかめない何かしらがある、と思う。何等かの粉飾、粉飾と言って悪ければ意見とか批評とかいう主観上の細工をほどこさなければ、自分の思い出が一貫した物語の体をなさない、どう考えても正道とは言い難い、という風に考え込んで了う。〔同前〕

同じ場所で暮らし続けていても、自らの生の連続性と全体性は、切れ切れの記憶を繋ぐ〈粉飾〉、あるいは〈主観上の細工〉なしには回復されない。そのようなものを横糸に編まれた「私の」〈一貫した物語〉は、小説とほとんど同義なのではないだろうか。そして、自らの生の連続性をそのような形でしか回復できない不自然さは、エグザイルの世界と、何と似ていることだろう。

『故郷を失った文学』から遡ること四半世紀、『三四郎』(一九〇八)の主人公は、幕が開いたばかりの近代の東京を〈凡《すべ》ての物が破壊されつつある様に見える。そうして凡ての物が又同時に建設されつつある様に見える。大変な動き方である〉と、驚嘆しながら眺めている。漱石は、そのような〈動く東京の真中〉に暮らし始めた〈三四郎〉を、次のように描いている。

三四郎には三つの世界が出来た。一つは遠くにある。与次郎の所謂《いわゆる》明治十五年以前の香《か》がする。凡《すべ》てが平穏である代りに凡てが寐坊《ねぼけ》気ている。尤も帰るに世話はいらない。戻ろうとすれば、すぐに戻れる。ただいざとならない以上は戻る気がしない。云わば立退場《たちのきば》の様なものである。三四郎は脱ぎ棄てた過去を、この立退場の中へ封じ込めた。なつかしい母さえ此処《ここ》に葬ったかと思うと、急に勿体《もったい》なくなる。そこで手紙が来た時だけは、暫《しばら》くこの世界に低徊して旧歓を温める。〔夏目漱石『三四郎』〕

熊本から東京に出た〈三四郎〉の新しい世界は、〈脱ぎ棄てた過去〉というもうひとつの時間と、いざとなったら帰るべき場所である〈立退場〉としての故郷という、もうひとつの世界との断絶と連続によって現出している。〈明治十五年以前の香《か》がする〉時間の流れが堰き止められたような〈凡《すべ》てが平穏である代りに凡てが寐坊《ねぼけ》気ている〉故郷を傍らに置くことによって、〈三四郎〉は、変化のただ中にある近代都市東京を、ひとつの流れゆく風景として見ることができたのである。

一八八〇（明治十三）年生まれの小林の母親は、そのような時代の香りが残る世界に育ったからこそ、東京を生い立ちの地、故郷とすることができたに違いない。そして周囲の不動性と、それが醸す親しさに支えられて思い出を、〈物語の態〉を備えて語ることができたのである。だが、近代の流動性によって生い立ちの地を故郷と感じられない小林秀雄には、それができなかった。故国を追放されたエグザイルと、流動していく近代都市に生きた小林は、故郷喪失者であるという点において、通底していたのである。鋭敏な感覚をもつ者には、時代は、まわりの者より少しだけ早く到来するのだろう。小林が感受した、近代都市での生の手ざわりを描いた小説が登場するまでには、それから長い時間を要したのである。

「内向の世代」の一人である黒井千次の連作短篇『群棲』（一九八〇〜八四）には、日常の傍らに佇むもうひとつの世界、換言すれば、日常に潜む異邦が現実を浸食しつつあることが、郊外の一角に住むいくつかの家族を通して描かれている。

子供達が寝静まると家の中は急にひっそりとする。自分達の動きまわっていた領分をふとんの内に引きずりこんで一緒に眠りについてしまったかのように、うちのあちらこちらに空洞が生れている。そこを目がけて、もう一つの家が床の下からゆっくりと滲み出して来る。（黒井千次『群棲』）

近所でたった一軒残った、子どもの頃と同じ姿を留めている隣家が建て直されることを知った若い父親は、幼い子どもたちに、いま住んでいる家に建て替える前の、自分が育った〈古い大きなうち〉の話をする。そして、子どもたちが寝てしまうと、台所に立ち、建て替える前はその場所にあった、井戸のポンプをこぎ出す。日常の傍らに佇み、現実を支えていたもうひとつの世界が日常を押し退け、生きて在る世界を架空めいたものに変えてしまう。そのとき彼は、馴れ親しんでいるはずのいま住んでいる家が、異邦のようにそこに在ることに気づくのである。

黒井は、『群棲』の別の章で、都市生活者の世界の流動性について〈まわりが変ってしまえば、うちが動いたのと同じことになるのかもしれない〉と記している。同じ場所に暮らし続けていても、風景や人が変わることによって、いつの間にか、馴染んだ世界から、よそよそしい貌をした、異邦のような場所へと移動しているように感じられるというのである。そうであるならば、都市において「定住」という言葉は、ほとんど意味を失っていることになる。しかし、彼の小説の主人公たちが、日常を作り物めいたものとしか感じられないのは、都市の流動性だけではない。都市での生活を現実に繋ぎ留めておく不動の世界としての故郷を喪失していることも、その一因なのである。

黒井の小説の主人公たちは、〈三四郎〉のような形で故郷を所有していない。『走る家族』(一九七〇)の〈時彦〉は、大学生の時に父の〈義行〉と長野県にある〈小さな三つの墓石〉を訪ねたことを、次のように回想する。

義行の二代前から都会に流れ出て来ていた時彦の家にとっては、その地は、すでに親戚のいる土地でもなく、故郷でもなかった。時彦が子供の時からお彼岸に連れて行かれた墓参りは、東京の大きな墓地の中にある、もっと光った、もっと角ばった石で出来た墓であった。その墓石には間違いなく先祖代々の墓と刻まれていたのであるから、花畑の隅にある三つの墓は、前もってきかされていたとはいえ、時彦にとっては理解しにくい存在だった。それは、義行がもはや何の関係もないのに、今でも通知のある度に長野県人会に出かけて行くのと同じように理解し難かった。にも拘らず、いきなりしゃがみこんで墓のまわりの草をむしり出した義行の夏服の背中には、何か動かし難い重い力が溢れていた。それにひきずられるようにして、時彦も墓のまわりに姿勢を低くして草を取り始めていた。(中略)俺には関係のないことだ、俺はこの墓とは無関係なのだと考え続けながら、それでも時彦は父親とならんで草を取る手を休めるわけにはいかなかった。自分の中にある、自分でも何とはさだかに掴み難い暗い力が自分の手を点のような小さな草の芽にむけてのばしていくのを、時彦は感じ続けた。(黒井千次『走る家族』)

生い立ちの地でもなく、訪ねても迎えてくれる人もいない場所を故郷だと思えるはずもなく、子どもの頃、お彼岸に行ったのとは別の、初めて参った墓を自分に連なる死者たちが眠るものと実感することも難しい。その土地は、事実として先祖がいたというだけの場所である。離郷者の三世代後の末裔たちが抱く感情は、その土地と強く結ばれながら都会で暮らした離郷者のそれとは、大きく隔たっている。〈時彦〉をその場所に結びつけるのは、草を毟る父親の背中に溢れていた〈何か動かし難い重い力〉に引きずられるように到来した、〈自分の中にある、自分でも何とはさだかに掴み難い暗い力〉である。この〈暗い力〉を安岡章太郎が『海辺の光景』(一九五九)に描いた、〈信太郎〉の故郷や母親への屈折した感情と重ね合わすこともできるだろう。子どもだった〈信太郎〉は、一年に何度も帰郷する近所の家族を見て次のように思う。

どうして、そんなにまでして郷里をしたうのか？　故郷を棄てるとは、一体どういうことなのか？　それは何かしらの罪に値いすることになるのだろうか？　その一家の人たちを見るたびに、信太郎は子供心にとまどった。彼にとって、故郷は一つの架空な観念だった。知らないうちに取りかわされた約束がどうしても憶い出せないような、そんなイラ立たしい不安がいつもつきまとう……。そのくせ、「故郷を棄てる」という言葉は、聞かされると、それだけでもう自分が何か後暗いことをしているような気にさせられる。〔安岡章太郎『海辺の光景』〕

職業軍人となり故郷を離れた父親とともに幼年期を過ごした〈信太郎〉にとって、故郷は何の実感も伴わぬ〈一つの架空な観念〉であり、〈知らないうちに取りかわされた約束〉なのである。この言い方は、ポール・ヴァレリーが言語について〈ひそかにわなをしかけて、隠密裡に取り決められた約定〉(佐藤正彰訳『ヴァレリー全集　カイエ編』)であると述べたことを思い起こさせるが、まさに故郷は言語と同じように、自然性と先験性を装って、自分のなかに既に在るものなのだ。

死と直面した母親との九日間を描いた『海辺の光景』という小説のなかで、母親と故郷は、中心を異にする楕円のように重なり合わされている。片足を近代の〈個人主義〉に、もう一方を前近代的な〈家族主義〉に置いている〈信太郎〉にとって、故郷や母親は脱いでも脱げない服のように、肌に貼りついてくるものとして感じられる。だが、それなしには自分を世界と関係させることができぬほど、自己と深く結びついている。自分が存在する前から存在し、自分の存在に根拠を与えるものへの違和、言い換えれば、自分の外部に在りながら、自己の生命の内奥と繋がっているものへの不気味さと親しさ、それが〈信太郎〉にとっての故郷や母親というものの正体である。精神を病んだ母親に軀を近づけられそうになると、〈恐怖のための悪寒《おかん》〉を感じた〈信太郎〉が、病床に眠る母親の〈汗と体臭と分泌物《ぶんぴつぶつ》の腐敗したような臭い〉を嗅いで〈安堵《あんど》した気持〉、〈自分の内部と周囲の外側のものとのバランスがとれてくる〉感覚を覚えるのは、そのあらわれである。

『走る家族』の〈時彦〉を捉えた〈暗い力〉も、このようなところに淵源する。その墓に眠るのは、会ったこともない、他人同然の死者である。だが、彼らが存在しなければ、父親も自分も存在しない。日常においては、遙か遠くに、幽かな輪郭しかもたぬ自己の存在の原基をなす人々は、奥深いところで〈時彦〉を力強く掴んでいるのである。

〈なぜだろうか、子供のころから信太郎には郷里がある怖《おそ》ろしい感じのものだった〉と『海辺の光景』に書いた安岡が、その後、故郷が醸すよそよそしさや不気味さではなく、親しさの方に惹きつけられていったことは、五年の歳月をかけて完結した長篇小説『流離譚』（一九八一）に表されている。土佐藩参政吉田東洋暗殺や、天誅組の変、戊辰戦争に参加した安岡覚之助、嘉助兄弟を中心に安岡家の先祖の歴史を語った『流離譚』には、〈墳墓の地といふ言葉は知つてゐても、その実感がない〉、〈私〉が先祖の墓を訪れる場面がある。

その栗林にそつて小径を行くと、反対側にほんのちよつとした台地があり、そこが四坊山の墓地である。まはりを雑木林にかこまれた墓地の広さは、全体で五十坪もあるだらうか。しかし私は、この墓地にくるたびに、白昼の中で幽冥界の人たちが静かに息づいてゐるやうな不思議な心持にさせられる。（安岡章太郎『流離譚』）

安岡を自己に連なる死者たちの物語に引き寄せたのは、この〈不思議な心持〉だったのだろう。白昼に死者たちが息づいているような不気味さと、それとは裏腹の安堵。五十歳も半ばをこえ、父母と死に別れた〈私〉に自己未生以前の世界を感じさせ、〈不思議な心持〉へと誘うのは先祖の墓しかない。安岡は、一八三六年（天保七年）に先祖祭を始めた五代前の安岡広助について、〈何か言ひやうのない不安から自分たちの先祖を探し求めるといふ気持もあつたのではないか〉と書いているが、おそらく安岡を『流離譚』執筆に駆りたてたのも、めまぐるしく変化していく近代都市の生活のなかで自分の根が消えていくことへの不安だったのだろう。一七六七年に奴隷としてアメリカへ売られた祖先クンタ・キンテからはじまる自己へと連なる一族の物語である『ルーツ』（一九七六）の訳者に名を連ねた安岡は、そのような点においてクンタ・キンテの末裔であるアレックス・ヘイリーと軌を一にしていたのである。自分の生が生年と没年をつなぐ「—《ダッシュ》」のようにのっぺらぼうになってしまうことへの不安と、一族の歴史を物語ることによってそれに抗おうとする意志は、暴力的に根《ルーツ》から引き抜かれた人々だけのものではなかったのである。

「大文字の歴史」を背景に家族の「小文字の歴史」を語ることによって自らの地下茎を確かめようとする試みは、藤村の『夜明け前』（第一部一九三二、二部一九三五）から、柳美里の『8月の果て』（二〇〇四）まで、さまざまな作品に見られるが、時期的に『流離譚』に近いものとしては、江藤淳の『一族再会』（一九七三）があげられる。

〈私はこの言葉の世界——不在の世界に、自分の一族を招集してみたい〉、〈多分私は、彼らがそれぞれの「時代」を、どんなやりかたで呼びよせたかを見ることにもなるだろう。またこのことは、とりもなおさず私自身がいったい何者であるのかを問うことにもなるはずである〉と作品の冒頭近くに記した江藤は、「母」、「祖母」、「祖父」、「戦争」、「結婚」の章を語り終えた後、母方の祖父〈宮地民三郎〉を扱った最終章「もう一人の祖父」を置いた。江藤は、〈民三郎〉の生地、愛知県東海郡蜂須賀村（海部《あま》郡美和町に併合された後、現在はあま市となっている）を訪ねたときに去来した思いを、次のように書き留めている。

> いったい私はなにを求めてこんなことをしているのだろう？　自分の言葉の源泉を求めて、と考えたこともあった。そうでないことはない。だがおそらく、もっと単純ないいかたをするなら、私は還りたいのだ。どこへというなら、もっと健全で簡素な場所——そこで生と死の循環が動かしがたいかたちで繰り返されているような場所へ。私は還って触れたい。なににというなら、そういう場所の土に。そしてその土に、自分の不毛さを身を打ちつけて詫びたい。その土が、この屋敷の庭の土だというのだろうか？（江藤淳『一族再会』）

江藤が『一族再会』を書くことによって最後に見出したのは、〈生と死の循環が動かしがたいかたちで繰り返されているような場所〉だった。もし、そのような場所に立つことができれば、安岡の言う〈白昼の中で幽冥界の人たちが静かに息づいてゐるやうな不思議な心持〉を感じることができるのだろう。自らの存在の根となる人々がそこに眠っていることを手ざわりとともに感じられ、自分もまた彼らのように生き、やがてそこに眠るであろう場所。そのような場所を、もっと簡潔な言葉で言えば、「故郷《ふるさと》」となる。

美和町の『町勢要覧』のなかに、〈篠田という部落に、葛の葉稲荷という社が記されている〉のを見た江藤は、古浄瑠璃の『信太妻』や谷崎潤一郎の『吉野葛』、折口信夫の『信太妻の話』を経由して、そのような場所を見出すのである。『信太妻』は、人間の妻となり一子童子丸を授かった白狐が、童子丸が五歳のときに正体を知られてしまい、〈恋しくばたづね来てみよ和泉なる／しのだの森のうらみ葛の葉〉という歌を残して信太《しのだ》の森へ帰ってゆく、という話である。四歳半で母と死に別れた江藤は、〈子供にとっては、姿を隠すのも死ぬのも、急にいない、いなくなるという点ではまったく同じ〉（傍点原文）だとして、自らを童子丸に、幼い頃別れた母を葛の葉に重ね合わせながら、葛の葉稲荷に辿りつく。

かしわ手を打って拝みながら、いったいなにに向って拝んでいるのだろうか、と自問する間もなく、土地のささやきよりももっとこまやかでなまあたたかい、あの他界に去った女たちのささやきか息づかいのようなものが、耳許に聴えはじめる。その沈黙の言葉が、葛の葉稲荷の荒れ果てた境内に、満ち潮のように充満して行くのが感じられる。（同前）

江藤は、物語の力を借りてようやく現世と「妣の国」である他界が交叉する場所に立つことができた。それは〈言葉の世界――不在の世界〉における母との再会であると同時に、求め続けた故郷を見出すことだったのである。

だが、それから数十年後のポストモダンな現代を生きる私たちが、安岡や江藤のように故郷を再発見し、その親しさに包まれながら線的な時間から解き放たれ、自らを生と死の循環のなかに位置づけることが可能なのだろうか。安岡は、『流離譚』脱稿直後の秋山駿との対談『安岡家の蔵の中』（初出、『図書新聞』一九八一年十一月七日号）で、『流離譚』執筆の際に参照した高知の蔵のなかにあった先祖の日記などに触れて、〈自分で作って書いたというよりは、何か書かされたという感じ〉がするとし、次のように述べている。

だから東京でさえも、ごく大雑把にいって、まあ十軒に一軒かな、それは過去を持った家にずっと人が住んでいたわけだ。今は東京中を探しても、蔵のある家なんてめったにない。それは、つまり過去がなくなったと言うべきなんだな。〈安岡章太郎『安岡家の蔵の中』〉

『流離譚』は、蔵のなかに眠っていた文書に記された、過去が書かせた小説だった。先祖が遺した細々とした個人的な記録が「大文字の歴史」と絡み合い、物語の構造ができあがり、過去が甦ったのである。しかし、安岡が言うように、二十一世紀の現在、蔵どころか、自らに連なる死者たちが遺したものがある家など、どれだけあるのだろう。ものが溢れ、大量消費を促す社会にあっては、そのようなものは保存されることなく捨てられてしまう。そうして、自己に連なる死者の痕跡を保存していない都市生活者は、過去から切断されてしまったのである。

「感性の歴史家」と呼ばれるフランスの歴史学者アラン・コルバンは、『記録を残さなかった男の歴史―ある木靴職人の世界一七九八―一八七六』のなかで、名前と〈請願書に記した十字架の印〉という僅かな痕跡しか遺さなかった〈ルイ＝フランソワ・ピナゴ〉という男の人生を歴史学の方法で再構成しようと試みているが、この試みそのものが、その不可能性を明らかにするためのものだったとも言えるのである。コルバンは、この本の末尾近くに次のように記している。

その生涯について、われわれは、本当らしく思われる平穏さを描き出すことしかできなかった。彼の人生は、痕跡を記録し、保存する方法によって、平らにならされてしまったように思われる。〔『記録を残さなかった男の歴史―ある木靴職人の世界一七九八―一八七六』渡辺響子訳〕

人の生は、記録され、保存されていなければ、誰も叙述することはできない。そして、彼を記憶する人がいなくなれば、その生は、まるで生年と没年をつなぐ「―《ダッシュ》」のように、〈平らにならされて〉しまうのである。

　故郷を喪失することの言いようのない不安は、自らに連なる者の生と死の循環のなかに自分を溶け込ませることも、一族の物語を「大文字の歴史」と繫ぎ合わせ語ることもできないまま、自分が生きた痕跡がいつの間にかなくなってしまうことによって招き寄せられるのである。

　近代の流動性は、エグザイルだけでなく、多くの人々を故郷喪失へと追い立てた。その果てにあるポストモダンな現代とは、アトム化された人々が切れ切れの生を生きる時代なのである。そして、そのそのような時代の生の手ざわりを描いた小説が、多くの人の故郷が津波と原発事故によって根こそぎにされる直前に書かれた。その小説とは、絲山秋子の『末裔』（二〇一一）である。

『末裔』は、一人暮らしの五十八歳の地方公務員、〈富井省三〉が帰宅する場面から書き起こされる。


　鍵穴はどこにもなかった。

　最近の住宅にはあまりない、白いペンキを何度も塗り直した木製のドアはいつもと何ら変わりはなかった。年季の入った真鍮《しんちゅう》のドアノブも見慣れた通りだった。

　しかし、ドアノブを支える同素材のプレートはのっぺらぼうで、丸の下にスカートを穿いたかたちの鍵穴は形跡さえなかった。鍵でつついても、指でなぞっても、しゃがんで見直しても、二、三歩後ろに下がっても、五秒目を閉じても、ややがさついた手触りの真鍮の板には凹みも歪みもなかった。〔絲山秋子『末裔』〕

その向こうには、馴れ親しんだものに囲まれ、憩うことができる世界が広がる扉の前で、〈省三〉はその世界から拒まれてしまった。彼が踏み込んでしまったのは、日常の傍らに佇む、もうひとつの世界である。日常は薄い皮膜に覆われている。ほんの些細なことで、その皮膜はまくれ上がり、異邦のように、よそよそしい貌をした世界が立ち現れる。その世界では、人は、剥き出しの生と向き合わねばならない。このとき〈省三〉の心の隙間に流れ込んできたのは、胸を締めつけるような、言いようのない孤独と不安である。家に入れず玄関先に佇む彼は、突然、三年前に亡くした妻を思い出す。


ぽつん、と滴《しずく》が首筋に当たった。汗か、と思ったら手の甲にも冷たい雨粒が落ちた。

「あら、雨降ってきたのね」

妻の歌うような声が蘇るのは、そういうなんでもないときだ。そして窓を閉めに行くのか、それとも洗濯物を取り込むのか、スリッパを履いたぱたぱたという軽い足音が続くのだった。

省三は傷口を押さえて痛みに耐える人のように目を閉じて歯を食いしばる。〔同前〕

世田谷にある〈省三〉の家は、昭和三十年代に彼の父親が建て、彼と姉と弟が育った家である。結婚していったん家を離れていた〈省三〉は、父親が五十代半ばで事故死したため、妻と長男の〈朔矢〉を連れて戻り、母親と同居した。長女の〈梢枝〉は、この家で生まれた。夫婦と子という典型的な「近代家族」と、三世代同居という違いはあるが、父親と〈省三〉は、この家で幸福な家庭生活を反復したのである。だが、父親の死んだ歳を越えた彼は、その家にひとりで暮らしている。母親は、認知症になり施設に預けた。〈朔矢〉は結婚し、〈嫁〉に気兼ねして家に寄りつかなくなった。妻が膵臓癌で死に、〈梢枝〉は、〈仕事と住むところが見つかったので家を出ます〉というメモを残して、いなくなった。〈省三〉の孤独と不安の背景には、家族との死別や病気だけでなく、子どもたちに強い情緒的関係をもつことを特徴とする「近代家族」の意識が薄れてしまったこともあったのである。そして、引っ越してきた頃は〈砂利道があり、武蔵野の名残をかすかに残す雑木林があり、原っぱのようなものがあり、畑と家が散在する〉のどかな風景だった近所は、両隣に家が建ち、フェンス越しに犬に吠えられたり、軒下に不要物を出しておくと「ゴミ屋敷」と言われたりする住宅街となった。〈省三〉を囲繞する世界は、父親の時代とはすべてが変わってしまっていた。彼がそれに気づかなかったのは、慌ただしい日常の皮膜に覆われていたからである。鍵穴が消えたことによって、その皮膜が破れ、〈省三〉は、我に返るように、様変わりした世界に立ち竦んだ。彼は、用を足しに行った〈北口公園〉のトイレの鏡の前で、〈自分の顔とじっくり向かい合うのはずいぶん久しぶりのことだった〉と感じるのだが、鏡に写った自分の顔の向こう側には、異邦のようなよそよそしい世界と、その世界にたった一人で存在しているかのような、彼自身がいるのである。

馴染みのない世界にいるのは、〈省三〉だけではない。認知症を患って介護施設にいる母親もそうである。彼は母親を見舞うたびに違和を感じている。

バスを降り、いつも違和感を覚える風景に足を踏み入れる。

一見中層マンションにも見える施設の外装はまだ新しく、ロビーや食堂は明るい光に満たされている。その嘘くさい明るさの中を抜け、エレベーターに乗って省三は母の部屋を訪れた。〔同前〕

この〈違和感〉や〈嘘くさ〉さは、直接的には、黒を好んだ母親が〈白い壁、クリーム色の床、オレンジ系のカーテン〉の〈独身女性の住むような色合いの部屋〉で、〈ピンク色の介護用寝間着を着て毛布の中に〉いることが引き寄せるのだが、それだけではない。この現代的な施設が、というよりも現代という時代のすべてが、人間のあらゆる醜悪な部分や悲惨を覆い隠してしまうことが、彼に違和を感じさせるのだ。母親は、暴れることも徘徊することもなくなったが、〈省三〉が誰かもわからず、彼の言うことを聞いても〈見慣れない、澄んだ目で瞬きをする〉だけなのである。〈エピソードは失われた。理屈や辻褄は消え去った〉世界に行ってしまった母の肉声は、歌を歌うときにしか聞くことができない。


話すことがなくなり、笑うこともなくなり、最後に残ったのが歌だった。

「お母さん、また歌を持ってきましたよ。かけていいですか」

反応はないが、CDプレイヤーの再生ボタンを押した。

歌だけはよく覚えている。弱々しいが歌詞も発音し、音程もそれなりにとれる。〈同前〉

CDが次の曲にかわっても、母親は、『夏は来ぬ』を五番まで歌い続ける。この母親の姿の向こうには、〈歌をうたうことは母が得意にしたものの一つだ。この病院に来てからも、他の昔の記憶は一切失っても歌だけは長い歌詞の最後までうたっていた〉『海辺の光景』の、〈信太郎〉の母を透かし見ることができる。敗戦から十数年後に同じような症状で入院し、危篤状態に陥った〈信太郎〉の母親は、〈どの窓にも頑丈な鉄格子《てつごうし》と太い金網が張られ〉た部屋で、〈ぼろ布〉のような服を着せられ、〈藁蒲団《わらぶとん》〉に寝かされていた。この国が敗戦によって躓いた近代をもう一度別の形で歩み出した頃、「悲惨」は、まだ剥き出しの形でそこにあった。だが、六十年後の『末裔』の時代には、そのような症状が「認知症」という言葉で装いを新たにしたように、「悲惨」はさまざまな装置によって覆い隠されている。〈省三〉に現実を作り物のように感じさせるのは、このふたりの歌う母を囲繞する世界の落差である、とも言えるのである。

家に入れず夜を明かすために新宿に出た出た〈省三〉は、子どもの頃、彼の妻に助けてもらったことがあるという〈梶木川乙治〉という占い師と出会い、彼の紹介で千駄ヶ谷にある〈ホテル・プレクサス〉に泊まる。そのホテルが〈乙治〉とともに消えてしまったあたりから、彼は、自分が〈別次元とのすれ違い〉をしているのではないかと感じ始める。〈省三〉の驚きは、月がふたつある夜空を見上げている『1Q84』(二〇〇九)の〈青豆〉や〈天吾〉の感覚に近いのかもしれない。三号線と四号線の違いはあるが〈青豆〉が「1Q84」年の世界に入りこんでしまった非常階段と〈ホテル・プレクサス〉は、首都高速道路沿いにある。だが、〈省三〉がいる世界は、日常世界と全く別のものではない。鍵穴やホテルが消えようと、犬が喋ろうと、彼は、〈別次元〉とすれ違い、日常の側に立って、その後ろ姿を、驚きとともに、眺めているのである。

日常の傍らに佇む別次元の世界は、身体にまで染み込んだ記憶によってできている。その世界は、何か些細なきっかけで、無意識的に想起される事柄によって突然貌を覗かせることもあるが、自ら求めてその世界に入っていくことも、時には可能である。家に帰ることができない〈省三〉が、鎌倉にある、いまは誰も住んでいない〈伯父の家〉を訪ねるのは、記憶の襞にこびりついている場所を訪ねることによって、〈別次元〉の世界を隅々まで見ようとしたからだろう。

〈こむ　からこむ　からこむ　から〉という懐かしい銅の鈴の音とともに、〈伯父の家〉の玄関の引き戸は、〈昔のように〉するすると開き、玄関には、〈ロダンの「考える人」〉のレプリカも、〈伯父が自分で撃って作った鴨の剥製〉も、〈南極観測船の旗〉も、〈記憶と寸分違わぬ位置〉にあった。庭の草や木が伸び放題になっていることを除けば、彼が訪ねていた頃と何も変わっていない〈伯父の家〉に佇んだ〈省三〉は、〈今が何年で自分がいくつなのか、わからなくなりそう〉な感覚に囚われる。〈省三〉にとって鎌倉の〈伯父の家〉は、レヴィ・ストロースが『野生の思考』（一九六二、邦訳一九七六）に記した〈物的に現在化された過去〉（大橋保夫訳）、言い換えれば、プルーストの言う、失われた時を見出すための〈過去を現在に食いこませる〉（鈴木道彦訳）装置なのである。それに包まれて子どもの頃の記憶の世界を彷徨った〈省三〉は、自らの過去との親しさを取り戻したかのようにも見える。だが、父親と伯父との会話を想起しているうちに、〈省三〉の胸には、次のような思いが去来する。

　だがそれに血が通ったイメージが浮かばないのだ。記憶は確かでも、自分との繋がりが感じられない。それは遠い世界、死者たちの紡ぐおとぎ話、終わってしまったことにすぎないのだろうか。（同前）

子どもの頃の自分を起点とする世界に存在した人々の記憶は、過去との親しさを回復させはするが、現在《いま》の自分とは、結びつかない。それは既に失われたものであり、自分がそのような世界を反復できていないからだ。かつての父親や伯父のように振る舞えない自分と子どもたちとの関係が、記憶のなかにある世界と現在《いま》を切断してしまうのである。

省三が今、なにがしかの懐かしさを感じるのは、大きな森の中に住むあの一族のことを思うときだった。自分でも意外なことだった。憧れはない、親しみもない、もちろん崇拝などしていない。だが、自分に近しかったなにかがあの孤立した家族には残っているような気がするのだ。〔同前〕

〈省三〉が皇室であると思われる一族に〈郷愁〉を感じるのは、彼らが表面的には、時代の変化に晒されていないように見えるからだ。〈省三〉には、彼らの日常に自分が失ってしまった〈幸せな家族だったら忘れてしまうような、ある日、普通の午後〉が、いまも反復されているように思われる。そのような日々の記憶が、彼を〈この気持ちを多分、郷愁というのだ〉という感慨へと誘《いざな》うのである。

結局、〈物的に現在化された過去〉であり、見出された時を内蔵した〈伯父の家〉は、〈省三〉を日常の傍らに佇む、もうひとつの世界の果てまでは連れて行ってくれなかった。鍵穴の消えた扉を内側から開けるためには、もうひとつの世界を通過しなければならない。それは自らに連なる死者たちが息づき、生と死の循環が動かしがたいかたちで繰り返されているような世界である。

一ヶ月余りの彷徨の末に、世田谷の家に帰ることを決意した〈省三〉は、祖父の故郷に行くことを思いつく。

その前に佐久に行ってみよう。

富井の先祖がずっと住んでいた土地だ。そして明治期に苦悩し、出て行った場所だ。

俺のルーツとなるひとたちのまわりにあった景色を、末裔に近い俺が見てやろうじゃないか。〈同前〉

佐久を訪ねた〈省三〉を描いた『末裔』の第一一章は、近代以後を生きる〈省三〉の、ぎりぎりにまで切り詰められた『流離譚』であり、『一族再会』である。だが、彼が、先祖が暮らした佐久で見出すことができたのは、現実の世界では存在すら確かではない〈乙治〉が百年以上前に存在した痕跡だけである。もし、〈省三〉が新宿で出会った〈乙治〉と、〈明治十年〉にそれを奉納したことで石灯籠に名を刻まれた〈梶木川乙治〉が同一人物であるならば、〈省三〉が〈乙治〉に連れて行かれた〈ホテル・プレクサス〉は、現世と、死者の国である他界の交叉する場所だったことになる。だが、そこは、祖父の故郷ではなく、東京にあったのである。

俺の先祖がここにいたのだから、乙に会っていないわけがないのだ。小さな村のことだ、よく知っていたに違いない。だから乙も俺のことが一目でわかったのだ。

「まさか、なあ」

省三は呟いた。

そんな都合のいいことが、とは思うが、曾祖父が慕っていた人物が梶木川乙治だったような気がした。

どのみち検証しようもないことだ。

だからこそ、そう信じたっていい。〔同前〕

佐久で生まれ、自由民権運動家となった曾祖父〈富井松助〉を〈伯父が話してくれたごく僅かなことだけ〉でしか知らない〈省三〉には、曾祖父の人生を再構築するだけの材料がない。記録も記憶もなく、〈過去が消えてしまった〉ような曾祖父の人生は、アラン・コルバンが『記録を残さなかった男の歴史―ある木靴職人の世界一七九八―一八七六』で明らかにした〈ルイ゠フランソワ・ピナゴ〉のように、〈平らにならされて〉しまい、今となっては〈松助が兄のように慕っていた人物〉が〈梶木川乙治〉なのかは、誰も確かめようがないのである。

〈省三〉は、佐久で自らに連なる死者の物語を発見することも、他界と現世が交叉する場所に立つことも、できなかった。だが、その厳然たる不可能性が、彼を世田谷の家の〈鍵を内側から開けること〉を思い立たせるのである。

世田谷の家に帰った〈省三〉は、〈掃き出し窓を割って家に入る〉前に、庭の植木に咲いたパンツのような花を摘み始める。最後の四つの花を摘み取った彼は、それをほおばる。


青くささの中に、ほのかに果実のような甘さがあった。

花をごくりと飲みくだした省三は、泣き笑いのような表情を浮かべて机の上に仁王立ちになり、遂に確信を得た。

俺の祈りの時代は、終わったのだ。

省三は胸の中でつぶやいた。

激しい気持ちが押し寄せ、鼻が詰まった。（同前）

〈省三〉が言う〈祈り〉とは、江藤淳が『成熟と喪失――〝母〟の崩壊――』（一九六七）に書いた〈信太郎〉の母親が歌っていた〈をさなくて罪をしらず／むづかりては手にゆられし／むかし忘れしか／春は軒の雨／秋は庭の露／母は泪かわくまもなく／祈るとしらずや〉という歌に見出した〈近代以前を喚起しようとする祈り〉に近いものである。ただ、〈信太郎〉の子の世代であり近代以後を生きる〈省三〉の祈りは、近代を喚起しようとする祈りなのだ。換言すれば、近代にはどこにでもあった〈幸せな家族だったら忘れてしまうような、ある日、普通の午後〉を取り戻したいという祈りである。そして〈省三〉は、それを断念した。近代に回帰することを断念するところから生きはじめる決意が〈省三〉に、〈仁王立ち〉という、それまでの彼からは想像できないような雄々しい姿勢をとらせているのである。

故郷というものを想うとき、私たちは、いったん『末裔』が示した地平に立ってみなければならない。そこから眺めれば、故郷が盆暮れに帰省する場所という以上の、地上で風雨に晒されている自分を支える地下茎として立ち上がってくるであろうし、ポストモダンな現代において、そのようなものを感じさせる場所を探し出すことの不可能性も見えてくる。現代の都市に生きる人々は、既に故郷を喪失してしまった。そしてまた、東日本大震災は多くの人から故郷を奪った。しかし、それでもなお、私たちは生と死の循環が動かし難いかたちで繰り返されているような場所、一族の来歴を「大文字の歴史」に接続させ時間的存在でしかない「私」を歴史のなかに置くことができる場所を求め続けるのだ。

故郷とは、言葉で編まれたものでしかないのかもしれない。だが、折口信夫が大王个崎の突端に立ったときに〈遙かな波路の果てに、わが魂のふるさとのある様な気がしてならなかった〉(『妣が國へ・常世へ』、傍線原文)と書いているように、私たちにはどこかに自分が還るべき故郷があるような気がしてならないときがある。そして、そのような世界を日常の傍らに置くことでしか、「いま、ここ」を定位できないのである。

近代にあったような「故郷」は、崩壊し尽くしてしまったのかもしれない。かろうじて安岡や江藤を包み込んだような場所は、もう何処にもないのだろう。サイードがエグザイルについて〈完璧な帰還、あるいは帰国は不可能である〉と述べたように、私たちも近代や近代以前に後戻りして安らぐことは、できない。辿りつくことはできないと知りつつ還るべき場所を求め、〈富井省三〉とともに「3・11」以後の現代《いま》を、生きていかねばならないのである。

第五節　ロゴスの極北
――多和田葉子試論――

はじめに

既視感とは何であろう。錯覚、と言ってしまえば、それで終わりである。しかし、はじめて見ているはずの風景に感じる懐かしさに惹きこまれてゆくことは、「私」のなかにもうひとりの「私」がいるような、記憶の底にもうひとつの記憶があるような、名状しがたい感覚を引き起こす。そして、それを招き寄せた、何処にもない風景を手探りするもどかしさは、ある恐ろしさを秘めているが故に、魅惑的である。

小説がもたらす既視感は、あらゆるテキストが重ね書き《パリンプセスト》であるということで説明されてしまうのだろうか。原型《オリジナル》など辿りようもなく、書いては消され、消されては上書きされる羊皮紙の表面を、下層に埋もれた文字とともに辿っているのだとすれば、読むという行為は、幻視に近づいていく。

多和田葉子の小説を読み返すと、さっきまで読んでいたのとは違う小説を読んでいるような気がすることがある。散種されたパラグラムが、テキストの背後に、もうひとつのテキストを影絵のように浮かび上がらせるからだ。表層を流れる物語とその深層にあるいくつもの主題《テーマ》が、和声《ハーモニー》ではなく多声《ポリフォニー》を奏でている、と言ってもよい。テキストは常に複数の読解の可能性を孕んでいるが、多和田葉子の小説は、その可能性が限りなく開かれている。そして、複数の小説がパラグラムによって結びつけられ、主題を引き継ぎ発展させる形で連鎖し、さらなる多声《ポリフォニー》を奏でる。つまり、ひとつの言説に括ろうとしても、常にそこからすり抜けていってしまうのが、多和田葉子という作家なのだ。従って、彼女の小説を連作のように読んでいくと、螺旋状に仕掛けられた罠に落ちていくような、痺れを体験することになる。

翻訳と喩

いま、私の前に二冊の本がある。『Schwager in Bordeaux』と『ボルドーの義兄』。前者はドイツの Konkursbuch Verlag 社から二〇〇八年八月に発行されたドイツ語の Roman であり、後者は『群像』二〇〇九年一月号に掲載された後、講談社から同年三月に単行本化された日本語の小説である。この二冊は、どのような関係にあるのだろう。

作者のYoko Tawada／多和田葉子はある対談で、まずドイツ語で書き、それを日本語に翻訳した、と述べている。従って、『ボルドーの義兄』は、『Schwager in Bordeaux』の作者自身による日本語訳ということに、一応はなる。だが、『ボルドーの義兄』を傍らに置き、辞書を頼りに『Schwager in Bordeaux』の独文を追っていくと、ふたつのテキストが、オリジナルと翻訳という関係に収まりきらぬ余剰をもって、向き合っているように思われてくる。両者の関係は、「虎」という短い章に端的に表れている。

虎

Vielleicht war es keine Lüge, sondern ein Tiger. Er wurde mit einem einzigen Pinselstrich in die Luft hineingezeichnet. Schwarzwaiß, schlicht, mit einem Schwung. Keine Anatomie, sondern seine Sprungkraft hielt seine Glieder zusammen.〔『Schwager in Bordeaux』〕

虎

それは「嘘」ではなく、「虎」だったのかもしれない。空中に描かれた一筆書きの虎。白黒で、すっきりしていて、しかも勢いがある。虎の四肢を繋いでいるのは、解剖学ではなく跳躍力だった。〔『ボルドーの義兄』〕

ドイツ語と日本語の文章は、同じ意味内容であり、後者は前者の逐語訳のようにも見える。だが、作品の発表時期や作者の言葉などを取り去って読んでみれば、オリジナルと翻訳の関係は、反転して見えてくる。

「虎」は、ラシーヌも能もほとんど知らない日本人学生の〈優奈〉が、〈あたし女優なんですけど、ラシーヌを能の形で上演しようと思っているんです。アドバイスがほしいんです〉と、フランス文学研究者の〈レネ〉にドイツ語で言い、〈自分の舌がこれほど滑らかにすべるものとは知らなかった。こんなに滑らかに嘘をつくことができるとは知らなかった〉と思う「嘘」という章を受け、勢いで言ったことはいわゆる嘘とは違うということを、比喩で表現したものである。

ここで「嘘」と「虎」という言葉を繋いでいるものが、「騎虎の勢い」という『隋書』に由来する日本語の言い回しと、ふたつの漢字の視覚的類似であるとすれば、ドイツ語を書いている作者の思考の底に日本語があったことは容易に想像できる。言語表現を行うとき、そこに置かれようとしている言葉は、前後の言葉と継起的で連続的な繋がりをもつとともに、不在のいくつもの言葉と結びついている。作者が想起している言葉の幾つかは、日本語だったはずであり、『Schwager in Bordeaux』の漢字で表記された章題は、その痕跡だと言えるだろう。このドイツ語に潜在している日本語がオリジナルと翻訳の関係を反転させて感じさせ、同時に

〈Lüge〉（嘘）と〈Tiger〉（虎）という類縁性のない、ふたつの言葉を結びつけたドイツ語の比喩を生み出しているのである。

日本語がドイツ語で書くという行為に影響を与えているであろう例は、この他にも、日本語の「成功」と「性交」という同音異義語に導かれて、〈Erfolg〉と〈Sex〉が結びつけられている部分など、数多くあるのだが、ドイツ語を反転させる形で編まれた日本語も、ドイツ語の影をひきずっている。先の引用にある〈空中に描かれた一筆書きの虎〉は、「墨絵の虎」であろうが、日本語話者にはそれで充分にイメージできるので、〈白黒で、すっきりしていて、しかも勢いがある〉は、説明的であるようにも見える。つまり、『Schwager in Bordeaux』と『ボルドーの義兄』は、日本語を潜在させたドイツ語と、ドイツ語を揺曳する日本語であるという意味で、円環する関係にあり、それぞれが、ふたつの言語の狭間にあるドイツ語と日本語で書かれているのである。日本で『ボルドーの義兄』が、翻訳作品としてではなく、日本語の小説として発表された背景には、このような、かつてないテキストの関係性が、よこたわっている。

このようなことに注目するのは、ドイツ語と日本語を併記した、多和田葉子のもうひとつの本である『Nur da wo du bist da ist nichts／あなたのいるところだけなにもない』（一九八七）の『計画』／『Der Plan』という詩を読んだときの、座りの悪さが、今も拭い去れないからだ。同書は、多和田葉子が日本語で書いた詩と小説を、ドイツ人文学者のペーター・ベルトナーがドイツ語に翻訳し、ふたつのテキストを併記したものである。

『計画』の冒頭部分にある〈おかあちゃんが、わたしの畳の上に味噌汁をこぼしてしまった。〉のベルトナーの訳は〈Mutter hatte auf meinen Teppich Suppe verschüttet.〉である。頁の左右に配置された、日本語とドイツ語を読みながら躓いたのは、〈おかあちゃん〉が〈Mutter〉に、〈畳〉が〈Teppich〉に、〈味噌汁〉が〈Suppe〉に姿を変えていることである。この詩の背景に、極めて日本的な「家」を読み取るならば、これらの言葉は、置き換え不可能であるように思える。たとえば、幼く甘えた「おかあちゃん」という呼び方を「おかあさん」に変えただけで、〈わたし〉を囲繞する風景は、異なるものに見えてくる。つまり、日本語の単一言語使用者には、翻訳されたドイツ語からは換喩的にしか〈わたし〉の置かれた状況は、像を結ばないのである。ここには、同じ意味内容だが異なる言語の身体をもち、異なる言語の身体をもちながら同じ意味内であるという、翻訳が免れ得ないねじれが、端的にあらわれている。

ただ、多和田葉子には、日本語話者のこのような戸惑いは計算され尽くされていたように思われる。それどころか、自分の書いた日本語の詩がドイツ語に翻訳されることによって、意味はそのままに全く姿を変えてしまうことに面白みを見出していたに違いない。群像新人文学賞を受賞し、日本でのデビュー作となった『かかとを失くして』（一九九一）には、〈この町には私のこれまでにした事を、どんな小さい事でもいいから知っている人がひとりもいないのでこれまでの私は仮に死んでしまったようなもの、死人のままでしたり顔で、あるいは生まれたばかりの赤ん坊のように謙虚な自己中心主義者として私はもらわれていくらしい〉という一節がある。それまでの生から切り離され、新しい生を生き始める。「越境」するとは、あるいは、そういうことなのかも知れない。集合的で個的な歴史性を纏った「母語」によって分節されていた、ある意味、静的な世界を離れ、同じ意味をもっているが異なる言葉で世界を象り直す。越えるのは政治的に引かれた国境ではなく、言語の境である。その境を越えたところは、あらゆるものが少しずつずれた輪郭を現す、翻訳的で換喩的な世界なのである。だからこそ、多和田葉子は、日本語とドイツ語が併記された対訳のテキストを編んだに違いない。

だが、私を躓かせたのは、翻訳されたドイツ語だけではない。〈わたしの畳〉という日本語も座りの悪さを感じさせる。畳は、他者との境目を曖昧にし、人格的に連続した「家族」にしてしまう装置のように「私」と他者をべったりと繋げてしまうものであり、一般には「私の」、「あなたの」とは、言語化されない。この日常の言語から詩の言語への距離は、原文と翻訳の距離に等しいとも言える。極言すれば、言葉で象るという行為は、言語外的な世界を、ある特定の言語に翻訳することなのである。

そして、『Nur da wo du bist da ist nichts／あなたのいるところだけなにもない』が、日本語からドイツ語へと言語の身体を変えることによって生まれる、ずれをきわだたせるストラテジーを潜めたテキストであるならば、『ボルドーの義兄』は、『Schwager in Bordeaux』の翻訳であることから身をかわし、あらゆる言語に内在する言語そのものの可能性と不可能性に目を向けさせるテキストであると言える。

『ボルドーの義兄』に限らず、多和田葉子の小説は、常に人間と言語と世界の関係を主題として潜ませた、言語についての小説であるという一面をもっている。多和田自身の言葉で言えば、〈エクソフォニー〉、つまり自己のうちにある言語の先験性と自明性の外に出て、言語そのものと向き合うということである。

大阪出身で日本語を「母語」とするハンブルグ在住の学生〈優奈〉がフランス語を学ぶためにボルドーへ向かうという『ボルドーの義兄』の構造も、日本語とドイツ語、ひいては、あらゆる言語の特殊性と普遍性を浮かび上がらせるためのものである。〈優奈〉は、ドイツ語の[Schwester]という言葉を日本語と比較して、次のように言う。

「たとえば、シュヴェスターという単語が存在しないとするでしょう。そのかわり年上のシュヴェスターだけをさす姉という単語と、年下の妹という単語があるとするでしょう。そうしたらもうシュヴェスターがいるなんて言えないわけで、姉がいるか妹がいるかしかない。そうしたらシュヴェスターがいるという感覚も存在しなくなるわけで、そのかわり姉がいるという感覚と、妹がいるという感覚と、二つ全く別々の感覚が存在することになる。」〈同前〉

言語によっては、基礎語に年長、年少を区別しない「兄弟」、「姉妹」を指す言葉だけしかないことは、言語の特殊性を示す例としてよくあげられる。ドイツ語もそのひとつで、[Schwester]は日本語の「姉」と「妹」の両方の意味で使用される。それを区別するなら[ältere Schwester](姉)や[jüngere Schwester](妹)と言うしかない。だが、ここで問題とされているのは、単に言葉の有無ではなく、そのことに起因する〈感覚〉の有無である。それを指し示す言葉があるか否かが、その〈感覚〉が存在するかどうかに関わってくるということになれば、使用する言語が異なれば、世界は別様に分節されるのか、という問題を避けて通ることはできない。

周知の通り、このような考え方は、「サピア＝ウォーフの仮説」として知られている。エドワード・サピアは、〈「現実の世界」というものは、多くの程度にまで、その言語集団の習慣の上に無意識的に形づくられているのである〉(池上嘉彦訳『科学としての言語学の地位』)と、ベンジャミン・リー・ウォーフは、〈われわれは、生まれつき身につけた言語の規定する線にそって自然を分割する〉(池上嘉彦訳『言語・思考・現実』)と述べている。この仮説は、最近の認知心理学や言語心理学を踏まえた研究でも部分的にではあれ、支持されている。今井むつみは『ことばと思考』(二〇一〇)のなかで〈もはや、単純に、異なる言語の話者の間の認識が違うか、同じかという問題意識は、不十分で、科学的な観点からは、時代遅れだといってよい〉としつつ、〈しかし、言語の様々な部分で、世界を切り分けるカテゴリーのつくり方、カテゴリーの境界が異なり、それぞれの言語の話者は、言語がつくり出すカテゴリーの境界によって、知覚や記憶を歪ませ、言語が推論や意思決定など、思考の重要な部分に大きな影響を与えているのだとしたら、やはり、異なる言語の話者の認識は、まったく同じであるとはいえないだろう〉と、述べている。

使用する言語によって分節される世界の差異、換言すれば、「母語」によって象られていた静的な世界が他の言語に移し替えられることによって生じるずれ、多和田葉子――というよりは複数の言語で創作する作家たち――の作品世界は、そのような差異やずれが生み出す、不安定で流動的な世界である。

ただ、『ボルドーの義兄』は、ドイツ語と日本語の差異だけが問題となっているのではない。題名にもなっている〈Schwager〉という言葉について、〈優奈〉は、次のように考える。

> 義兄というのは夫の兄である可能性もあるのではないか。話でしか知らないレネの夫には兄がいたかもしれない、と思ったとたん、優奈は別の疑問が思い浮かんだためにこの思いつきから気がそれた。夫の兄を姉の夫と同じ単語で呼ぶ女の神経の太さはどうだろう。両者の間にいったいどういう共通点があるというのだろう。シュヴァーガー（義理の兄弟）という単語を辞書で引いてみて、優奈はこの単語の三つ目の意味にぶつかった。昔は郵便馬車の御者への呼びかけに使われていたそうだ。「シュヴァーガー、今日はわたし宛ての

手紙、来てますか。」〈同前〉

〈Schwager〉も〈Schwester〉同様に、「義兄」と「義弟」を区別しない「義理の兄弟」を示す言葉である。だが、日本語の「義兄」も、「夫の兄」と「姉の夫」を区別しない。つまり、それぞれの言語によって引かれる線は異なっているが、言葉は、人間とその人間を取り巻く文化にとって、有意味だと思われる世界の切り分けを行っているのである。

極端な言い方をすれば、世界には全く同一の関係や、同一の個物は存在せず、関係や個物の数だけ異なる関係や個物が存在する。そのすべてに名を付けることは、原理的には可能だろうが、言葉が伝達や記憶という機能を持つ以上、現実的には不可能である。従って、どの言語であれ、言葉は意味を媒介として常に同じでありながら異なり、異なりながら同じであるものを指し示しているのである。

〈レネって誰?〉と〈ナンシー〉に尋ねられた〈優奈〉が〈二人の関係を表す適当な言葉〉がみつからずに口をつぐんでしまうのは、そのことを端的に表している。〈優奈〉は、〈レネ〉が〈ドイツ語で一番醜い言葉〉だと言った〈Busenfreundin〉(心の友)という言葉で二人の関係を言い表すこともできたはずである。だが、そうしないのは、その言葉が意味において様々な関係を包摂しつつ、現実にある関係の個別具体的な細部を捨象してしまうからである。

こう考えてみれば、使用する言語の語彙と文法というコードから逃れられない私たちは、言葉を口にし、書く度に、ある部分を言い当てると同時に、ほとんどの部分を言い損ねていることになる。であるならば、どの言語であれ、その言語のコードのなかで言語外的な事柄をすべてそのままに言語化することはできない、ということのなかに言語の普遍性は潜んでいることになる。

言葉は、常に余剰と余白をもって、そこに在る。〈優奈〉が、〈モーリス〉と〈レネ〉の関係を、〈義兄〉という言葉の原義には納まらないものとして様々な可能性を探るのも、言葉の余剰と余白を読むからである。〈義兄〉が字義通りの意味でなく、嘘や誤用でもないならば、残されている可能性は暗喩《メタファー》である。

〈モーリス〉は、〈レネ〉の姉の夫ではなく、〈Schwager〉（「義兄」または「義弟」）のような存在であるのかも、あるいは、姉の夫だったがある時期からその事実とは別の意味で〈Schwager〉のような人になったのかもしれない。確かなことは、〈レネ〉が、〈義兄〉という言葉を使って言語の外にあるふたりの個別具体的な関係を表現したことだけである。

周知のように暗喩は、語の連合関係に基づく類似による転義的比喩であり、創造的な言語使用である。多和田葉子を真似て、言語を「穴あきチーズ」に喩えるならば、暗喩は穴だらけの言葉を埋めるために生み出される新たな言語使用であり、慣用化され語彙化されていく。そればかりか、暗喩は、〈ある事柄を他の事柄を通して理解し、経験〉させることによって〈人間の思考過程（thought processes）の大部分〉を成り立たせ（渡部昇一他訳、G・レイコフ、M・ジヨンソン『レトリックと人生』）、多義性の増加による意味論的革新は、〈一瞬の接近のうちに、斬新な属性賦与による関与性〉（久米博訳、ポール・リクール『生きた隠喩』）を可視化させる。

暗喩は、単に修辞上の技法を越えて、それを編み出す者の想像力と、多義性という言葉の創造的な構造によって、原義だけで象られていた平凡な日常世界のもう一つの貌を、燦めくように映し出す。だが、暗喩は、直喩とは異なり、原義を退け、新たな意味を付与するものであるが故に、輪郭の曖昧な記号と化し、現実と表象の双方から離脱して浮遊することにもなりかねない。そして、〈Schwager in Bordeaux〉／〈ボルドーの義兄〉という言葉は、まさにそのようなものとして、テキストを漂っているのである。

この浮遊している記号を捕まえるためには、現実と、表象を生成させる言語の生きた様相を身体化していることが必要である。暗喩は、［S is P.］の命題形式において、述語Pが偽であることを表層において装いつつ、一気に主語Sの深層にある、真を言い当てようとする。従って、それを聞く者はまず主語Sを実体として捉えていなければ、述語Pが真であるのか偽であるのか、表層において偽でありながら深層において真であるのか、決定できない。〈レネ〉が語ったいくつかのエピソードしか知らない〈優奈〉は、この主語となる実体、つまり言語の外にある〈モーリス〉と〈レネ〉の現実が欠けているが故に、「義兄である」という述語の意味を確定できないのである。さらに、日本語を「母語」とする〈優奈〉には、文化的な背景をも含む生きたドイツ語が身体化されていない。暗喩が文脈のなかで、生き生きとした姿を現すものである以上、歴史や習慣など文化の文脈《コンテクスト》なしには、有意味な言語使用とは認め難いものとなる。

作品末尾で〈辞書泥棒〉が辞書を奪っていくのは、〈優奈〉が標本のように分類、陳列された辞書的な言葉の世界を離れ、実際に使われる生きた言葉の世界に入っていくことを示唆している。暗証番号を忘れ更衣室に入れなくなった〈優奈〉は、〈ナンシー〉が暗証番号を〈コード〉と言っていたことを思い出す。ドイツ語の〈Code〉には、暗号や記号のほかに「言語体系」という意味がある。〈辞書泥棒〉が押した四つの数字によってドアが開いたとき、〈コード〉を忘れてしまった〈優奈〉には、その音が「カチャ」という日本語ではなく〈クリック〉とドイツ語で聞こえる。

言語外的な世界を、ある特定の言語に翻訳している人間は、さらに、比喩を用いて言葉を横すべりさせながら、意味として了解している。つまり、現実は常に、同じだが異なっており、異なっているが同じものとして、私たちに到来しているのである。

言語表現が言葉を線的、継起的に連ねていくものである以上、問題は言葉から文やテキストへと、換言すれば、言葉の領野から言語運用とその主体へと発展していかざるをえない。そして、〈自伝小説〉や〈尼〉というパラグラムによって『ボルドーの義兄』と繋がれた『尼僧とキューピッドの弓』（二〇一〇）において、そのことが主題化されていくことになる。

主体の零度

『尼僧とキューピッドの弓』（二〇一〇）は、千年以上の歴史をもつドイツの尼僧修道院を訪れた日本人女性作家の〈わたし〉の視点で、そこで暮らす尼僧たちを語った第一部「遠方からの客」と、第一部の〈わたし〉とすれ違うように尼僧修道院を去った元尼僧修道院長が自らの半生を〈わたし〉という主語で語った第二部「翼のない矢」からなっている。第一部から第二部へと読み進むとき、多くの読者は語り手の〈わたし〉がすり替わっていることに階段を踏みはずしたような感覚を覚えるだろう。誰もが自分を「私」と発話するという、言語の当たり前の構造を使ったトリックのようにも見えるが、ここにはそれに留まらぬ、ある重要な鍵が、隠されている。

第一部の〈わたし〉と第二部の〈わたし〉は、極めて対照的な存在である。その対照性は、ふたりの言語運用としてテキストの表層にあらわれている。『尼僧とキューピッドの弓』は、日本語で書かれたテキストだが、第一部の〈わたし〉の使用言語は日本語であり、第二部の〈わたし〉はドイツ語であるということになっている。世界を分節する言語と、その運用の違いが、ふたりに異なる世界と「私」を現出させているのだろうか。

第一部の〈わたし〉は、尼僧修道院とそこで暮らす九人の尼僧を言語で象るための鏡のような存在である。ある尼僧との出会いは次のように語られる。

翌朝、外に出ると、裏庭に茂る木々の向こうに童話の挿話にでも出てきそうな小さな一戸建ての家が建っていることに気がついた。中から小太りの女性が如雨露《ギースカンネ》を持って出てきて、これも童話の登場人物かと思って眺めていると、腰をかがめて、前の花壇に丹念に水をやり始めた。わたしがいることにはまだ気がついていないようだった。

「おはようございます《グーテン・モルゲン》」

とわたしが言うと、その女性はびっくりして、すぐ如雨露を足下に置いて、鳩のように胸を張ってこちらへ近づいてきて自己紹介した。それから背後の小さな一軒家を顎で指して、

「わたしはここに住んでいるんです。ちょっと、お入りになりませんか」

と誘う。わたしはこの人に、早速「河高」という名を付けた。（『尼僧とキューピッドの弓』）

この場面で〈わたし〉は、身体をもって作品世界のなかに存在し、「出る」、「気づく」、「眺める」、「言う」、「名付ける」という行為の主体ではあるが、ここで像として結ばれているのは、〈河高〉と名付けられた〈童話の登場人物〉のような尼僧と、彼女が暮らす〈童話の挿絵〉のような家であり、〈わたし〉はそれを観る眼として像の背後に退いている。言い換えれば、作

中人物としての〈わたし〉は、この場面を認識する原点として無化され、それを言語化する語り手に溶解しているのである。そして、第一部の末尾近くで、〈何を書くのか、何を調べに来たのか、ここにいるうちに自分でも分からなくなってしまった〉、〈わたし〉は、〈人の目には見えない〉透明な存在になってしまう。このように「私」を出来事の背後に退かせる言語運用によって、造形される世界は、日本語的な装いを感じさせる。

自作の視点人物を〈鏡のやうなもの〉(『「雪国」について』)と書いたのは、川端康成であるが、彼は『美しい日本の私』のなかで、〈月を見る我が月になり、我に見られる月が我になり、自然に没入、自然と合一〉する主客が合一したものの見方や、〈「我」をなくして「無」になる〉、つまり〈西洋風の虚無ではなく、むしろその逆で、万有が自在に通う空、無涯無辺、無尽蔵の心の宇宙〉である在り方に、日本の美の礎《いしずえ》があることを指摘している。ここには西田幾多郎の「純粋経験」や、「絶対無の場所」、道元の『正法眼蔵』が底流しているようにも思われるが、このような姿勢で紡ぎ出した日本語の結晶が、完結までに十年以上の歳月を費やした『雪国』である。〈駒子〉と〈島村〉の出会いは次のように描かれている。

怪しい話だとたかをくくっていたが、一時間ほどして女が女中に連れられて来ると、島村はおやと居住いを直した。直ぐ立ち上って行こうとする女中の袖《そで》を女がとらえて、またそこに坐《すわ》らせた。

女の印象は不思議なくらい清潔であった。足指の裏の窪《くぼ》みまできれいであろうと思われた。山々の初夏を見て来た自分の眼のせいかと、島村は疑《うたぐ》ったほどだった。
着つけにどこか芸者風なところがあったが、無論裾はひきずってないし、やわらかい単衣《ひとえ》をむしろきちんと着ている方であった。帯だけは不似合に高価なものらしく、それが反ってなにかいたましく見えた。〔『雪国』〕

男女の出会いという出来事は、漠然とした輪郭をもつ時間の流れのなかで言語化され、その世界のなかに身体を持って存在する〈島村〉という人物の主観のなかに〈駒子〉が浮かび上がる。そして、〈居住いを直〉すや、〈女中の袖《そで》〉をとって〈またそこに坐《すわ》らせる〉という行為も、動作というよりは〈島村〉や〈駒子〉の心の内をあらわすものとしてそこに置かれている。

『雪国』のこの部分が先に見た『尼僧とキューピッドの弓』第一部の、〈わたし〉と尼僧との出会いの場面と相同性をもっていることは、多言を要しないだろう。認識する主体と対象、つまり主観と客観を対立させず、主客未分のうちに世界を捉え、「私」を出来事が起こる場として無化し、言語化することのうちに、日本語的な佇まいを感じさせる世界が造形されるのである。

これに対して、第二部の〈わたし〉は、自我を意識するが故に、〈自分の選択で生きているという感じ〉を持てない青春時代を過ごした。その日々は、次のように物語られる。

高校の時、ルカスという同級生と生まれて初めて性を交えたが、それさえ自分自身の選択だったのかどうか分からない。その日の宵の空気の湿り気、月のカリッとした欠け加減、壊れかけた街灯の柔らかなまたたき、隣の家から流れてきた南米の腰振り音楽、まぐれ当たりだったかもしれないが安いフランス田舎葡萄酒の質の良さなどが原因で、少なくとも拒むだけの理由がなかった、という消極的選択だった。（中略）

妊娠してしまったのも、わたしが選んだ運命ではない。お腹の中の子を女の子にするというような選択ができないのはもちろんのこと、産んでしまえばその子を養うために職場を選ばず働かなければならないだろうし、夫婦関係を壊さないために、心とは裏腹な台詞を吐き続けることになるかもしれない。子供はわたしの意志とは関係なく育っていく。顔立ち、体つき、才能、性格、何一つわたしの意志では決められない。堕胎だけが確実にわたし個人の選択だった。〔『尼僧とキューピッドの弓』〕

出来事は「私」という主体の意志に基づく行為によって成立するはずのものだと考える〈わたし〉は、自分の意志とは関係なく起こる性交や妊娠という出来事に流されるように対処してしまったことに、違和を感じている。だが、このような主体を際立たせる言語運用は、日本語としては、多国籍的であると言える。たとえば、〈性を交えた〉という言い方は、日本語としても不自然ではないが、ドイツ語の［geschlechtlich verkehren］の翻訳と考えた方が、自然である。何故なら、日本語の「性交する」は自動詞だが、ドイツ語の［verkehren］は他動詞だからである。『日本語文法大辞典』は、〈従来の自動詞・他動詞という考えとは別に、この意図・自然（無意図）という区別も考えられてよい〉としているが、自動詞が意図したのではなく、自ずからそうなる動作・作用を表し、他動詞が行為主体の意志を前提とする動作を表すのならば、〈自分自身の選択〉や〈わたしの意志〉を問題とする文脈で、性行為は他動詞で言うしかないのである。このことは、「妊娠する」と、それと同義のドイツ語［schwanger werden］の［werden］が自動詞、「堕胎する」と［abereiben］が他動詞であることを考えれば、さらに明瞭となるだろう。つまり、第二部の〈わたし〉は、出来事を、主体の意志の結果として、言語化しているのである。他者を認識し、言語化する原点として、無化される〈わたし〉と、主体として屹立できぬことに違和を感じる〈わたし〉。第一部と第二部の〈わたし〉の対照性とは、そういうことである。

作中で第一部の〈わたし〉と、二部の〈わたし〉がともに手にするオイゲン・ヘリゲルの著書は、ふたりの対照性を、言語運用の深層にあるものまで照らし出す装置である。ヘリゲルの『弓と禅』には、次のような一節がある。

そこである日私は師範に尋ねた、「いったい射というのはどうして放されることができましょうか、もし〝私が〟しなければ」と。

「〝それ〟が射るのです」と彼は答えた。

「そのことは今まですでに二、三回承りました。ですから問い方を変えねばなりません。いったい私がどうして自分を忘れ、放れを待つことができましょうか。もしも〝私が〟もはや決してそこに在ってはならないならば。」

「〝それ〟が満を持しているのです。」

「ではこの〝それ〟とは誰ですか。何ですか。」〈『弓と禅』稲富栄次郎・上田武訳、部分〉

〈それ〉は、ドイツ語に直せば［Es］である。［Es］は、英語の［It］や、フランス語の［Il］と同じように、非人称構文の主語として使用されることがある。［Es regnet.］、［It rains.］、［Il pleut.］。「雨が降っている」を表す文章の主語［Es］、［It］、［Il］は、言葉として存在しながら、「それ」と言語化されることは、ない。エマニュエル・レヴィナスのように、このことから、匿名的で非人称的な「実存者なき〈実存すること〉」を思考することも可能である。そして、第一部の〈わたし〉のように、認識し言語化する原点として無化された「私」を非人称構文の主語の構造を反転させたような存在だと、言うこともできる。先の引用冒頭の〈翌朝、外に出ると、裏庭に茂る木々の向こうに童話の挿話に出てきそうな小さな一戸建ての家が建っていることに気づいた〉という文の主語「私」は、言語化されずに零記号として潜在しているのである。

第二部の〈わたし〉の主体意識は、この非人称構文の主語がもたらした虚構的な「私」であると言える。ベンジャミン・リー・ウォーフは、〈it flashed〉という文を例に、〈SAE、すなわち 'Standard Average European'（平均的ヨーロッパ標準語）〉である〈われわれの言語では、実詞＋動詞＝動作主＋行為という公式が基本的であるから〉、〈何かをしているのに行為がないというようなものはない〉と、〈いやおうなしに自然の中に虚構的な行為者的実在を読み込む〉（池上嘉彦訳『言語と精神と現実』）ことを、指摘しているが、行為を〈自分自身の選択だったのか〉と問わずにはいられなくする主体意識も、文法上の規則が見させる虚構なのである。つまり、第一部の〈わたし〉は、非人称構文の主語のように自らを零化することに何のこだわりも持たず、第二部の〈わたし〉は、文法上置かざるを得ない主語のような、在るはずのない虚構の主体である「私」に足をとられているのである。

ただ、言い添えれば、ここでヘリゲルが〈それ（Es）〉という言葉で言語化しようとしていることを日本語で言えば、「無心」である。ヘリゲルは、鈴木大拙の『禅と日本文化』を引用しつつ、「無心」を〈自己自身からもまた離脱する〉とか、〈まるで剣がひとりでに動いて行くよう〉と表現している。ここでヘリゲルが「無心」の行き着く先として主体なき行為、無としての「私」とでも言うべきものを想定していたのならば、日本の弓道や剣道、芸術に収まりきらぬ、デカルト以来の様々な思想の水脈へと繋がっていくことになる。

デカルトが、方法的懐疑の果てに辿り着いた「私は考える、ゆえに私は存在する（cogito, ergo sum）」という最終命題によって、近代的な自我が確立された、という教科書的な理解は、本当にそうなのだろうか。確かに『哲学原理』や『方法序説』は、そう書いてあるように読める。だが、『省察』で〈われあり、われ存在す〉という有名な言明の直後に置かれた次の一節は、この通説を根底から懐疑する足がかりとなるように思われる。

まだ［実は］しかし十分に私は、現に必然的にある［と論定された］私、その私がいったい何者であるかを、知解してはいないのであって、向後は、もしかして何か他のものを不用意にも私と取り違え、このようにしてすべての認識のうちで最も確実で最も明証的であると私の主張するこの認識においてさえ正道《みち》から逸れ出る、ということのないように、心がけなければならないのである。〔『省察』所雄章訳、部分〕

「私は考える、ゆえに私は存在する」の主語「私」は、〈いったい何者であるか〉が捉えられていなかった。フランス語〈je pense, donc je suis〉の〈je〉は、文法上の規則によって置かれた虚構の行為的実在なのではなかろうか。日本語訳を読む限り、その可能性は、否定できない。デカルトは、疑い得ないことを、次のように言い直している。

> だが、私には見えると思われ、聞こえると思われ、暖かいと思われるという［こと、少なくともその］ことは、確かである。この［そう思われるという、その］ことは偽ではありえず、このことが本来は、私において感覚すると称せられていることなのである。〈同前〉

確かなことは、「私」というひとりの人間が存在していることではなく「思われるということ」つまり、ひとつの事態であり、その事態が「私」において起きているということだった。すべての誤解は、ここからはじまったと言っても過言ではない。何世紀もの間、何か他のものを「私」、つまり近代的主体であると誤読し続けてきたのかもしれない。「私」などは、存在せず、存在するのは、ひとつの事態が起きる「場」であった。

ニーチェが『善悪の彼岸』で、〈一つの思想というものは、「それ」が欲するときにやって来るもので、「われ」が欲するときにやって来るのではない。従って、主語「われ」が述語「思う」の条件である、と言うのは事態の一つの偽造である〉、〈それは思う、と言っても、しかしこの「それ」こそはまさにあの古く有名な「われ」にほかならないとするのは、穏当な言い方をしても、単に一つの仮説、一つの主張にすぎず、いわんや「直接的確実性」などではない〉（木場深定訳）と、述べたのも、ニーチェに触発されたフロイトが、人間の知覚や意識の根底にある無意識の核を「エス（es）」と名づけ、「私」のなかにありながら「私」でないものに突き動かされていたことを明らかにしたのも、デカルトを誤読した、近代の主体意識を糺すためであったと言えるのである。

そして、道元以後の仏教思想によりながら西洋近代の主体意識に日本語で切り込んだのが、西田幾多郎である。西田はまず、アリストテレスが〈基体というのは他の事物はそれの述語とされるがそれ自らは決して他のなにものの述語ともされないそれ〔主語そのもの〕のことである〉（出隆訳『形而上学』）として以来、西洋の知の根本に置かれてきた主語理論を転倒させる。

> 判断の立場から意識を定義するならば、何処《どこ》までも述語となって主語とならないものと云うことができる。意識の範疇は述語性にあるのである。述語を対象とすることによって、意識を客観的に見ることができる、反省的範疇の根柢は此にあるのである。従来の所謂《いわゆる》範疇は一般者の求心的方向にのみ見られたものであるが、之を逆の方向即ち遠心的方向に於ても見ることができるのであろう。〔『場所』〕

［S is P］という命題形式においては、主語S（特殊）を述語P（一般）が包摂する形で判断が成り立つが、それは特殊が、一般においてあるということである。つまり、述語である一般が、自らを限定し、特殊化することが「一般者の自己限定」であり、ある判断が現実に妥当するためには、自己において自己を映し出す、具体的一般者がなければならない。西田は、それを「場所」と呼んだ。そして、西田は、「絶対無の場所」である「私」は述語的に統一される

ものであるとした。

普通には我という如きものも物と同じく、種々なる性質を有《も》つ主語的統一と考えるが、我とは主語的統一ではなくして、述語的統一でなければならぬ、一つの点ではなくして一つの円でなければならぬ、物ではなく場所でなければならぬ。我が我を知ることができないのは述語が主語となることができないのである。〈同前〉

主語的に統一されることなく、常に述語となることしかできないが故に、「私」は、「私」を実体として把握することができない。「私」とは、事物がそこにおいて起こる「絶対無の場所」である。この一見、奇妙な言い方は、すべては「無自性」、つまり、それ自身で成り立つ実体ではなく、「空」であり、あらゆるものとの関係性、つまり、「縁起」によって成立するという、仏教の根本義を下敷きにして見れば、さほど奇異には映らない。そして、西田が日本語で思索し、行き着いた地平は、『省察』の、通説ではない読み方と驚くほど似ているのである。

第二部「翼のない矢」の末尾近くで、朝、修道院の庭で弓の稽古をしている〈ベルンハルト〉が歩いてきた尼僧に矢を向けたとき、〈わたし〉に一瞬見えた〈もう一人の男〉、〈ベルンハルトを背後から抱きかかえるようにして弓をひかせている〉、〈黒い服を着た、筋の硬そうな痩せ男〉。まるで悪魔の化身のようなこの男も、行為する主体を際立たせる言語の文法が見させた幻なのかもしれない。行為は、誰かがする、という前提に立てば、尼僧に矢を向けたのが〈ベルンハルト〉の「私」でないのならば、〈もう一人の男〉を主語として措定するしかない。修道院を去らざるを得なくなった〈わたし〉に、〈わたしの選んだことではありません、と言おうとしたが、やっぱりこれは全部わたしの選んだことだという認識が稲妻のように脳天に落ちてきた〉のも、虚構の行為主体としての「私」から逃れられないからである、とも言える。

そして、〈わたし〉の口から出たのが、〈「かあ」という鳴き声だけだった〉という一節は、『尼僧とキューピッドの弓』の翌年に書かれた『雪の練習生』(二〇一一)を予告するものであった。〈かあ〉と鳴くのはカラスであるが、この鳴き声は、チェコ語でカラスを意味する名をもつドイツ語作家を呼び寄せる。〈ぼくが役所から解放された瞬間に、自伝を書こうとするぼくの要求は、すぐに応じられるであろう〉(近藤圭一、山下肇訳)と日記にしたためながら、その翌年に甲羅をもった〈薄気味悪い虫〉(浅井健二郎訳)に変身してしまった男の物語を書いたフランツ・カフカ。そういえば、〈グレゴール・ザムザ〉は、人間から虫に姿を変えてしまった「私」を、何故、と問うことはない。家族も一晩で別の生き物になってしまった彼が、息子や兄であることを疑ったりはしない。〈グレゴール・ザムザ〉は、主語的に統一されることなく、述語の世界を彷徨う、一匹の虫なのである。

述語となって主語とならない「私」とは、何者なのであろうか。新たに湧きおこる疑問は、〈自伝〉とカフカというパラグラムで繋がれた『雪の練習生』のなかで、答えを探すしかない。

述語的に統一される「私」と他者

『雪の練習生』（二〇一一）の第一部「祖母の退化論」は次のように書き出される。

耳の裏側や脇の下を彼にくすぐられて、くすぐったくて、たまらなくなって、身体をまるめて床をころがりまわった。きゃっきゃと笑っていたかもしれない。お尻を天に向けて、お腹を中側に包み込んで、三日月形になった。まだ小さかったので、四つん這いになって肛門を天に向かって無防備に突き出していても、襲われる危険なんて感じなかった。それどころか、宇宙が全部、自分の肛門の中に吸い込まれていくような気がした。わたしは腸の内部に宇宙を感じた。〔『雪の練習生』〕

はじめて読んだときの戸惑いは、何度読み返しても、その度に甦ってくる。その戸惑いは、〈くすぐられて〉、〈ころがりまわった〉のは誰か、つまり、「祖母の退化論」を語っているのは誰か、という素朴な問いに起因している。国語の問題なら、「わたし」と答えればよいのだろうが、すぐに、では、その「わたし」とは誰か、という新たな問いが頭をもたげてくる。結局、『新潮』二〇一〇年十月号に第一部だけが掲載されたとき、私はこの問いに対する確たる答えを見つけられなかった。

「祖母の退化論」には、主語はある。ないのは主語である〈わたし〉の実体である。前述したように、アリストテレスは主語となって述語とならないものを実在とし、それを基体と呼んだ。この世界に唯一の無二の存在であるひとりひとりの人間も、基体であるはずである。だが、すべての者が、自分を「私」と発話する。従って、現実世界に対応するものをもたない言語的構成物である小説において、「私」は、空虚な記号としてテキストを漂い続けることがある。『尼僧とキューピッドの弓』の第一部の〈わたし〉は、虚構の人間でありながら、日本人女性作家という実体の借り着を着せられ、その借り着が〈わたし〉に実在感《リアリティ》を与えていた。換言すれば、述語面が主語を限定することによって、ひとつの像が結ばれていたのである。だが、「祖母の退化論」の述語面は、主語〈わたし〉を限定するようには働かない。

そうしてある日、スポットライトを浴びて、ファンファーレの合図で、三輪車に乗って舞台に登場した。フリルのスカートをはいてリボンをつけていた。三輪車から降りて二本脚で立ってイワンと握手して、それから玉に乗ってバランスをとってみせた。大雨の音そっくりの拍手を浴び、角砂糖がイワンの手のひらから泉のように湧いて出てきた。

作家になるということがそこまで人生を変えてしまうとは思ってもみなかった。正確に言えば、わたしが作家になったのではなくて、書いた文章がわたしを作家にしたのだった。

〈同前〉

これは、〈わたし〉が作中で書いている〈自伝〉の一節である。前者は、サーカスで芸をする熊のようであり、後者は、まさに作家の自伝である。〈最高級の真っ白な毛皮を羽織った〉とか〈わたしの入っていた檻の側〉など、〈わたし〉が熊であることを仄めかしつつ、そうと断定できる述語はない。つまり、〈わたし〉は、どこまで読み進んでも主語的に統一されることなく、「……のような存在」として漂いつづけるのである。

このようなことにこだわらず、サーカスの花形だったホッキョクグマが作家になった話だ、虚構である小説は超現実《シュルレアル》を入れる器であり、それをそのままに受け入れることが小説の快楽だ、と開き直ることもできるだろう。だが、テキストの表層にある物語に身を浸すだけでは、『雪の練習生』が与える快楽の半分も享受したことにはならない。

作中に出てくるカフカの『ある犬の探究』、『あるアカデミーへの報告』、『歌姫ヨゼフィーネ、あるいは鼠の族』や、ハイネの『アッタ、トロル』は、動物を主人公として換喩的に人間を描いたものであるが、日本語訳を読む限り、そこでは犬は犬として、熊は熊として、主語的に統一されている。たとえば、一人称小説である『ある犬の探究』の〈わたし〉は、どんなに人間のようにふるまおうとも、〈わたしが犬族の一員として生活し〉（本野亨一訳）という一文に明らかなように、主語〈わたし〉は、述語面において、犬として統一されている。

主語的に統一されない「祖母の退化論」の〈わたし〉は、自己の輪郭を失っていき、やがて他者の自伝を書き写し、その通りに生きようとする。

書き写しているうちにすっかりその気になってきた。そうだ、これをわたし自身の物語にしよう。途中までは他人の書いたものを書き写していたが、いつの間にか自分の脳に自然と流れ込んでくる「お告げ」を文字にしていた。それはとても疲れる作業だった。（同前）

他者に成りきってしまうこの一見奇妙な〈わたし〉は、現実には奇妙でもなんでもなく、ありふれた「私」なのかもしれない。「私」が何かを望み、「私」の夢に向かって生きていく。だが、その望みや夢は、本当に「私」のものなのだろうか。少なくとも「私」だけのものではないだろう。同じように、他者もそれを望み、夢見た。そして、他者によって過去幾度も望まれ、見られた夢だからこそ、「私」が望み、夢見ているのではなかろうか。

他者が「私」に流れ込み、他者のなかに「私」を見出す関係は、第二章「死の接吻」で、さらに展開される。「死の接吻」は、猛獣の女性調教師〈ウルズラ〉と「祖母の退化論」の〈わたし〉の娘、ホッキョクグマの〈トスカ〉の奇妙な関係を描いたものである。

〈ウルズラ〉は、サーカスで出会った〈トスカ〉を、母親の書いた自伝から抜け出させるために夢のなかで彼女の物語を書いてあげると約束し、その練習のために自伝を書き始める。だが、第二章末尾近くで、突然、語り手の〈わたし〉は、〈トスカ〉にすり替わり、〈ウルズラ〉の死までを語る。そして、その〈トスカ〉も、一九六〇年代に〈ウルズラ〉とはじめて「死の接吻」という芸をした熊ではなく、一九八六年に生まれた同じ名前の熊なのである。「私」が他者に、そしてさらなる他者へと移り、そのすべてが「私」と発話し、溶けあう。このことは、小説の技法でありながら、小説の技法だけにはとどまらない、人間の傍らに佇む、ある深淵を垣間見させる。

多和田葉子は、昨日の「私」と今日の「私」は同じなのか、別の人間なのか、と繰り返し書いているが、これと同じ問いを問うたのは、やはり、西田幾多郎である。西田は『私と汝』のなかで〈今日の私は昨日の私を汝と見ることによって、昨日の私は今日の私を汝と見ることによって、私の個人的自己の自覚というものが成立するのである、非連続の連続としての我々の個人的自覚というものが成立するのである〉とした上で、次のように述べている。

> 私と汝とは絶対に他なるものである。私と汝とを包摂する何等の一般者もない。併《しか》し私は汝を認めることによって私であり、汝は私を認めることによって汝である、私の底に汝があり、汝の底に私がある、私は私の底を通じて汝へ、汝は汝の底を通じて私へ結合するのである。絶対に他なるが故に内的に結合するのである。〔『私と汝』〕

「私」と他者は、〈絶対に他なるが故に内的に結合する〉。「私」の内奥には、「他者」がおり、他者の内奥に「私」を見る。西田は、〈絶対の他と考えられるものは、私を殺すという意味を有っているとともに（中略）それは私を生むものでなければならない〉とも、〈私は他に於いて汝の呼声を、汝はこの他に於いて私の呼声を聞くということができる〉とも、述べている。「私」が、他者によって殺される、つまり「私」でなくなることによって生まれる「私」。「私」と他者が交わす呼び声。この関係こそ、〈ウルズラ〉と〈トスカ〉、そしてもう一匹の〈トスカ〉を結ぶ糸なのである。

その時、目の前にあるトスカの瞳が黒い炎になってゆらめき始め、あたりがまぶしいくらい明るくなって、その明るさの中で天井と壁を区切る線が消えていった。トスカのことは少しも怖くなかったけれど、まわりの雰囲気が怖かった。わたしは足を踏み込んではいけない地帯に来てしまっていたのを感じていた。ここでは諸言語の文法が闇に包まれて色彩を失い、溶けあい、凍りついて海に浮かんでいる。「話をしましょう。」一枚の氷の板の上にトスカといっしょに乗って海に浮かんでいるというだけで、トスカの言っていることが全部分かる。隣にも似たような氷の板が浮いていて、イヌイットと雪兎が話をしている。

〔『雪の練習生』〕

氷の板に乗った〈ウルズラ〉と〈トスカ〉は、共通の言語をもっていないが、『ボルドーの義兄』の〈優奈〉と猫の〈タマオ〉がそうだったように、呼び声を聞くことによって理解し合い、溶けあう。そこでは、言語やその運用の違いを超えたふたつの個が「私」と「汝」として互いに照らし合う。

だが、もし、〈ウルズラ〉と〈トスカ〉がお互いを「自らの手で子どもを育てていない」とか、「〈女性としての苦難の道〉を歩んでいる」というような、述語面の同一性から結びつけているならば、〈ウルズラ〉が夢のなかで考えているように、〈足を踏み込んではいけない地帯に来てしまっていた〉としか言いようがない。その地帯とは、「狂気」の世界だと言ってよい。

精神科医で評論家の木村敏は、『分裂病の現象学』のなかで、先に引用した箇所を含む『私と汝』のある部分を引き、〈これは、そっくりそのまま、精神分裂病者の無媒介的な妄想的自覚の描写として用いうる記述なのである〉と述べている。もちろん、木村は西田を貶めるためにそう言っているのではないのだが、ここにはある重要な指摘が含まれている。同書のなかで、木村はS・アリエティを引きながら、分裂病者の思考形式が〈述語の同一から主語の同一を帰結する〉古論理的思考（paleological thought）と共通するとしている。たとえて言えば、「あの男は足が速い」、「鹿は足が速い」、「従って、あの男は鹿である」という思考である。これは一見、三段論法のように見えるが、そうではない。三段論法とは、「すべての人間は呼吸する」、

「あの男は人間である」、「従って、あの男は呼吸する」のように、「すべての人間」と「あの男」という主語の同一性によって導かれるものである。

ホッキョクグマと人間が述語的に統一され、溶けあい、互いを「私」と「汝」として照らし合う。これは、比喩や小説的な虚構として語られなければ、有意味な言語運用からの逸脱としか見なされないだろう。

だが、デカルトやニーチェ、そして西田幾多郎がそうであるように、極限まで推し進められた理性は、常に「狂気」の半歩手前にある。そして、極限まで研ぎすまされた言語表現もまた、「狂気」と接線しているのである。たとえば、誰でもいい、現代の先端にいる詩人の詩を書き写し、精神科医を訪れ自分の心境を綴ったものとして見せれば、ほとんどの医師は、そこに何らかの兆候を見出すだろう。多和田葉子の小説は、そのような意味で、「ロゴス」、つまり「理性／言語」の極北に辿り着いているのである。

第三部「北極を想う日」は、ドイツのベルリン動物園で生まれ、母熊が育てなかったために人工哺育された人気者のホッキョクグマ、クヌートや、二〇〇八年に急逝したクヌートの哺育係、この小説が書かれる前年に亡くなった、作者とほぼ同年代の世界的なスター、マイケル・ジャクソンへのオマージュとして読んでもよいだろう。だが、それだけではない何かが、すべての他者のなかに「私」を見、「私」のなかに他者を見る、作者の視線が貫かれている。

多和田葉子の三つの小説を、連作のように、そこに仕掛けられたいくつかの罠に嵌るように読んできたつもりだ。だが、罠に見えたものが自然が織りなすいたずらであったり、仕掛けられた罠を、そうと気づかずに、通り過ごしたりしたのかもしれない。いずれにしても、この三作に限らず、多和田葉子のすべての小説が、人間と言語と世界の関係を考える、刺激に充ちていることは間違いない。

蛇足だが、辿ってきた三つの小説の奥底に幻視されたテキストとは何かだけは、書いておこう。言わずもがなのことだが、それは、多和田葉子の「私」、彼女自身の自伝である。

第六節
内破の予兆
——諏訪哲史論——

はじめに

小説は虚構という約束事によってあらゆる自由を手にしているように見える。どのような荒唐無稽な話も入れてしまう器のようでもある。方法も語り方も自由、ただ他者に伝わる言葉で書かれていればよい。従って、様々な媒体を通して日々夥しい数の小説と呼ばれる散文が発信されることになる。

だが、小説が芸術たらんとすれば、テキストを内側から食い破って立ち現れてくるものがなければならない。それが何であれ、テキストの表層にある物語が薄い被膜に過ぎないと感じられるほどに底から突き上げてくる何かがなければならない。ひと握りの小説がもつそのような奇妙な力を、私は内破《ないは》の予兆と呼んでみたい。その予兆を孕む小説だけが、消費されることから身をかわし、繰り返し読まれることになるのである。

1

小論は、まず、群像新人文学賞、芥川賞受賞後第一作の『りすん』（二〇〇八）を、敢えて失敗作として読み解くことからはじめたいと思う。一読してわかるように、『りすん』は、今から二十年ほど前に一世を風靡した片山恭一の手になる『世界の中心で、愛をさけぶ』（二〇〇一）を標的として、小説による小説の批評を試みたものである。

〈小説であれば『風立ちぬ』か『ノルウェイの森』、映画であれば『ある愛の詩』、それらのレヴェルを超えることなくただ愛と死の物語を反復し、商業主義に媚びる作品が現れたなら、それは創作ではなく模倣にすぎない〉。

諏訪哲史は、「文庫版あとがき」に、切り捨てるようにこう記している。だが、批評は、批評されるテキストを前提とせざるをえない。反復、模倣し、それのりこえる小説を書くことで批評を成立させようとするのならば、批評する小説は、刺し違えるようにとか、返り血を浴びるように、というような血生臭い言葉でしか言いようのない疵を負わなければならない。

『りすん』は、会話体による小説である。とりとめもなく行きつ戻りつしながら進む会話は、作者が嫌悪する小説の作為を振り落とそうとする方法意識の現れである。人は、現実には小説のなかで交わされる会話のようには話さない。熟考され推敲された書き言葉の交換のようにも、状況説明的にも喋らない。そして、日常世界は、小説のように主題化されてはいないのである。


「何やったね？　聞こえなんだが」

「お母さんの話」

「ああ、お母さんのな」

「して、何でもいいから」

「あ、うん、ちょっと待て、若ノ花やるでな」

「ああ、うん…」

「ほれ、出てきた」

「おばあちゃん好きだね、若ノ花」

「大きいのう、曙《あけぼの》は」（『りすん』）

病院のベットに横になったまま〈朝子〉は、亡くなった母親のことを尋ねるが、相撲のテレビ中継が気になって仕方ない〈ばあちゃん〉はそれどころではない。『世界の中心で、愛をさけぶ』にも、〈ぼく〉と〈祖父〉がテレビで相撲や野球のナイター中継を見ながら会話を交わす場面があるが、そこには、力士の名や球団名はおろか、〈祖父〉や〈ぼく〉が、ついているはずのテレビに注意を向ける素振りも描かれてはいない。
『りすん』を小説として成り立たせている物語を、先に進めることを妨げるかのような日常を模倣した会話は、小説を主題化され結末に向かって整然と語られる物語から日常世界の似像へと引きずり下ろすことによって、小説における作者の作為の過剰な介入を可視化させる試みである。その試みは、成功するように見えた。少なくとも兄妹が自分たちの会話を盗み聞きし小説に書いている〈作者〉の存在に気づくまでは。

この〈作者〉は、小説のなかに身体をもって現れるので作中人物としての〈作者〉ではあるが、『りすん』の本文を書いている括弧を外した作者でもある。兄妹は、隣の病床でふたりの会話を録音し文字化する女性を訪れる〈作者〉の存在に気づき、彼の〈小説〉と〈創作ノート〉を見つける。

〈小説〉には、散文によるプロローグがついている。〈蒸発で母に去られた隆志と、病死で父を亡くした朝子とは、片親同士の同居によって成立した兄妹である〉と書き出され、〈朝子〉が〈骨髄癌〉の発病によって入院した経緯の後、〈臨終の間際、少女はそれまでの健気な明るさからは想像できないほどの真率《しんそつ》な声で、千切れるように兄の名を呼び続けた〉と締め括られる。

このプロローグは愛と死の物語のいくつかの書き出しがそうであるように、センチメンタルで、状況説明的で、自己完結的で、涙を流す準備はできていますか？　と言わんばかりの典型性を示している。だが、これは諏訪哲史という作家の、凡庸性の露呈ではない。〈作者〉は、反復される愛と死の物語の典型性と凡庸性を暴露するストラテジーをもって、敢えてこのような疵のある文章を書いているのだ。

そして、〈作者〉の〈創作ノート〉には、『りすん』が小説であることを一旦停止させるほど決定的なことが書かれている。それは、今書かれている小説の方法の暴露であり、前作との関連における位置づけである。〈作者〉による解説、いや、自己弁護であるとも言える。それらは、小説のなかに置かれるべきものではなく、仄めかしとしてあったとしても、それは疵でしかない。〈創作ノート〉にはさらに決定的な次のような一節も記されている。

> すべては、あらゆる小説が宿命的に持っている書き手の「作為」のために自壊する。小説は、それが小説である以上、「作為」の手を逃れることは絶対にできない。コップが、「水やウイスキーを入れるのに適した構造」でできている宿命から逃れられないように、小説も、そこに「物語や人物や台詞を入れるのに適した構造」でできているという宿命から逃れられない。〈同前〉

ノートの別の場所に記された、あらゆる表現は、〈発信者（表現者）と受容者（鑑賞者）との間になんらかの独立した、物理的な媒体を介在させるや否や、たちどころに「作為」・「あざとさ」は姿を顕《あらわ》し、すべての生を、美しさを、台無しにしてしまう〉という一節を考えあわせば、〈作者〉は小説を含む一切の表現の不可能性に言及しているように見える。小説による小説の批評を超え、小説による表現の否定へと飛躍したこのもの言いは何であろう。

理論としては、肯首するところはある。このことに自覚的でないところからあらゆる表現の堕落、垂れ流しが始まるのだ。しかし、こう言ってみることはできないだろうか。世界は作為に充ちている。人の手によらぬものにも何らかの作為を読み取る者もいる。だが、綻びを見せながらも世界は、現に在る。小説もそうなのではなかろうか。人の手になるもので完全なものなど何もない。その瑕瑾を自壊と言うか、綻びと言うかは、程度や言葉の問題ではない。その瑕瑾を露わにしつつも、失踪した男を主人公とする、他者には奇矯としか見えない生に潜む美しさを鮮やかに映し出した小説『アサッテの人』があなたの傍らにあるではないかと。

いずれにしても、この散文、つまり〈作者〉の声の介入によって、『りすん』は脱臼する。散文を用いた作為に充ちた物語を、会話体を貫くという拘束のなかで転覆させるという目論見から逸脱することによって、『りすん』自身も転覆したかのように見える。もちろん、この部分も〈隆志〉が音読する形でカギ括弧で括られてはいる。しかし、読み上げられ声にのせられたものであろうと、散文は散文である。このことにも〈作者〉は充分に自覚的であった。ノートには〈それにしても、この「創作ノート」の文章を、兄妹にあえて朗読させるということが、すでに甚《はなは》だしき作為だ〉と〈作者〉自身の言葉が記されている。〈作者〉は、意識的に自らの小説に疵を入れた。疵を疵として晒すことによって、返り血を浴びるように、小説における作為の存在に読者の眼を向けさせたのである。

諏訪は、「文庫版あとがき」で、『世界の中心で、愛をさけぶ』が発表される前の一九九八年に〈「完全会話体」とでもいうべき文体〉で書かれた〈四百字詰原稿用紙で百枚程度の中編〉、〈原『りすん』＝「アサッテ問答」〉という習作の存在に触れている。叶うはずもないことだが、私はこの〈原『りすん』＝「アサッテ問答」〉を受賞後第一作として読んでみたかった。日常世界の似像である「完全会話体」で書かれた小説によってであれば、自らの小説に大きな疵を負わせることなく、作為の介入に無自覚な小説への批判を行うことができたはずである。

このことを裏打ちするように、『りすん』が『世界の中心で、愛をさけぶ』をのりこえ、小説としての達成を示すのは、この散文の後に会話体で書かれた部分なのである。

重篤化した両作のヒロインは、生死の境を彷徨う。そのとき両作のヒーローは、似てはいるが決定的に異なる言葉を発する。

「かならずここから連れ出してあげる」重ねて言った。「どうしてもだめなときは、そうしよう」

「どうやって」アキはかすれた声でたずねた。

「方法は考える。おじいちゃんみたいなのは嫌だからね」

「おじいちゃん?」

「自分の孫にアキのお墓を暴かせるなんてさ」

彼女の瞳《ひとみ》のなかに迷いが見えた。それを封じ込めるように、

「二人でオーストラリアへ行こう」と話を具体的な方へ引っ張った。「こんなところでアキを一人で死なせない」

彼女は目を伏せて何か考えているようだった。やがて顔を上げると、ぼくの目を真っ直ぐに見つめて、小さく頷いた。〔『世界の中心で、愛をさけぶ』〕

「…抜け出してこいよ、朝子、そこから。その、宇宙部屋、その、ハコから。………お前がさ、またもう一度、生きられるんなら、今度のは、筋書きのついた、茶番なんかじゃなく、本当の、」

「フーッ、フーッ、…ウン」

「しぬな、なあ、朝子、…しぬな、しぬな、たのむ、たのむから」

「……ウ………たし………耐える…手術に…。……そうすれば……抜け出せる…よね」

「抜け出せるよ。そして、俺も、抜け出す。外へ出るんだ。ぜんぜん思いもつかないところへ。俺たちを閉じ込める宇宙《ハコ》のない、まっさらさらな場所へ」

「……わかった……お兄ちゃん」〔『りすん』〕

〈ぼく〉と〈隆志〉の違いは、出て行く場所とその可能性、他者に対する自己の位置に関わっている。そして、小説の作中人物のふるまい方の違いは、作者の人間への理解と、小説が作りものであることへ自覚の深さの違いであるだろう。

「こんなところでアキを一人で死なせない」という言葉は、愛する人の衰弱を前にした者が悲しみを堰き止めるために心のなかで呟いた言葉としてしか小説のなかに存在する場はない。人はどうあがいても一人でしか死ねないのだし、どこであろうと死は死である。不可能なことを言い、自己の感情を鎮静化させる麻酔薬のような言葉は、他者に、それもその事態の当事者に向かって発することはできないはずである。『世界の中心で、愛をさけぶ』の〈アキ〉が〈ぼく〉の自己完結的な感情に寄り添うために小さく頷いたのなら、絶望的な孤独のなかでの仕草と言う他ない。友人と奸計を巡らし無人島に連れ出した〈ぼく〉を許したときと同じように。もし、このことに無自覚だったのならば、作者は自身が作り上げた偶像に甘えきっていたと言われても仕方ない。

死は、常に他者の死として「私」に到来する。死す他者とそれを悲しむ「私」とは、絶対的に隔てられている。ほぼ同時に死ぬことはできるかもしれないが、いっしょに死ぬこと、つまり死を共有することはできない。他者とは、常に、絶対に他なる者なのである。であるならば、他者と「私」の隔たりをそれとして受けとめ、自己の感情に溺れることを禁ずることでしか死を前にした者と向き合うことはできないはずである。
『りすん』の〈隆志〉と、彼の言葉を書き留めている作者は、そのことに気づいている。そして、兄妹が抜け出し辿り着こうとしているのは、名指され、意味と化した具体的な場所ではなく、〈俺たちを閉じ込める宇宙《ハコ》のない、まっさらさらな場所〉、つまり、〈自分たちを、自分の手で、小説みたく、作為的に『書いて』いる〉現在《いま》、陥っている世界の外である。端的に言えば、小説のヒロインをなぞるようにベッドに横たわる「私」、他者の死をかつて読んだ小説のように悲しもうとする「私」、その作為、欺瞞、他者性、自己完結性、借り物の感傷……、そんなものはすべてかなぐり捨てて辿りつく「私」である場所。そこへであれば、どのような状況にあろうと、他者と手を携えて行くことは可能なのである。

作為の過剰によって造形された小説の世界は閉じている。自己完結的に閉じている。ガラスのケースに入ったジオラマのように、外側から眺めることができるだけだ。その精巧さに感心することはあっても、その街角に立つ自分を想像することはない。辛辣な言い方になるかもしれないが、『世界の中心で、愛をさけぶ』は、ジオラマのような物語だ。私に関わり、私の存在を揺るがすものではない。ただ、その人の不在、あるいはその人の不在を想像することによってしか、そのかけがえのなさを切実に感じることができない人間の倒錯した在りようを再確認させるだけだ。

愛と死の物語は、これからも反復されるだろう。平穏な日常のなかで、存在の自明性に浸りきった人々にそのことを気づかせるために。それを咎め立てすることは誰にもできない。人生のごく早い時期に、最初にそのことを教えてくれた小説や映画は、「感動の名作」としてその人に記憶されるに違いない。だが、作り手は、それを芸術として提出しようとするならば、このことに充分すぎるほどに自覚的でなければならない。

『りすん』は、愛と死の物語の外形をもち、小説による小説の批評を装いながら、その表層を内部から喰い破り、小説の外部にいる者の存在を揺るがす力を秘めている。お前は、反復される「お涙ちょうだい」式の小説のように、過剰な作為によって自分自身が書いた物語を生きているだけじゃないのかと、声高に迫ってくる。だが、その声はあまりに明瞭で、露骨と言ってもよいほどである。

内破は予兆としてそこに置かれ、予感として小説の外部に届けられるべきである。いったい誰が、蓋が開き、ピエロの顔が飛び出したびっくり箱を緊張感をもって見るだろうか。びっくり箱は、何でもない箱を装ってそこにあるからこそ、期待とともに見つめられるのである。諏訪哲史という作家と、その鋭敏な方法意識が集約的に表されていることを承知で、私が敢えて『りすん』を失敗作と言うのは、そういうことである。

2

子どもの頃、人形浄瑠璃を見て、奇妙な人形劇もあるものだと思った。人形遣いが人形の後ろに見えている。それも、黒子のように黒い頭巾で顔を隠しもせず素面で。人形とそれを操る人間が同じ空間に存在する、何かの間違いのようにしか見えない舞台が、そういう約束事で出来上がっている世界だと知ったのは、もう少し大人になってからだった。

『アサッテの人』(二〇〇七)を読んで、最初に思い出したのは、人形浄瑠璃を見た遠い日の記憶だった。そして、その連想は、私にふたつのことを思い起こさせた。ひとつは、小説もまた約束事の上に成り立つ世界であること。もうひとつは、私たちが現に生きて在るこの世界もそうであること。この思いは、静かな波紋とともに心に浸みこんでいった。

『アサッテの人』は、物語であることを拒否しつつ、ひとりの人間を物語るという、奇妙な構造をもっている。これに類する小説にウラジミール・ナボコフの『セバスチャン・ナイトの真実の生涯』がある。作家だった兄の死後、書き残されたものや彼を知る人の証言によって、遺された弟が兄の生涯の在処を明らかにしようとする過程を描いたものである。

ひとりの人間の真実は、物語の構造を壊すことでしか語りえないのだろうか。だが、それ以前に、虚構である小説のなかに存在する人物の生涯に真実を求めること自体が、論理矛盾ではないのか。であるとすれば、ナボコフや諏訪が小説に映し出そうとしたものは、いったい何だろう。

この問いには、論証抜きに答えることができない。しばらくは小説のなかを彷徨うしかない。だが、これだけは予め言ってもよいだろう。このような疑問を読む者に抱かせること自体が、ひとつの予兆なのだ。小説の内部から発せられる呼び声と言ってもよい。小説の表層を撫でるだけでは答えることのできない問いが、もう一度最初から頁を繰ることへと誘《いざな》うのである。

『アサッテの人』は、引用の織物を装ったパッチワークのような小説である。書かれた時期を異にするいくつかの小説草稿と〈叔父〉の三冊の日記、大便箋に書き残された〈朝の日課〉のメモ、そして、それらをひとつのテキストに縫い合わせる糸のような語り手の語り。切れ切れの布を貼り合わせると、予想もしなかった色彩の妙が現れる。『アサッテの人』にもそのような彩りがあることを気づかせてくれるのは、作品末尾にある、草稿を書いていた頃の作者が〈食指を動かされた〉として挙げた五つの〈加筆の可能性〉である。

私は、そのうち〈叔父の旅の行先とそこでの奇行〉を除いて、すべてを読んだつもりになっていた。特に、〈叔父と朋子さんとのスケッチ以外での生活の模様〉と〈叔父と悪童たちとの奇妙な交流〉は確信があったほどだ。だが、何度も読み返してもそれらの具体的記述はない。記述されていないテキストを読んでいたのだ。テキストに記述されていない世界を垣間見たのだ。いったい、このことをどう説明すればよいのだろう。

私が考えたことのひとつは、小説から響いてくる声が和声《ハーモニー》ではなく多声《ポリフォニー》であることによって、ハウリングのような現象をおこしていることである。言い換えれば、不協和音の連続のなかに、瞬間的に現れた妙なる響きを聞いたというものである。もうひとつが、言葉の不思議。言葉は常に余剰と余白をもって手渡される。言わなかったことを聞き、言ったはずのことが聞かれていない。書き言葉も同じで、原義以上の意味を読み取ったり、最小の意味すら見落とされる。詳細な記述が、かえって像を結ぶことを困難にすることもあれば、たったひとつのエピソードがその人の、人となりや生活の隅々まで照らし出すこともある。このようにして把握されたことなど、単なる思い込みに過ぎないとも言えるが、その可能性を突き詰めていけば、私たちの認識のほとんどの部分は突き崩される。言葉の不思議が見させた幻、というものである。いずれにしても、意識的に行うには、練達が必要な技だ。

この手法は、同時に、作者の作為、いや、あざとさ、と言った方がよいものをも浮かび上がらせる。ある意味、未整理、不体裁とも言える小説の外形の理由《わけ》を、読む者に確認させようとするあざとさだ。だが、この手さばきは、鮮やかなので、嫌みな感じはしない。たとえて言えば、びっくり箱だ。ひっかかって小さな嬌声をあげた者は、怒声を発してはならない。それは不粋というものだ。引き攣った頬に微笑みを重ね、「やってくれましたね」とでも言うほかはない。

小説の外形と方法については、他の人も触れている。言い尽くされた感もある。そのくらいにしてなかみに入ろう。

まず、小説からはみ出すように置かれた〈追記〉と〈巻末付録〉。いったん〈了〉と打たれた後におまけのような形で置かれてはいるが、その後でさらに〈『アサッテの人』〈了〉〉となっているので、当然、小説の内部にあるものとして読むべきである。そして、この部分にこそ、妻を喪った後、謎を増し、失踪に至る〈叔父〉の〈アサッテ〉を読み解く鍵が隠されている。〈追記〉には、裏に〈朝の日課〉と書かれた大便箋が〈叔父〉の机の抽出から発見されたことと、その位置づけが、〈巻末付録〉には、〈叔父〉の暮らした部屋の平面図と大便箋の記述が掲載されている。

〈朝の日課〉という言葉から私が連想した小説についてもひとこと言っておこう。それは清岡卓行の『朝の悲しみ』（一九六九）。妻を亡くした男に、朝目覚める度に訪れる喪失感を描いたものである。男は、清らかな〈朝の悲しみ〉に包まれながらも、日中は若い女性との恋愛を夢想する。その断絶が、人間のどうしようもなさとともに、悲しみの深さを浮かび上がらせる。

愛する人を喪った悲しさは、朝の清澄な空気のなかに立ち上がる。すでにして、『アサッテの人』が、愛と死の物語だった。〈ポンパッカポンパ、ポンパッカポンパ。……へえー、だって。〉と〈呪文じみた、言葉〉を繰り返しながらステップを踏んで部屋を廻る。そして壁に貼った妻の写真の前に辿り着く度に、そちらを向いてにっこり微笑む。その奇矯な振る舞いは、今は亡き妻を悼む〈朝の日課〉だったのである。

悲しみを生きる、という陳腐な言葉に言い換えられてしまう日々とは、あるいはこういうものなのかもしれない。他の小説やドラマに見られる死を悼む姿と、この〈叔父〉のどちらがリアルかを問うことには、興味がない。その問いには、意味がない。ただ、お前だったらどちらのように振る舞うかと問われたら、迷わず後者と答えるだろう。誰かのように悲しみ、他者に理解される姿で悼むことは、死者への冒涜であり、自身への冒涜であるような気がする。今までに出会ったことのない深く大きな悲しみは、今まで誰もしたことのない振る舞い方で悼まれなければならない。

だから、繰り返しになるが、もう一度言おう。『りすん』は失敗作だったと。この〈叔父〉の姿が、すでに定型の愛と死の物語を批評し尽くしていたのである。似ていないプロットをもつふたつの小説は、並べて比較されることはなかったかもしれない。だが、大便箋から浮かび上がる〈叔父〉の姿は、愛する者の死を抱えて生きるどの小説の作中人物にも似ていないがゆえに、切なく、美しい。そのことさえ確認されれば充分だったはずである。この〈叔父〉を超える姿で他者の死を悼むことは、ほとんど不可能である。

そして、この〈叔父〉の振る舞いは、金鶴泳が『遊離層』に描いた、アパートの一室で拾ってきたゴルフボールを使って、自分だけのルールでゲームに興じる〈わたし〉の自閉した姿に重なってくる。小説の内部にいるふたりは自閉している。だが、小説に刻印されたとき、彼らが自らを閉じた理由《わけ》とともに、開かれたものとして小説の外部に届く。彼らの自閉は、読者である私の自閉として到来することによって開かれる。小説がテキストの表層から滲み出す瞬間とは、おそらくそういう時なのである。

いま、私が金鶴泳の小説を想起したように、〈叔父〉は、異邦とでもいうべき世界を生きている。『遊離層』の主人公、朝鮮人である「私」がやむを得ず「母語」とした日本語で象られた世界から拒絶されているように、吃音者だった〈叔父〉は澱みなく発せられる言葉で象られている世界から拒絶されているように感じていた。だが、吃音が去った途端に、自分を拒絶するものが言葉そのものであったことに気づくのである。日記のなかにある〈少年のころ偉大な統一と見えたもの、それは世界の本質を構成し、機能させるところの、ある種の文法に他ならなかった〉という一節を手がかりに、語り手の〈私〉は、〈叔父〉の〈アサッテ〉をこう解釈する。

私の個人的な仮定に過ぎないが、吃音を失った叔父は、しばらくしてもう一度自ら「吃音的なもの」を求めはじめたのではないか。そして、それが他ならぬ「アサッテ」誕生の瞬間だったのではないだろうか。〔『アサッテの人』〕

ここに言う「吃音的なもの」とは、異邦性とも、生の個別性、一回性とも言い換えることができるだろう。私的言語の可能性の追求とは、詰まるところ「私」だけの生を生きることの不可能性を超える試みである。

〈ポンパ〉、〈チリパッハ〉、〈ホエミャウ〉、〈タポンテュー〉。起源があったとしても、その〈意味が這い出したあとの奇怪な抜け殻〉のような、〈叔父〉が発する〈アサッテ〉な言葉は、大便箋に書かれた〈朝の日課〉の奇矯な振る舞いと同じように、個別的で一回限りの生を言い当てようとする、〈ある種の文法〉を超える試みなのである。

そして、そこへ踏み出そうとする者は、異邦を彷徨うことになる。異なる言語で象られた世界、それは具体的な場所ではなく、いま、そこに在りながら、ほんの少し位置をずらした場所である。

ここに言葉に関する私的な記憶を差し挟むことを許していただきたい。この先『アサッテの人』を論じ続けるためには、避けて通れない事柄のように思えるからだ。

「あっけらかん」。中学生の時、何かの折にその言葉を口にした。「それを言うなら『あっけらかん』だろ」。隣の席の友人が口を挟んだ。「だから、そう言ったじゃん」。「ちがう。あ・っ・け・ら・か・ん」。私は、一音ずつ区切ってその言葉を繰り返す友人の口の動きと私を包む嘲笑を、覚えているような気がする。自分が口にした言葉が他者にその通りに聞こえていない。ふざけて掛けた度の合わない眼鏡ごしに見るように、ものの輪郭がずれでいくような感覚を覚えた。クラス中が申し合わせて、私にその言葉を使うことを禁止しているという妄想に取り憑かれたが、すぐに逃れることができた。辞書を引き「けろっと」とか「少しも気にしていない」と言い換えることを思いついたからだ。これをきっかけに辞書の虜になり、日常の言葉は、ほとんどが言い換え可能であることを知った。そして、言葉を置き換えることによって、出来事や印象が少しずつ姿を変えていくことも。やがて、国語の時間に読んだ物語の言葉と人称を入れ換えれば、別の物語に仕立て上げることができるのではないかというところにまで私の妄想は広がり、その作業に夢中になった。だが、それにもすぐ飽きた。「ジャンバルジャン」

を「私」に、「銀の燭台」を「仏飯台」に置き換えても、他者の物語を反復しているだけだと気づいたからである。私の物語は、それが幻想と同義であろうとも、私の現実のなかから抽出するしかない。

私は、強度の異なるこの拙い経験を参照項にして、〈叔父〉が身を翻して行った異邦を思い描く。そして、その傍らに立つことができるような気がする。人は、誰でも見慣れているはずの風景に異邦を垣間見ることがある。〈叔父〉の住んでいた〈浮沼団地〉を訪れた〈私〉が、〈赤白縞《しま》模様のお化けツクシのような巨大な給水塔〉に、〈どこか非現実的な、禍々《まがまが》しい雰囲気に満たされていた〉のを見たように。

建物も全体にえらく古びていて、敷地の北辺に後からできた四階建て程度の棟も一部あるものの、大半はちっぽけな二階建ての、いかにも長屋風といった陰気なたたずまいである。見たところ、もう何年も放置されてきたであろうと思われる空室ばかりが並んで建ち、錆びた乳母車、朽ちてペンキの剥がれた牛乳箱などが、その荒廃のひどさを助長している。おおかたの空家は一様に表扉と二階窓とをベニヤで打ち付けてあるため、誰が見てもまずそれと知れる。〔同前〕

もうおわかりだろう。長屋、乳母車、牛乳箱。私たちが忘れかけてしまった言葉で象られた、私たちが失ってしまった時代の風景。〈高度成長前夜に人口増加を見越した市が、西北部の田畑を宅地化し建設した、戦後の集合住宅の先駆け〉だと解説されていることからもわかる通り、この団地は変化が加速する現代から取り残され、周囲との均質性を喪失した異邦なのである。そして、〈叔父〉は、〈祖父〉や〈私〉の父が宰領する大家族から、妻〈朋子〉とともに〈街なかのマンション〉に築いた核家族を経て、たった一人この小部屋に流れ着いた異邦人である。ごく「普通」の生活を送っているという幻想に安住している私たちに〈叔父〉が単なる奇人ではなくその傍らに立てる人物として立ち現れるのは、異邦が現実のすぐそばに在るものとして描かれているからである。時代の変化によって、「孤独死」とか「無縁社会」というような見慣れない言葉とともに人間のアトム化の極点が、もうすぐそばに迫っているからである。

他者の生を反復するような円環から離脱し、自らの生の個別性と一回性を確認するように生きることと、その円環からの逸脱が必然的に招来する孤独。そのふたつが交叉する場所に立つ〈叔父〉を、時代を遠景に置いて描くことによって、『アサッテの人』は、現実に拮抗する強度を持って小説の外部に突き抜けている。「アサッテの人」である〈叔父〉は、私であり、この小説を読むすべての人の「私」たり得ているのである。

3

この後、諏訪哲史が『ロンバルディア遠景』(二〇〇九)と、二〇一一年に短篇集『領土』

に纏められる一連の小説を発表し、小説家としての地歩を固めつつあったことは、周知の通りである。この二作を、ひとつの達成として認めることは吝かではない。だが、そのこととは別に、作数を重ねる毎に、私が内破の予兆と呼ぶものから隔たっていっているのも否めない。その隔たりを論じることで小論を締め括りたい。

皮膚に広がる疥癬、〈篤〉の下半身を皮膚のように包む黒い皮のパンツ、背中を覆う腫瘍。圧倒的な具体的細部《ディテール》をもつ、外部と接触する部分の描写が示すように、『ロンバルディア遠景』は、表層と内奥をめぐる、そして、テキストとその外部をめぐる小説である。

『ロンバルディア遠景』の作者と小説との関係は、前作『りすん』より複雑さを増している。前述したように、『りすん』では、兄妹の会話を盗み聞きし小説に書いている作中人物の〈作者〉は『りすん』というテキストを書いている作者でもあるという二重性をもっていた。『ロンバルディア遠景』において、作中人物の〈作者〉には、〈井崎修一〉という具体的な名が与えられている。〈作者〉たる〈井崎修一〉は、〈私がもし本稿を発表するならば、私は、必ず自分の本名を隠すであろう〉として次のように述べている。

> ふと思いついたが、私は「アツシ」という音韻が好きだ。ゆえに、筆名を名乗るとすれば、極力、彼の名に似た音韻を探すだろう。本名でなく仮名を名乗るのは、なるほど、これ以上は望むべくもない完璧な実作者の湮滅《いんめつ》に違いあるまい。……（『ロンバルディア遠

景』〕

ここにおいてようやくパラテキストに記された「諏訪哲史」という名が「アツシ」に似た音韻をもつ〈井崎修一〉の筆名として浮かび上がる。小説のなかの虚構の人物の筆名、実体をもたぬ虚ろな作者として。このような作者を、私たちは、既に知っている。『仮面の告白』の作者である。〈假面〉や『アポロの杯』に記された言葉によって作中に取り込まれた三島由紀夫は、七十余年も前に次のように記していた。

多くの作家が、それぞれ彼自身の「若き日の藝術家の自畫像」を書いた。私がこの小説を書かうとしたのは、その反對の欲求からである。この小説では、「書く人」としての私が完全に捨象される。作家は作中に登場しない。しかしここに書かれたやうな生活は、藝術の支柱がなかつたら、またたくひまに崩壊する性質のものである。従つてこの小説の中の凡てが事實にもとづいてゐるとしても、藝術家としての生活が書かれてゐない以上、すべては完全な假構であり、存在しえないものである。私は完全な告白のフィクションを創らうと考へた。「假面の告白」といふ題にはさういふ意味も含めてある。〔『「仮面の告白」ノート』〕

あまりにも有名なこの一文の陰画《ネガ》として、『ロンバルディア遠景』を読むことは充分に可能であろう。

つまり、「この小説には書く人が描かれている。詩人とその肖像を小説に書くふたりの作家が作中に登場する。ここに書かれたような生活は芸術家のものでなければ崩壊する。従ってこの小説のなかのすべてが事実にもとづいていないとしても、芸術家としての生活が書かれている以上、すべては完全な事実であり、存在するものである」と。

では、『ロンバルディア遠景』に刻印された完全な事実とは、存在するものとは何か。それを端的に言えば、「書く人」としての「私」である。

作家が登場する小説に、いや、作者に全く似ていない主人公が登場する小説にも、主人公と作者を等号で結ぶ公式を当て嵌めてしまう、悪しき習慣がある。それを拭い去ろうとする者の意識の底にも、作中人物に作者の影を見ようとする態度が澱のようにこびりついている。だからこそ、無自覚に小説の外部にある作者の実生活を取り込んだ読解は時代遅れで陳腐である、と言われることも充分承知している。

だが、作者が自らを虚ろな存在にしようとすればするほど、読者はそこに作者の匂いを嗅ごうとする。作中でも繰り返し「作者の死」に言及されているが。作者は「死んだ」のであって、最初から存在しなかったわけではない。書かれたものには、書いた者の痕跡が残っている。『彼自身によるロラン・バルト』が数多の解説書や伝記よりも〈R・B〉と呼ばれる人物の

「私」を照らし出していることや、ジャック・ラカンが『盗まれた手紙』についてのゼミナール」で〈隠しているものが覆われているのを見ていると思いこむまなざし〉について指摘していることは、多くの人が知っている。隠そうとするから覗くのである。隠されているから存在しないものまで見てしまうのである。

従って、書くことに意識的な者は、わざと自分を隠す。隠すことが目的なのではない。隠すことによって、そこに晒されるべき何かの存在を、告白すべき「私」を予感させるために。七十余年もの間この手法は繰り返されてきた。いや、一八一六年に刊行されたバンジャマン・コンスタンの『アドルフ』以来の永きにわたり。だから、もし、それを敢えて反復しようとするならば、遮蔽幕の向こうに置かれたものは、置いた者の存在を揺るがすほどのものでなければならない。幕が開いたら、そこには模造品があったというのでは話にならない。反復が罪なのではない。過去を塗り替えることなく反復されるのが罪なのである。

このような言い古されたことは、『ロンバルディア遠景』の作者も承知しているはずである。小説の末尾近くには〈でも人は、隠すことで自分の本性を美しくほのめかす。たとえ隠すものがなくても、ほのめかすことならできる。ほのめかし方次第で、人は自分をどんなカリスマに仕立てることさえも不可能ではない〉という一節が置かれてはいる。だが、どこかが違う。無いものを有るように見せる、あるいは醜いものを美しく見せるということもあるだろう。ただ、三島やコンスタンは、醜なるものを醜として、作者である「私」を虚ろにしても書かねばならなかったのである。同性愛や愛の倦怠が醜いと言っているのではない。彼らは、自らが醜であり恥であると痛切に感じながら、それ抜きには自己の生が成り立たぬものを語らずにはいられなかった。その真率さがテキストの表層を喰い破る力を生んでいるのだ。時代をこえて何度もその小説へと立ち返らせることを誘《いざな》うのだ。

〈私は人工的な「正常さ」をその空間に出現させ、ほとんど架空の「愛」を瞬間瞬間に支えようとする危険な作業に園子を誘ったのである。〉(『仮面の告白』)。この一節を読んだときの衝撃を、忘れることはできない。私は、いかに自明性のなかに浸りきり贋造を本物と取り違えていたか。他者に自分を紛れ込ませることによって、自らの歪みから眼を逸らしていたか。男にしか欲望を感じぬ男、という小説のなかの他者に教えられたのはそのことである。後にフーコーが言語化したように、三島は〈伝統的な図式には似ていない生の様式〉を具象化することによって、読む者の生を揺るがしたのだ。

結局は、人は何故小説を読むのか、という単純な問いに行き着く。私の場合、「私」という不定形で曖昧なものの輪郭を確かめるため。鏡でしか自分の顔や後ろ姿を見られぬように、他者に映されたものを「私」として受け入れるしかないからである。従って、そこに「私」を映す他者が立ち現れてこない小説を読み返すことはない。ここで言う他者とは、作者のことではない。作者の分身ですらなくてよい。小説の外部に対応する何ものも持たない虚ろな人物であっても、他者としての実質を備えてさえいればよいのである。

内面が外面となる、このメビウス的な身の翻しは、すぐれて文字という媒体だけがなせる術だ。文字は、人によっては図像と呼ばれ、旋律と呼ばれ、身振りとも呼ばれよう。それらはいわば記号という、文字の別称であるには違いない。こうした多種の文字によって表面化、外面化された「形象」こそが、人の内面なるものである。人はときには無為、無言という「不立文字《ふりゅうもんじ》」、休符記号を弄することさえあるのだ。つまるところ、この世の万象はただ一葉の紙面、外面であり内面でもある、一枚の「カミ」に収斂される。……

他でもない僕自身が、その一片の紙きれ、外面と内面の両義的現象《アンビヴァレント》なのだ。

もし僕の本質が外面でないならば、さらに内面であるはずもないだろう。

僕という存在は、薄っぺらな貝殻の形象《かたち》をした、一片の鼓膜だ。一方が頭蓋に向かい、もう一方が外界へ向かう。だが僕自身は、そのどちらでもない。〔『ロンバルディア遠景』〕

私に届く「書く人」の声は、この部分に凝縮されている。人は記号によって世界と、外界と繋がっている。言語外の記号をも言語に翻訳して。記号は外界に発せられ、外界から到来する。その微かなシグナルだけが、世界と「私」とを存在させる。であるならば、世界と「私」とは、なんと危うく脆いものであるだろう。内面を確固たるものとして外面と分ける日常の思考は、なんと不確かな土台の上に乗ったものであるだろう。

しかし、この声、あるいはひとつの理論を響かせるための舞台としては、『ロンバルディア遠景』は過剰である。その過剰さに愉悦を見出す人がいることも承知しているが、私は、この過剰さを好まない。あまりに飾り立てられ、迂回を余儀なくする小説の表層は、厚く硬い。そして、先達が三島を読み解くために編み出した〈内面と外面の弁証法〉という言葉や、ジャック・ラカンのテキストをそのまま小説のなかに拉致するのは、駆け出しの評論家の身振りではあっても、小説家のものではないだろう。研究者ですら難解と言って憚らない人の名は、読む者の思考を停止させかねない。

私は、約束事、たとえば「儀式」と呼ばれる約束事のなかで、それらしく振る舞うことが嫌いなのだ。強いられた緊張、作られた深刻さは歪んだ笑いを誘う。それが滑稽と紙一重でありながら、それとは異なる手ざわりを感じさせるからだ。滑稽とも言える奇矯な振る舞いで悲しむ小説のなかの男が現実を凌いでしまうこととの反転した姿だからだ。

『領土』が小説という形式を問う試みであることは、一読すれば分かる。『シャトー・ドゥ・ノワゼにて』から『先カンブリア』までの十の短篇は、緩やかに、誘《いざな》うように、散文から詩へと姿を変えていく。句読点が消え、文字と文字の間の空白が現れる。それは同時に、現実《レアル》から超現実《シュルレアル》への誘《いざな》いでもあるだろう。『市民薄暮』は、その入り口だ。〈わたし〉が生まれる前の時のなかにいる母との邂逅。

わたしは、ことばに窮しながら、濃紺に三本白線のまぶしい、その、若き母の、初々しい制服姿に、見とれているのだった。

誇らしげに、唇を突き出し、ちいさな笑みをたたえながら、わたしの母は、なかば命令調にくりかえす。

《はよ　買ってったら》

《ああ　　うん》

わたしがそう答えたとき、まるで、止まっていた時間が動きだすように、ざあっ、と、あたりに風が立ち、戸口を背にした母の、紺に白線の襟が、背中からめくれかえる。〔『市民薄暮』〕

文法という法《ルール》をこえた、母と息子の密会。語りえぬものを語る、禁忌《タブー》を犯す愉悦が漂いはじめる。だが、詩に近づいていくほどに、それは遠い、微かなものとなっていく。たとえば、形式としては詩としか言いようのない次のような部分は、まさに、微かな響きとしてしか届いてこない。

［ジュラ紀］

もやのような　悪事の記憶
母がある朝産んだ卵を
ぼくは　ひそかに　巣から落とした
卵には　フランス風の名前が
くっきり　ふといゴチックで　書かれてあった
それは　いまだ見ぬ　おとうとの名　〔『先カンブリア』〕

単に私が、『ロンバルディア遠景』の一節のように〈詩の「緊張」に、耐えきれない〉からかもしれない。私が言う詩の緊張とは、詩の言葉の象徴性と多義性、そしてそれにともなう思考の飛翔がもたらすものだ。それをこえるには閃きが、それも私が小さな芽のうちに枯らしてしまった幾何学的な想像力にも似た閃きが必要である。

ただ、次のことだけは言えるだろう。小説を内側から喰い破ることは、小説という形式を壊すことでもありながら、それに尽きるものではない。小説は約束事の上に成り立つ世界である。作者の作為の結果として造形された世界であることを承知で、あたかもそうでない世界として受容されるものである。形式を壊すことによって作為が消える訳ではない。現実の似姿である必要もなければ、小説の外部に確固たる足場を持つ必要もない。作者自身がかつて書いたように、どう足掻こうと、あらゆる芸術は作為、作りものなのである。作りものである芸術が現実を超える強度をもつか、それだけがその達成を測る尺度である。

小説と詩は、連続性を持ちながらも、その間には断層がある。小説が詩に近づくことが、言葉の多義性や象徴性のなかに身を翻すことに尽きてしまうならば、それは小説の、詩への屈服としか言いようがない。ある形式から他の形式への接近は、形式間の移行であり、形式の破壊ではない。散文のなかに詩を挟み込んだり、詩を散文で包むことは、これまでに何度も試みられてきた。金子光晴の『風流尸解記』は、遠い日の自作の詩を散文とともに語り直すことによって、いったん象徴性を纏わせて発した自らの言葉を具象に引き摺り降ろし、言葉とともに自らを引き裂こうとする瞠目すべき試みである。小説の可能性と不可能性は、小説という形式のなかで、そこに踏みとどまって行われるべきだろう。

文学の言葉は、もちろん、日常の言葉とは異なっている。その間には、翻訳と言ってもよいほどの跳躍がある。だが、芸術は、その距離を競うスポーツとは違う。言葉は、日常性や自明性の膜を破るためにこそ、放物線を描くのである。

一見俗なる言葉と作者が編み出した言葉で書かれた『アサッテの人』を私は愛する。私の、私の生の、日常性と自明性を揺るがし、そこに潜む他者性と演技性を気づかせた〈アサッテの人〉の奇矯な言葉と、その言葉の振る舞いを私は偏愛する。そのことを言い、この稿をいったん閉じる。そして、この試論の続篇を書く日がくることを待つことにしたい。

第七節

静謐にして、永遠の……

―朝吹真理子『流跡』・『家路』・『きことわ』論―

この体系から外に出ることはできなかった。自分を締め出すことはできず、離れ去ることはできなかった。この無限は有限をもって造られており、この永遠はただ時間のみの上に組み立てられていた。

〈豊崎光一訳、ル・クレジオ『物質的恍惚』〉

「始まり」と「終わり」の「神話」

時間の外に在るものを永遠と呼ぶのなら、それを言葉にしようとすることは、時間の内にしか存在できない人間の必然である、と言うこともできる。「時はすべてを消し去り、すべては時によって老い、時を経て忘却される」（出隆・岩崎允胤訳、アリストテレス『自然学』）。生成と消滅を繰り返すこの世界で、時間は消滅の因として見做されている。時間の内に在るということは、すべてを無に帰していく時間の作用に身を浸すということであり、そのことが引き寄せる虚無に耐えるということでもある。

朝吹真理子の『流跡』（新潮、二〇〇九年十月号）、『家路』（群像、二〇一〇年四月号）、『きことわ』（新潮、二〇一〇年九月号）の三篇は、それぞれが独立した作品でありながら、互いに補遺しあい、ひとつの文学空間を形成しつつある。その核にあるものは、時間の内に在りながら、時間の外に在るものに触れようとしてしまう人間の、奇妙な生の手ざわり《リアリティ》である。

『流跡』は、周到に仕組まれた混沌《カオス》である。プロローグとエピローグに縁取られた四つの断片は、物語としての統一を欠くように見えながら、細い糸で結び合わされ、連続している。統一を欠きながら連続する混沌、それは、まさに人間の生の、もっとも削ぎ落とされた要約でもある。

人が生まれ死ぬ存在であるということは、「始まり」と「終わり」をもつという点において、「物語」と似ている。人が誰のものでもない固有の生を生きていると確信できるのも、生きた時間を連続した「物語」に変換しているからである。従って、それを書き、読むことも、可能なはずである。だが、経験が出来事を言葉で象り、意味として整序することであるならば、人は自己の出生も死も経験できない。生の「始まり」は他者の語らいのなかから、生の「終わり」は他者の死から制作するしかない。生きて在る者が、自己の生をその内側から語ろうとすれば、「始まり」と「終わり」が欠落した、不完全な「物語」とならざるを得ないのである。

それぞれが「読むこと」と「書くこと」について書かれた、『流跡』のプロローグとエピローグは、〈はみだしてゆく。しかしどこへ――〉という同じ言葉で締めくくられている。読み、書かれるのは、言うまでもなく言葉である。事物や不在の事物、それが不在であることによって生じる空虚を指し示すことができるのは、言葉だけである。だが、語られた言葉は、事物から直接性と無媒介性を奪い、生の手ざわりは言葉で編まれた物語の外部に留まらざるを得ない。〈書かれたものは書かれなかったものの影でしかない〉し、いくら読んでも、〈そこに書かれたことを所有しているという気がしない〉のは、言葉によって過ぎた時を再現することが不可能だからである。言葉で編まれたものは、時の流れそのものではなく、流れの「跡」でしかない。そして、このプロローグとエピローグは、在るはずのない「始まり」と「終わり」を画し、どこまでも〈はみだしてゆく〉物語を堰き止める額縁の役割を果たしているのである。

もののけになるか、おにになるか、不定形の渦から目をはやし、足をはやし、はじめはくにゃくにゃしていた身体がしっかりとした顔をつくって歩きはじめる。角ははやさなかった。ひとになった。（『流跡』）

ひとつめの断片は、このように語り出される。誰もが通り抜けているにもかかわらず、経験として語ることのできぬ出来事は、このように描かれるしかない。人の生は、この引用のすぐ後にあるように〈はじめがないのだがはじまっている〉のである。いつの間にか世界に放り出されるようにはじまっている生の光景は、モンタージュのように切れ切れで、時代も定かでない。

廃寺となって久しい寺が並ぶ土瀝青《アスファルト》の道を歩いていると、山道になり、たくさんの被慈利が目の前を通り過ぎていく。川岸の桜の樹に張られたスクリーンには、〈五分むしりの御家人髷した白塗りの役者〉が映り、スクリーンの円い穴を覗くと、春の光景が剥がれ落ち朦朧とした闇になる。やがて海上に迫り出す大きな神社に着くと、陵王の襲装束に面をつけた舞人になっており、舞台からは幾本もの〈ごおごおうねりをあげた煙突〉と汽船が見える。舞人は、舟に飛び乗り身を横たえる。

ここに描かれているのは、神話的世界である。「神話」は、遡ることのできない事物や現象の起源を物語り、有意味化するための装置である。『古事記』の「天地初發之時（天地初めて発りし時）」のように、時空を超えて、唐突に「始まり」を語り出す。この「時」は、具体的な時間を指し示しているのではなく、「いま」、「ここ」を成り立たせるために切り出された、無時間的な「始まり」の時である。

人の誕生を描いたかのような、ひとつめの断片は、「天地初發之時」と同じ、行き着くことのできない「流れ」の始源、〈はじめがないのだがはじまっている〉人間の生の「始まり」を語る「神話」としての役割を果たしている。〈はじめがないのだがはじまっている〉生を生きる人間は、誰もが「生成の神話」をその奥底に抱えているのである。

生が始まっているということは、死へと向かう線的な時間の流れに絡め取られているということでもある。だからだろうか、最後には〈五分むしりの御家人髷した顔面蒼白の男〉となってしまう舟頭を描いたふたつめの断片は、冒頭から〈もののにおい、ひとのやけるにおい〉が漂っている。だが、この断片を流れている時間は、線的に秩序だって進む現代の時間とは異なるものである。

〈あかつきになるころ〉、〈東雲から曙になるというころ〉。この断片の語り手は、このような言葉で時間を分節している。それは、社会を遍く覆い尽くす「近代」の時間が成立する以前の、自然が織りなす「時」のようである。〈舟頭〉がそのような「時」に従っているのは、部屋にある時計がドット落ちして〈数字とならない線だけをうつしている〉からではない。夜になると川岸から舟を出し、夜が明けると舟を岸に寄せ住処に帰る〈男〉にとって、日の出と日の入りが知らせる、昼と夜の交代だけが有意味な「時」だからである。

古代において、昼と夜は隔絶した別個の世界として存在していた。昼と夜の交替は、時間の経過ではなく、異なる空間への移動であったのである。舟頭が舟を出す川も〈昼の川〉と〈夜の川〉は、異なる場所として描かれている。

ちょうど川と川の筋が合流する界面に舟を運ぶときは自然と身が強張る。時に合流する刹那に川筋の次元がずれてもとの水脈から切り離されてしまうことがあるという。違う川筋にはいるのではない。もともすえもない、くろぐろした水たまりのなかを、もとの流れと接続するのを待って漂いつづけねばならなくなるらしい。永遠に接しあわないままかもしれない。そこを竜宮や墓場だと言ったりする。〔同前〕

筋を違えた〈舟頭〉は、〈竜宮や墓場《おくつき》〉と呼ばれる場所に向かう。そこは、空間の移動によって辿りついた異界であり、時の経過によって行き着いた生の時間の果てではない。だからこそ彼は〈一体いつの間に死んだというのか。死の瞬間を通過し、永い永い状態がはじまったということか。それがはじまっているとして、それなら、いままで生きていた状態とたいしてかわらないということになる〉と考えるのである。

「神話」において、死後の世界は、生きて在る世界と地続きであった。それは、『古事記』で「黄泉国」と現世の境が、「故、其所レ謂黄泉比良坂者、今謂二出雲國之伊賦夜坂一也」（故、その謂はゆる黄泉比良坂は、今、出雲國の伊賦夜坂と謂ふ）と現実の場所と結びつけられていることからも明らかである。そして、〈竜宮〉と〈墓場〉が同列のものとして置かれていることは、

「常世」が死の国と不老不死の国の二重性を帯びていたことを思い起こさせる。この断片は、死は時間の経過がもたらす存在の消滅ではなく、海の彼方にある永遠の「常世」への移動であるとする「消滅の神話」が底流する「物語」なのである。

「十年前、熊野に旅して、光充つ眞晝の海に突き出た大王个崎の盡端に立つた時、遙かな波路の果てに、わが魂のふるさとのあるような氣がしてならなかつた。此をはかない詩人氣どりの感傷と卑下する氣には、今以てなれない。此は是、曾ては祖々の胸を煽り立てた懐郷心（のすたるぢい）の間歇遺傳（あたゐずむ）として、現れたものではなからうか」（折口信夫『妣が國へ・常世へ』傍線原文）。このような感慨は、現代においても完全に消え去ったとは言えないが、「古代」も「神話」も日常の底に埋もれてしまった現代において、「常世」の「物語」によって死へと向かう線的な時間の流れが呼び寄せる虚無を心の奥底に馴致することはできない。

「神話」を祖形とする「物語」が衰退したところに「近代」の「小説」が登場したからだろうか、ありふれた〈市〉で妻子とともに単調な日々を送る男を描いたみっつめの断片は、近代的な小説の形式で語り出される。

雨あがりの水たまりに〈うつりようのない〉一本の焼却炉の煙突が映っているのを認めた彼は、〈蜃気楼や逃げ水というような光と水があわさるとたいていふしぎな現象が起こる。そういった光の屈折がみせる錯覚だろう〉と思い、やがてそれが〈すうと眼前に建って〉いるように見えるようになると、〈幻を眼がみてしまうというより、そうした幻をみる眼そのものをこ現象と意識に関する近代的な知の枠組みに貫かれている。ここには、神話的思考の欠片もなく、の意識がつくりだしているのかもしれない〉と考える。ここには、神話的思考の欠片もなく、

だが、このような近代の知が、死へと線的に流れる有限な時間と、永遠の不可能性というもうひとつのものを彼に見せているのである。〈起伏のない〉、〈単調〉で〈幸福〉な〈日常〉を送り、〈この市にへばりついたまま死んでゆく〉ことを願っている彼は、子どもと〈風呂にはいって、抱きしめて、会話〉をしているときでさえ〈そうして確実に時間が経ってゆく〉と感じ、退職までの年数の方が入社してからの年数より少なくなっていることに気づき〈自分の年齢にはたと気づいてたじろ〉いで、〈生きているのだから時間は経つのだった〉と思う。彼にとって、現在は誕生を起点とし死を終点とする有限の直線を刻々と移動する点である。このように切り出された現在を意識することによって過去と未来に延長された空間的な時間が出現し、〈蚊帳をつった布団のなかでこわごわ眠ったりしている〉少年だった過去の自分や〈身体がくべられるときの白煙〉となった未来の自分が時間のなかに〈遍在して〉いるように感じられるのである。そして〈子供と添い寝をする中年の自分も、永遠にその記憶のなかの一場面としてとどまりつづけるんだろうか〉という永遠性は〈きみょうなこと〉として退けられる。

自分が生きた一日一日が絶え間なく過去となり、時間によって無に帰していく。この既定の未来が招き寄せる虚無が、彼に〈ひとつの臨界期、ちいさな危機みたいなものがじわじわとたましいにくいこんで〉くるのを感じさせる。確かにこの思いは差し迫ったものではない。だが、

死は避けようもなく、時間の流れによって、そう遠くない将来に現実となる。ここに、その虚無に打ち克つとまでは言わないまでも、それを馴致し意識の奥底に沈める新たな「消滅の神話」が要請される。

この身体を構成していた有機的ななにもかもがこまやかに砕けて、目にもとまらない粒粒になってほうぼうに拡散してゆく。それが誰かの唇や頬をなぞったりとりこまれたりして肺にはいったりする。そうしていくつもの生体をとおりぬけてゆく。…（中略）…やわらかいほとんど蒸気のような小糠雨となってはじめはゆるやかに髪を巻いた女のその一筋一筋の輪郭をなぞるようにすべりおち、皮膚のうちにしのびこんでゆく。血液にまぎれ、液胞としてうちにとりこまれながらたゆたう、身体のうちを浸す多量の液体のうちの、その女を構成するわずかな構成素としてしばらく流れてはふたたび体外にはみだし、海にそそがれる。終りがない。〔同前〕

彼が辿り着いたのは、生命の永遠でも記憶の永遠でもなく、死後、自分の肉体が物質として自然の無機物や有機物、そして他者のなかを消滅することなく永遠に巡り続けるという「終わり」のなさであった。これは、死後の世界を否定し、生物としての死を意識の消滅とする「近代」の科学的な知と矛盾なく永遠を手にすることのできる、現代の「消滅の神話」と言えるだろう。それは、ル・クレジオが試みた、生命の消滅と「私」の死、存在することと生きて在ることを切り離すことによってしか辿り着くことができない地平への大胆な飛翔をともなうのである。

永遠性、存在の永遠性、たぶんその領界が設定されているのは生命と死との外においてなのだ。…（中略）…在ること、それはしてみれば生きてあることではないのだ。生とか死はとるに足らない様態であって、たとえば植物であるとか鉱物であるとかというのと同じなのだ。生と死は物質がとる一つの形、ほかにもたくさんある形のうちの一つなのだ。
〔ル・クレジオ、前掲書〕

〈女になっていた〉という奇妙な一文から始まるよっつめの断片は、〈市〉で単調な生活を送っていた男の死後、物質となった彼を身体の内に取り込んで彼の記憶を〈自分の夢か自分の記憶であるかのように〉蔵している〈ゆるやかに髪を巻いた女〉の世界である。女がそこで見た光景は次のようなものであった。

人間のつくりだしたものが圧倒的に人間の感情移入を避けたものとなって存在し、それがただ光波になぜられて分解し、非分解のものはひたすらそこにとどまっている。〔同前〕

そこ在るのは、〈採掘中にとりだされたナウマンゾウの化石〉や〈数千本は越える使用済みの蛍光管〉や〈とぐろをまいた廃線〉、〈画面の砕けた電光掲示板〉であり、その傍らには〈土で盛固められた古墳のような一面〉がある。これは、一人の人間の生の時間や歴史的な時間、さらに目も眩むほど膨大な宇宙的時間の果てに在る光景である。そこは人間の意志を超えた物質の世界であり、もし、そこへ辿り着こうとするならば、自らも物質に姿を変える以外にないのである。

『流跡』は、語りえぬ人間の生成と消滅を語った、現代の「神話」である。生成したものは消滅を免れ得ず、生成と消滅は一対のものとして在る。だが、出生を「神話」でしか語ることできぬ人間は、自らが生成したものであることを忘却して永遠を渇望し、消滅へと線的に流れる時間が呼び寄せる虚無の前に佇み、「消滅の神話」を求めるのである。

朝吹はこの「神話」を語り終えた時、そこから〈はみだしてゆく〉ものが在ることを知っていた。〈はみだしてゆく〉ものとは、人間がそこから抜け出すことのできない「時間」と、有限な時間を生きながら不意に眼前をよぎる「永遠の似像」である。

円環としての時間と永遠

〈中年男性〉の五十年の人生が少年の彼が見た夢だったという結末の『家路』は、作品の構造そのものが、線的に流れる時間を攪乱している。会社帰りに延長コードを買おうと駅前の家電量販店に寄った〈男〉は、いつの間にかイタリアの湖水地方の湖畔に寝そべっている。家に帰る方法がわからない〈男〉は道路脇の電話ボックスから家に電話をするが、電話に出た少年の彼は〈あなたは、ずっとそのままです〉と告げる。

人生が夢だったという物語は、中国の古典『枕中記』をはじめとしてさまざまなバリエーションがあるが、そのほとんどが夢から覚めた人物がついさっきまで見ていた夢をあたかも実際の過去のように振り返る構造をもっている。これに対し『家路』では、電話の音で少年の彼が目覚めた後も夢のなかにいるはずの中年となった〈男〉は、〈君がいまみている夢の終わりを〈変えて欲しい〉と話しかけてくる。これを「中年となった自分と会話する夢を見ている夢」と、夢の入れ子構造と読むこともできるだろうが、そのように矛盾を解消してしまうことには、たいした意味はない。何故なら、少年の彼が中年となった自分に言う〈終わりなしが、終わりなの〉という言葉のなかにこそ『家路』の時間意識の一端が隠されているからである。

夢は、目覚めてはじめてそれが夢だったことが了解できる。夢のなかで、もしかしたらこれは夢なのかもしれないと思っていても、それが間違いなく夢であったとわかるのは、目覚めてからである。この構造は、過去と現在にも当てはまる。過去は、それを想起する現在において「過ぎた現在」として了解される。換言すれば、現在とは、過ぎた時間のなかにある出来事を過去として構成している「いま」のことなのである。であるならば、人は、自分の死を過ぎた時間のなかにある出来事として了解する「いま」をもつことはない。自分は死ぬ、と意識している時は未だ死んではおらず、死が訪れた瞬間に〈ずっとそのまま〉に凝固する。人の死は、まさに〈終わりなしが、終わり〉なのである。こう考えてみれば、〈是の夕、薨ず〉と夢のなかで自らの死を経験してしまった『枕中記』の盧生の方が奇妙といえば奇妙なのである。
　人間の生命の運動が、不可逆的な直線を辿るものであることは否定できない。〈男〉が言うように〈時間は流れるから、同じことは二度と起こらない。単線であることから逃れられないという認識から逃れられない〉はずである。だが、人生は同じことの繰り返しであるというのも拭うことのできない実感である。夢のなかの〈男〉の人生も些事の反復として描出されている。

　茗荷に蚕豆そうめんと、隣で買ってきた朧豆腐を銘々皿におたまで掬って、男と妻と小堺とでそれを食べる。酒を飲む。小堺が帰る。夏が過ぎる。小堺さん元気そうだったわね、と妻と談笑していると、呼び鈴が鳴って、小堺がまた西瓜をもってあらわれる。季節が一巡りして、何度も小堺が訪ねてくる。年々手土産の西瓜がちいさくなってゆくがわけを聞けないでいる。妻がそうめんをゆで、豆腐屋から朧豆腐を買ってくる。三人で、かつおぶしと醤油をちょろりと垂らして、それを食べる。酒を飲む。小堺が帰る。夏が終わる。また呼び鈴が鳴る。小堺が来るから夏が来る。朧豆腐を買いに行く。目の前があいまいに揺

らいで、時空全体も朧と化してゆく。〔『家路』〕

ある年の夏と別の年の夏は、当然のことだが異なる時間に在り、直線で表象された時間では異なる点として示される。それは、〈小堺〉が持ってくる手土産の西瓜が年々小さくなってゆくこととして認識されている。だが、それは「同じ」夏の出来事であり、卓を囲んでいるのも「同じ」三人である。記憶は、精確な年代記ではなく、書いては消し、消しては書いた、重ね書きのようなものである。下の層にある記憶は、妙にはっきり見えることもあるが、時の経過とともに滲んでいく。毎年繰り返された出来事は、記憶のなかでいつの夏のことだったのかが曖昧になり、朧気なある夏の日のこととなっていく。そして、反復される日常と記憶の曖昧さが、時間を円環であるかのように感じさせるのである。

直線である時間を揺るがせ、円環であるかのように感じさせるもうひとつのものは、時間の表象である。春夏秋冬と巡る季節だけでなく、暦や時計によって表象される時間の推移は、循環する数によって示されている。周知のように、古代ギリシアにおいて、時間が天体の運動によって計られていたことから、時間は、円環として捉えられていた。「数に即して円運動をして行くところの時間」（種山恭子訳、プラトン『ティマイオス』）や、「時間それ自体が或る種の円環である」（アリストテレス、前掲書）などの言葉は、そのことを示している。確かに、天体や自然は、円環のように「始まり」と「終わり」のない運動を繰り返しているようにも見える。

「始まり」と「終わり」のない円環運動を繰り返すように見えるものは、「永遠の似像」だと言うこともできる。

「年年歳歳花相似／歳歳年年人不同」（劉廷芝『代悲白頭翁』）という人々に膾炙した漢詩があるが、この詩は、円環運動するように見える自然のなかで、ひとり線的な時間を生きる人間の在りようを、歌ったものである。唐代初期の劉廷芝より千余年後の、二十世紀を生きたハンナ・アレントは、『人間の条件』にこう記している。

いいかえれば、この個体の生命は、その運動が直線を辿るということによって、他のすべてのものと異なっている。その直線運動は、いわば、生物的生命の円環運動を切断している。つまり、一切のものが――それが動いているとして――円環にそって動いている宇宙にあって、直線にそって動くこと、これが可死性である。（志水速雄訳）

アレントは、全宇宙のなかで人間だけが死すべき存在であるのは〈生から死までのはっきりした生涯の物語をもっている〉からだと指摘している。確かに、生物的生命としては、人間も生殖によって、循環している。人間をもっと大きな別の視点から見れば、「年々歳々人似たり」と詠うことも可能なのである。そうでないのは、この宇宙でおそらく人間だけが言葉で「私」というものを編み、死は「私」の死であり、「私」を起点とする世界の消滅だと捉えているからに他ならない。
夢のなかの〈男〉も、生物的生命としての円環と自己の死の関係をひとつの諦念とともに感得している。

男と妻とで、孫を抱きながら、両家の位牌が立ち並ぶ仏間にいる。先祖代々父母が死に、やがて自分も死に、子もそう永くはなく死ぬ、そう永くはもたないとわかっていても、子は自分の子をうんであらん限りの組み替え方で、現在がながれつづける。そのことだけが永遠で、みなその傍らで死んでゆく。つつがなく一日もひと夏も過ぎてゆく。会社帰りに延長コードを買って天気予報をみて、タクシーに乗ってまた家に帰るはずだった。しかし、どのみち帰る先が家であろうとどこであろうと、いずれは死に辿りつく。〔『家路』〕

日常生活の些事の繰り返しと時間の表象は、死へと向かう直線的な流れを「始まり」も「終わり」もない円環のように見せ、花のように毎年同じように咲き、永遠にこの生が続くように思わせる。だが、人は、円環運動のような日常からいつかひとりで放り出され、死へと向かう直線を描く。夏になると西瓜を持って訪ねてくる〈小堺〉が〈紫の包みにおさめられた骨壷〉に納まってしまったように、〈男〉も会社と家を往復する円環運動からイタリアの湖水地方へと放り出されてしまったのである。

『流跡』に描かれた「物質」としての永遠性に準えれば、「生物」の円環としての永遠性によっても永遠への憧憬は充たされることはない。永遠を断念せざるを得ない人間は、それでも時に、不意に現れては消える「永遠の似像」に眼を奪われてしまうのである。

永遠を写す似像

未来に向かう永続性という意味での永遠から見放されているからだろうか、人は過去をいとおしむ。過ぎてしまった遠い時間のなかに佇んでいる出来事は、時にそのままの姿で現在に甦る。実家でうたた寝をしていた〈永遠子〉は夢を見る。

二十五年以上むかしの、夏休みの記憶を夢としてみている。つくられたものなのかほんとうに体験したことなのか、根拠などなにひとつ持ちあわせないのが夢だというのに、たしかにこれはあの夏の一日のことだという気がしていた。かつて自分の目がみたはずの出来事に惹き込まれていた。なにかのつづきであるかのようにはじまっていた。自分の人生が流れてゆくのをその目でみる。ほとんどそのときそのものであるように、幼年時代の過去がいまとなって流れている。〔『きことわ』〕

夢が〈永遠子〉を時間の外に連れ出し、過ぎて還らぬはずの時間がそのままに現在として流れている。この夢を見ている〈永遠子〉の〈このまま夢のなかで過ごしつづけることになったとしても〉かまわない、というほどの思いを、『失われた時を求めて』の話者がゲルマント邸の中庭で敷石に片足をのせたときに感じた〈ある幸福感〉に近いものと言ってみることもできるだろう。

すなわち、皿に当たるスプーンの音、不揃いな敷石、マドレーヌの味などを、現在の瞬間に感じるのと同時に、遠い過去の瞬間においても感じていた結果、私は過去を現在に食いこませることになり、自分のいるのが過去のなのか現在なのかも判然としなくなっていた、ということだ。実を言うと、そのとき私のなかでこの印象を味わっていた存在は、その印象のもっている昔と今とに共通するもの、超時間的なもののなかでこれを味わっていたのであり、その存在が出現するのは、現在と過去のあいだにあるあのいろいろな同一性の一つによって、その存在が生きることのできる唯一の環境、物の本質を享受できる唯一の場、すなわち時間の外に出たときでしかないのだった。そのことは、私が知らず知らずにプチット・マドレーヌの味を再認した瞬間に、死に関する私の不安がやんだ理由を説明してくれるものだった。〔鈴木道彦訳、プルースト『失われた時を求めて』〕

〈永遠子〉や『失われた時を求めて』の話者の体験は、単なる想起ではない。想起は、知覚でも過去の知覚の再現でもなく、現在において、過ぎた時間のなかにあるものを過去として、言語で再構成することである。過ぎ去ってしまった「時」は、不在であるが故に追い求められる。だが、それは意志の力で呼び戻すことはできず、夢やふとした瞬間に現前と不在の間《あわい》に在るものとして、想起とも知覚ともつかない形で到来する。そして、過去と現在が融合したかのような、この束の間の瞬間に、人は線的な時間の流れの外に在るように感じ、死の不安さえ消え去るのである。であるならば、過ぎてしまった不在の時間が不意に現前したようなこの感覚のなかに「永遠の似像」が潜んでいる、と言うことができるだろう。

過去が現前したような夢を見た〈永遠子〉の時間は揺らいでいく。自宅で娘の帰りを待ちながら、洗濯物を取り込んでいる〈永遠子〉には、次のような思いが去来する。

さっきまで一五歳だった自分が四〇歳になっている。さっきまで娘とおない歳の貴子とふざけあっていたはずが、永遠子は自分が子どもをうみ、母親となっていることに驚く。じきにそろばん教室から戻ってきた百花を永遠子は抱きしめて頭を撫でる。たしかに自分の娘に違いはないのだった。それでも、いつの間に時が過ぎていたのか。ふと、いまいる正確な立ち位置があやふやになる。（『きことわ』）

このふたつの〈さっき〉という言葉には、いくつもの時間が織り込まれている。実家で夢を見ていた数時間前、日常の時間意識としての〈さっき〉であり、十五歳だった自分が今は四十歳の母親になっているという驚きが招きよせた〈いつの間に時が過ぎていたのか〉という思いによって生じた内的時間意識と客観的な時間のずれとしての〈さっき〉でもある。そして、夢のなかで「地球上にせいめいがうまれたときからいままでのおはなし」という絵本を読んだときの〈ほんのわずかな間に何億もの時間が永遠子の身体を通りぬけていくよう〉な感覚が喚起する膨大な宇宙的時間との対比における二十五年という時間の短さという意味も込められている。この三つの時間意識が絡み合って線的に秩序だって進んでいるはずの時間を歪ませ、〈永遠子〉の〈いまいる正確な立ち位置〉を揺るがせる。

言葉で分節された時間の幅は、客観的な時間の幅とは一致しない。五分あるいは一時間は常に同じ長さを持っているはずであるが、それはおうおうにして「まだ」や「もう」という言葉を付して言い表される。そして、数で表象される時間は、過去にも未来にも無限に拡大して言うことができる。帰ってきた娘と〈「大むかしの生物」図鑑と、夢のなかで読んでいたのとおなじ黄色い絵本」〉を見ていた〈永遠子〉は、〈三億五千年前から、それよりずっとむかしからいまにかけてたえず時間は流れつづけている〉ことに気づく。〈およそ350,000,000ねんまえ〉と横書きにされた数字は、どこまでも遡行することのできるかのような言葉で分節された時間の奇妙さを指し示している。

夢をみない〈貴子〉の時間を揺るがせるのは、〈永遠子〉と再会する〈葉山の家〉と、そこで甦った記憶である。〈貴子〉の母〈春子〉の死後二十五年間放置されていた別荘は、〈幽霊屋敷〉のようになっているという予想に反し、〈さびることとさえ忘れた〉かのように〈かわらず建っていた〉。あたかも時が停止したかのように変化を免れ、そこにそのままに在る別荘は、二十五年ぶりにそこを訪れた〈貴子〉に〈身のうちに流れる生物時計と、この家の時刻〉が〈それぞれの理《ことわり》をもってべつべつに流れていた〉ように感じさせる。

流れる時のなかで静止しているように見えるもの、それは「永遠の似像」である、と言うこともできる。だが、それ以上に、〈貴子〉にとって、この別荘は過去を現在化し、現在を生きる「私」を過去と結びつけ、生の物語に手ざわり《リアリティ》を与える空間だった。別荘に足を踏み入れた〈貴子〉は、〈記憶のひとのすがたがたちのぼり、横切る〉のを眼にする。

時間のむこうから過去というのが、いまが流れるようによぎる。ふたたびその記憶を呼び起こそうとしても、つねになにかが変わっていた。同じように思い起こすことはできなかった。いつのことかと、記憶の周囲をみようとするが、外は存在しないとでもいうように周縁はすべてたたれている。…（中略）…もはやそれが伝聞であるのか、自分の目の記憶なのか、判別できない。この家を行き交った人のすがたが、ほんのわずかのあいだ、喋り、笑い、飲み食いなどして去る。〔同前〕

〈永遠子〉が夢のなかで感じた過去と現在が融合したような感覚を、〈貴子〉も経験している。それは、〈永遠子〉の夢が〈つくられたものなのかほんとうに体験したことなのか、根拠などなにひとつ持ちあわせない〉のと同じように、〈貴子〉には記憶が〈それが伝聞であるのか、自分の目の記憶なのか判別できない〉からである。〈貴子〉が眼にする〈記憶のひと〉には、〈永遠子〉も含まれている。それは〈貴子〉が生まれる前の〈永遠子〉の姿である。

貴子は生まれる前から永遠子に会っている。貴子が春子に妊娠されていたとき、脂肪のほとんどない春子の腹を布越しに永遠子は撫で、「これからどんどん膨らむらしいの」と春子は永遠子の手をとって腹部に運ばせた。貴子が知りようもない過去に違いなかったが、生まれる前に貴子に触れているのだと永遠子から何度も聞かされるうちにその思い出が身のうちに入りこみ、いまはみたこともないその光景もすでに貴子の記憶となっていた。

（同前）

夢も記憶も、それが長い時間に晒されることによって、それが現実のことだったのか、そうではないのかがあやふやになっていく。そして、それが確かにあったこととして感じることができるのは、夢や記憶の外部との整合性ではなく、その手ざわり《リアリティ》だけである。幼くして母を喪った〈貴子〉にとって、〈春子の気配と痕跡とにみちて〉いるこの別荘は、自らに連なる他者の記憶も含む、自らの生の物語の始源を内在させた小宇宙なのである。

〈永遠子〉と〈貴子〉は、幼い日をともに過ごしたこの別荘で二十五年ぶりに再会した。取り壊されることになった別荘の部屋を片付けながら思い出を語るふたりの記憶は、重なり合いながらもどこか微妙に食い違っている。それればかりか、一方の記憶が他方には欠落していることもある。会わずに過ごした二十五年間という時間のなかで、それぞれが書き足した生の物語は大きく隔たり、その岐路も遠く霞んでしまった。

だが、ふたりを繋ぐものはある。そのひとつが、ふとしたことから〈永遠子〉が〈貴子〉の髪や顔に触れたときの手ざわりである。〈貴子〉の髪が指の付け根にからんだときの感触や、肌の熱さは、二十五年の歳月を経ても〈むかし〉と同じ〈貴子〉だと感じさせる。もうひとつが、〈こうしているうちに百年と経つ〉という言葉である。〈永遠子〉が夢のなかで〈春子〉の声として聞いた言葉を、別荘の片付けも終わり雨音を聞きながらソファに腰掛けていた〈永遠子〉が頭に浮かべ、〈貴子〉が口にする。

百年という時間の幅は、四十歳の〈永遠子〉にも三十三歳の〈貴子〉にも未知のものであり、言葉で象ることができるだけのものである。だが、〈四〇歳という具体的な年齢が自分の身に到来する日は、千年先のことと同じだ〉と思っていた〈永遠子〉にも、〈当時、九歳になったばかりだった娘も母親の享年を越えてゆく〉ことに気づいた〈貴子〉にも、二十五年の時間は確実に過ぎた。ならば、こうしているうちに百年という時間が経つことも確実なことである。

時間は数で数えられる。数は無限である。どのような膨大な数もそれに「1」をプラスすることによってさらに大きな数に姿を変える。この数の無限性が時間の無限性を導き出す。時間は「私」が生成する前から刻々と進んで来たし、「私」が消滅した後も刻々と進んでいく、と考えられるのは、時間が数えられるからである。プラトンは次のように述べている。

ところで、かの生きもの（宇宙—引用者注）の場合は、その本性まさに永遠なるものだったのでして、そのような性質は、じっさい、生成物に完全に付与することができないものでした。しかし、永遠を写す、何か動く似像のほうを、神は作ろうと考えたのでした。そして、宇宙を秩序づけるとともに、一のうちに静止している永遠を写して、数に即して動きながら永遠らしさを保つ、その似像をつくったのです。そして、この似像こそ、まさにわれわれが「時間」と名づけて来たところのものなのです。〔種山恭子訳、プラトン『ティマイオス—自然について—』〕

「永遠の似像」は、「始まり」も「終わり」もない円環運動を繰り返すかのような天体や自然でも、過去と現在が融合したかのような時間の外に出た瞬間でも、時間の流れのなかで静止しているように見える別荘でもなかった。無限に動き、流れ続ける時間こそが「永遠の似像」だったのである。時間に身を浸し有限な生を生きることは、すなわち「永遠の似像」のなかを通り抜けることなのであり、有限な生を生きる人間のみが無限を知ることができ、時間の内にある人間のみが永遠を眼にすることができるのである。

〈永遠子〉と〈貴子〉が〈こうしているうちに百年と経つ〉という言葉で了解したことは、そういうことなのであろう。だからこそ、〈春子〉の記憶を内在させた別荘が取り壊されることも、その別荘の屋根を叩く雨音を〈幼かったふたりの踵が天井から響いているのかもしれない〉と思いつつ〈その物音が自分たちとひとつながりであるようには思えな〉いことを〈それはそれで構わないことだとふたりはべつべつのことばで思〉うのである。過去はすでに失われ、現在もやがて失われていく。人間の生のなかに時間の外に在るものなど何ひとつないのである。

『流跡』から『家路』を経て『きことわ』までの三篇で、朝吹真理子が描き出した世界は、有限な時間を生きる人間が決して辿り着くことはできないが、それぞれの生の傍らに佇んでいる、静謐にして、永遠の世界の似像なのである。

第八節

空虚の密度を見つめて
―林京子論―

出来事との隔たり

林京子が自らの被爆体験を素材とした短篇小説『祭りの場』を発表したのは、一九七五（昭和五〇）年、長崎への原爆投下から三十年の後である。この出来事と作品の時間の隔たりに注目することから本稿を起こそうと思う。

短篇『祭りの場』には、「忘却」という言葉で何かを言おうとした箇所がふたつある。

「忘却」という時の残酷さを味わったが原爆には感傷はいらない。

しかし忘却という時の流れは事件のエッセンスだけを掬《すく》いあげ、極限状態は忘れ去る。

〔『祭りの場』〕

前者は〈全身にケロイド状の模様〉のある〈ひばくせい人〉が登場する少年漫画が掲載されたことを知った時の、後者はアンデス山脈で起きた航空機事故の生還者の記録を読んだときの、作者の思いである。

ここで問題とされているのは、出来事そのものの忘却ではない。原爆投下も航空機事故も出来事としては記録され記憶されている。だが、時の流れは、出来事を最大公約数的な集合的記憶としてひとつの形に練り上げてしまう。そこから零れ落ちていくのは、出来事の内部にいた人々の、それぞれ異なる具体的細部を持つ記憶である。出来事の外にいた者や出来事の後にいる者が集合的記憶として出来事を記憶するという行為は、その具体的細部を忘却するという点において、出来事を経験した者に、ひとつの暴力として作用する場合がある。

三十年という時間は、出来事を集合的記憶に変えてしまうのに充分な永さを持っている。だからだろうか、この時期の群像新人文学賞や芥川賞の受賞作には植民地での生活や戦争、「引揚げ」の記憶を描いたものが少なくない。それらの作品には、集合的記憶の暴力に抗うというモチーフが秘められているように思われる。例えば、一九六九（昭和四四）年、第一二回群像新人文学賞受賞作である李恢成の『またふたたびの道』の「あとがき」に記された「僕はもだしがたい気持でこの作品を書いた」という言葉には、日本人の集合的記憶には包摂されない朝鮮人の「引揚げ」の物語を、その具体的細部とともに提示する意志が込められている。李恢成にとって、サハリンから「引揚げ」た朝鮮人を忘却されることは、自らの存在の原基を奪われることに等しかったのである。

林京子が『祭りの場』を書いた背後にも、この「もだしがたい気持」と似たものがあったことは想像に難くない。彼女の生は、一九四五（昭和二〇）年八月九日を境に全く異なるものとなったからである。

　私のなかでも、何かが、十四歳の八月九日で終っていた。終ったのは、屈託がなかった上海時代の、母の胎内から生まれた私の生命と人生に思えた。それは終ったとしても、私は生きている。それ以後の生命と人生が、何から生まれ、何に根に伸びていくのか、見当がつかない。だが終ったことだけは、私にもわかった。（『上海』）

ここで注目すべきは、この区切りが誕生以来の〈生命と人生〉が終わったのに生きている、つまり死と再生に匹敵するような存在の在りようの転回と捉えられている点である。このような転回を遂げざるをえなかった〈それ以後〉の「私」は、一九四五（昭和二〇）年の八月九日の記憶、それも「私」しか語りえない具体的細部を伴う個的な記憶なしにはその連続性も全体性も維持できなかった。ここに『祭りの場』という短篇の強固な礎がある。だが、それだけでは林京子というひとりの作家の誕生を説明したことにはならない。忘却あるいは集合的記憶による個的な記憶の切り捨てに抗うというだけなら「小説」ではなく「証言」でもよかったからである。林京子が小説という形式を選んだ理由は、『二人の墓標』と『曇りの日の行進』を含む作品集『祭りの場』（一九七五〈昭和五〇〉年八月、講談社）を読むことによって、はじめて明らかになる。

短篇『祭りの場』は、〈私〉を主語とする、いわゆる私小説の形式で書かれている。語り手は、一九四五（昭和二〇）年と現在を往還しながら八月九日を象っていくが、後に資料や伝聞で知ったことはそうとわかるように記述され、視点はあくまで〈私〉に固定されている。自らの経験を忠実に語ろうとすれば、このような方法によるしかない。それ以外の語法で語ることは、既に言葉を発することができない死者を前面に押し立て、何かを主張することに繋がる。原爆やアウシュビッツなどの極限状況を素材とした作品が抑制的に語られることが多いのは、生き残った者が「正義」を主張するために、死者を晒すことを避けようとする周到な配慮によ る、とも言える。だが、限定された個的な記憶だけでは出来事の全体や、その全体性の下でしか明らかにならない真実を、出来事の外や出来事の後にいる他者に伝えることはできない。極限状況を語ろうとする多くの者は、この経験の個別性と出来事の全体性の相剋に陥る。

この相剋のなかから生み出されたのが『二人の墓標』である。八月九日の爆風で削りとられた小さな山の窪地に建てられた墓標の下に眠るふたりの少女の被爆から死までを、姿を現すことのない語り手が語るこの作品は、敢えてジャンル分けすれば虚構《フィクション》に属する、と一応は言える。

ふたりの少女は、動員されていた軍需工場で被爆するが、ほんとんど外傷のなかった〈若子〉は〈母の住むみかんの村〉に帰り着き、背中一面にガラスの破片が突き刺さった〈洋子〉は山の窪地で命が尽きる。出来事の外部にいた者が〈洋子〉を〈山の窪地〉に残して逃げた〈若子〉の行為を非難することができるのかをめぐり作品は展開するが、〈洋子〉の四十九日の翌日に原爆症を発症した〈若子〉も死ぬ。外傷によって原爆投下の数日後に死亡した者も、数十日後に原爆症で死んだ者も、原爆の被害者であるという点においては同じである。だが、生きて家に帰り着いた者を責めることでしか我が子を喪った悲しみに耐えられぬ母も、死期が近づいた我が子から自責の念を拭ってやろうとする母も、そして、ただそれを見つめるだけの者も、いたのである。

『二人の墓標』の語り手は、被爆した者、その家族、さらにその外部にいた集落の人々など様々な視点から八月九日を象ろうとしているが、単純に虚構《フィクション》とは言い難い既視感を感じさせる。それは、先行する短篇『祭りの場』によって与えられるものである。作中人物の年齢、〈若子〉が爆心地近くの軍需工場で被爆しながらほとんど外傷がなかったこと、ともに被爆した友人の〈洋子〉という名、〈片腕〉の工長（『祭りの場』では次長）、〈若子〉が〈支那大陸の或る街に、住んでいた〉ことなど、『二人の墓標』には『祭りの場』と重ねて読まずにはいられなくなる痕跡がちりばめられている。この痕跡が虚構《フィクション》である『二人の墓標』に刻み込まれた背景を、次の一節は如実に語っている。

　若子の瞼に、数時間前までいたN市のありさまが浮ぶ。逃げた山で、洋子にとった仕うちが間違っていたとは、若子は思わない。しかしあの時の様子をありのままに話せば、村人は、非情か！　と多分非難するだろう。

　理解できるのは、あの時、あの場所にいた人たちだけだ。それさえ時間がたてば、その日の異状な火の玉は消えてしまって、結果のよし悪しだけが残る。総ての条件が消えてしまって事実だけが残ったとき、若子はどうすればいいのか。（『二人の墓標』）

　出来事の只中にいた者にしか理解できない真実というものがある。従って、出来事はその内部から語られなければならない。だが、「異常な状況においては異常な反応がまさに正常な行動である」（霜山徳爾訳、フランクル『夜と霧』、一九六五〈昭和三一〉年八月、みすず書房、傍点原文）とされる極限状況にあった者がそれを〈ありのまま〉に語っても、出来事の外や出来事の後にいる者は「正常な状況」を前提にしか思考することができない。出来事の全体性を抜きには成り立たぬ真実は、現実と虚構の間《あわい》でしか他者に語ることができない。一九四五（昭和二〇）年八月九日の被爆者の経験もそういう性格をもっている。
そのような真実を語るために呼び寄せられたのが、様々な作中人物の視点に入りこんで語りながら、結局姿を現さない語り手である。この語り手はいったい誰なのか、を問うとき、パウル・ツェランの詩集『誰でもない者の薔薇』（『パウル・ツェラン全詩集』第一巻、青土社、一九九二所収）の冒頭に掲げられた詩はそのきっかけを与えてくれるように思われる。〈かれらのなかに　土があった、そして／かれらは掘った〉と歌い出されるこの詩は次のように締めくくられる。

ぼくは掘る、お前は掘る、そして掘るのだ　あの虫も、
そして　あそこで歌うものが言う、「かれらは掘っている。」と。

おお　一人、おお　一人も、おお　誰も、おお　お前——
どこへ行ったのか、どこへも行かなかったゆえに？
おお　お前は掘る　そしてぼくは掘る、そしてぼくはぼくをお前に向かって掘る、
そして　ぼくたちの指に　指輪が目覚める。〔中村朝子訳〕

この〈おお　一人、おお　一人も、おお　誰も、おお　お前——（O einer, o keiner, o

niemand, o du:)〉という叫びにも似た一節は、両親や友人を強制収容所で喪い「生き残り」となったツェランが、自己の個的な経験を超えてユダヤ人虐殺という出来事の全体を歌い出す根拠となっているように思われる。〈わたし〉は、誰か（einer）を求めて土を、そして〈ぼく〉を〈お前に向かって〉掘る。向こうからも〈お前〉が掘る。やがて、〈ぼく〉は誰でもないもの（niemand）を経由して〈お前（du）〉という他者と出会い、〈ぼくたち〉となる。他者と共有することのできない具体的細部を備えた個的な記憶をもつ「私」は、この誰でもないものを経由することによって不在となった他者の、非在の記憶に触手する。同じひとつの極限状況に置かれたというそのこと、死者と生者を分かつものが単なる偶然や恣意でしかなく、他者が生者となり「私」が死者となる可能性が「可能性」という言葉を超えてすぐ隣にあったこと、そのことが絶対に他なる者であるはずの他者と「私」を溶け合わせる。このような道筋でしか人は、経験の個別性を突き抜けて出来事の全体性に辿りつくことができない。それを虚構と言うこともできるだろう。だが、そこには「虚構」という言葉からはみ出す出来事の手ざわり《リアリティ》がある。『二人の墓標』の語り手は、このような感覚と思考によって作者の経験の個別性を超え、八月九日の出来事全体に迫るために呼び寄せられた〈だれでもないもの〉なのである。そして、そのような語りを導入することが可能なのは、虚構《フィクション》という形式の小説だけなのである。

時間によって出来事から隔てられることによって明らかになるものがある。それを主題としているのが、八月九日から十数年後の一九五〇年代末を作品内現在とする『曇り日の行進』である。作品の冒頭近くには次のような一節が異物のように置かれている。

私が住む、この海辺の街は、小説「太陽の季節」に書かれて以来、東京方面から遊びに来る若い海水浴客が、めっきりふえた。(『曇り日の行進』)

この一節が単に作品の舞台を説明するために置かれたものでないことは、少し後にある、肌を露にした〈若い海水浴客〉の〈男も女も、性の隆起を意識的に誇示しながら、何くわぬ無邪気さを装って、すれ違いざまに素肌をぶっつけあっている。男と女の生殖器だけが、移り気な光の中を闊歩していた〉という描写からも明らかである。この過剰に意味づけられた描写には、〈私〉が眼にしている若者に小説『太陽の季節』の作中人物が重ね合わされているように思われてならない。つまり、ここにはこの小説に対する批評が織り込まれているのである。

『太陽の季節』は一九五五(昭和三〇)年に発表された第三十四回芥川賞受賞作であり、作品に描かれた既成のモラルに縛られない若者の風俗は、「太陽族」と呼ばれる若者を登場させるなど一種の社会現象を巻き起こした。「戦後の時代を画した、純粋戦後世代の第一声である記念碑的作品」(奥野健男)と評されたこの作品はしかし、大きな欠落を内包している。それを端的に言えば、死、あるいは存在の自明性への問いである。ヒロインの死によって幕を閉じる『太陽の季節』に死が欠落しているというのは奇妙な言い方かもしれない。だが、〈これは英子の彼に対する一番残酷な復讐ではなかったか、彼女は死ぬことによって、龍哉の一番好きだった、いくら叩いても壊れぬ玩具を永久に奪ったのだ〉(『太陽の季節』)という一文に行き当たるとき、このヒロインの死がプロットとして置かれたものであることに気づく。〈英子〉の葬儀に赴いた〈龍哉〉は、〈英子〉の遺影は眼にするが、棺のなかの〈英子〉と対面したとは書かれていない。それは、かつて恋人を事故で喪った〈英子〉が〈引き裂かれて潰された男の車を見た〉としか書かれていないのと同じように、『太陽の季節』という作品世界においては、死は彼らの外部にあり、彼らの生の物語を展開させる出来事に過ぎないからである。

作者の石原慎太郎は、林京子に遅れること二年、一九三二(昭和七)年の生まれであり、戦争の時代を潜り抜けた世代である。『太陽の季節』にも戦争の影は、〈英子〉が〈子供心に恋をした従兄の兄弟〉は〈戦争で殺された〉という形で影を落としている。もし、『太陽の季節』が「戦後の時代を画した」とするならば、それは、夥しい死と隣り合わせの日々が過ぎ去り、存在の自明性に包まれた日常が戻ったことを作品底部に据えているという点に求められるのかもしれない。

だが、そのような「戦中」と「戦後」を画する状況の変化とは無縁な若者もいた。『曇り日の行進』には、そのような者たちが刻印されている。その青年は、八月六日に広島で開催される原爆記念祭に参加するために東京から行進を続ける人の一団のなかにいる。〈原水爆実験絶対反対〉の〈白布ののぼり〉を持つ彼の顔には、唇から左耳にかけて〈模型地図の、山脈〉のようなケロイドがある。

長崎か、広島か。青年は母の膝か胸に抱かれていて、あの日の閃光を頬に受けたのだろう。同年輩の、海辺の夏を謳歌《おうか》する健康な若者たちの中でみると、虫くった果実のようにかじかんでいてみにくかった。(同前)

〈性の隆起を意識的に誇示しながら〉海辺を歩く〈夏を謳歌する健康的な〉若者と、〈白布ののぼり〉を持った〈虫くった果実のようにかじかん〉だ青年とのコントラストは、戦争で死んだ者の空虚をざわめきで埋め存在の自明性に埋没する者と、死者が穿った空虚を携えて生きる者のコントラストでもある。顔にケロイドのある青年や、原爆症の発症と息子への遺伝に怯えながら生きる〈私〉は、戦争という過去を切断し現在を生きることはできない。過去と連続する現在を生きることは、死によって不在となった者の空虚の傍らで生きるということでもある。廃墟となった街が再建され戦争の痕跡が消えるように、人々の傍らから死者が穿った空虚が覆われていく。そしてそのような「戦後」を反映する小説が社会的なブームを巻き起こす。『曇り日の行進』は、そのような時代と、時代を反映した文学に対する批評を含んでいる。

出来事から隔たること、時間の経過によって隔たり、「証言」としてではなく「小説」として、それも自分が経験した八月九日ばかりではなく虚構を交えた小説や被爆から数十年後の日々を素材とした小説を書くという行為によって隔たること、そういう迂回した経路を辿って林京子は一九四五（昭和二〇）年八月九日の出来事に接近していった。作品に刻印された言葉が被爆という出来事の内部に留まらず外部に突き抜ける力を持って読者に届くのは、その言葉が「隔たる」と「接近する」という一見矛盾する運動を繰り返すなかで紡がれたものだからである。

まなざしの二重性

一九八一（昭和五六）年、林京子は三十六年ぶりに子ども時代を過ごした上海を訪れ、その旅を小説『上海』に書いた。その冒頭には、〈上海そんなに遠くない〉という〈国民学校五、六年生の副読本に掲載されていた、詩の一節〉が記されている。

上海そんなに遠くない、というつぶやきは、詩を書いた少年が内地を発って、船内で一昼夜を送り、翌朝、上海に入港したときの感想である。日本内地には、少年の祖母が残っている。赤・黄・緑と、別れの紙テープを束ねてもった老婆は、遠い国に行ってしまう、と孫たちを見送りながら、繰り返し嘆く。少年は、祖母の嘆きの言葉を思い出しながら、上海そんなに遠くない、とつぶやくのである。祖国への手がかりを求める、望郷の言葉である。詩の一節は、上海から日本を測る、私の言葉にもなっていた。〔『上海』〕

ここには、林京子の場所に対するまなざしの根底に在るものがどのように培われたかが如実に表されている。本来、距離は、いま自分が居る場所からの隔たりによって測られる。従って、上海で暮らす子どもたちにとっては、「日本そんなに遠くない」というのが普通である。だが、上海の教室で〈上海そんなに遠くない〉と転倒した言い方を習う。やがて子どもたちは、そのまなざしが〈祖母の嘆きの言葉を思い出しながら〉、つまり、他者の視点を経由して構成されていることに気づく。いま自分が居る、本来距離のない場所を他者の視点で〈そんなに遠くない〉場所と二重化するまなざしは、異邦で暮らす者に特有のものである。

祖国を離れて異邦で暮らす者の二重化したまなざしは、祖国に帰ることによって修正されるとは限らない。幼少期を過ごした故郷《ふるさと》を喪失することによって新たな転倒に晒される。

長崎に引き揚げてきてから、私は、上海そんなに遠くない、とつぶやくようになった。頭が空白になって身の置き処がないとき、つぶやく。そうすると私の心は落ち着く。諫早に疎開している母や姉妹たちから離れて、長崎に一人下宿する淋しさもあるが、上海を離れている自分に、上海そんなに遠くない、と言い聞かせるのである。（同前）

〈上海そんなに遠くない〉という言葉は、上海を離れ長崎に居ることによって言語的な転倒を解消した。だが、かつては祖国との関係を見失わないように習わされたのであろうその言葉は、戦争が終わったら〈上海に帰ろう〉という気持とともに、喪失した故郷との関係を確認するという別様の意味をもって〈私〉に到来している。このとき、〈私〉の「場所」へのまなざしは、故国／故郷喪失者《エグザイル》のそれと同質のものになっている。

故国／故郷喪失《エグザイル》とは、かつて居た場所（それは居るべき場所や、居るはずの場所であるという意味合いを含む場合が多い）から何らかの理由で、多くの場合暴力的に、引き離された者たちである。彼らはいま居る場所をかつて居た場所と二重写しにまなざす。そして、現前と不在の間《あわい》に現実を構成するのである。そのようなまなざしは、存在や物語の自明性を問うことに繋がっていく。彼らの視線は、二十世紀半ば以降の言語論的転回と呼ばれる知の枠組みの転換を推し進める原動力のひとつとなった。E・サイードはこのように述べている。

> すでに論じてきたように、故国喪失は怨恨と悔恨を生むが、また洞察に満ちた鋭いヴィジョンも生む。あとに残したことについては、ただ嘆くしかないかもしれないが、しかし異なる物の見方を可能にする一連のレンズを授けてくれるものとして利用できる。故国喪失と記憶は、その定義からしても、ともに手を携えるものである以上、過去について何を記憶するのか、それをいかに記憶するのかが、未来をいかに見るかを規定する。〔E・サイード、大橋洋一他訳『故国喪失についての省察』みすず書房、二〇〇六年四月〕

自我同一性《アイデンティティ》を含むあらゆる同一性、安定性の感覚は、存在の自明性へと人を導く。「私」や「私」を囲繞する世界はこのように在ったし、これからもそう在り続けるだろうという確信は、別様《オルタナティブ》な世界や「私」の存在を見失わせる。空間や時間の移動の経験がもたらす流動性の感覚こそが〈異なる物の見方〉を可能にするのである。そして、そのようなまなざしこそが〈何を〉、〈いかに〉記憶するのか、そして〈未来をいかに見るのか〉を規定する。

『上海』という作品は、上海から長崎への移動、八月九日の世界の変容という出来事が培った「私」のまなざしを確認し描いた作品である。〈少女期に過ごした過去の地を、確かめるため〉の旅の途上で〈私〉は、次のような思いに至る。

成田空港を発って以来、私は三十数年前と今との間を、往ったり来たりしている。往ったり来たりしているのは記憶と思考で、実際は、迎えた瞬間に終わる、時が在るだけである。父がいて母がいて、四人の姉妹が家族として生活していた上海時代。見るもの聴くもの、味わうもの、肌に感じる風と温度と湿度と、あらゆる今が、過去の家族に結びつく。そのたびに胸をときめかせ立ち止まりながら、しかし訪ねれば訪ねるほど、無くなった日々を知るだけだった。(『上海』)

〈上海〉と名指すことなく〈少女期に過ごした過去の地〉という言葉を使っていることからもわかるように、この旅は多くの者が試み憧れる「失われた時」への旅という一面を持っていた。〈私〉は、あらゆる感覚を使って過去と現在《いま》を往還し、黄浦江の堤防で水の匂いをかいだときには〈子供のころに戻って感動〉する。まさに、過ぎてもう無いはずの「失われた時」が現在《いま》に立ち現れた瞬間である。だが、〈私〉は、そこに蹲り現前する世界の傍らに佇むもうひとつの世界を貪ったりはしない。そうしたい「私」を峻拒し〈無くなった日々を知るだけ〉のもうひとりの「私」がそこにいる。

そうさせるのは〈私〉が〈旧い中国〉を探しながら、現前する〈新しい中国〉に眼を奪われるからであり、〈私〉の故郷である上海に日本の侵略の傷痕を見出すからである。〈租界の侵略、武力の侵略、買収による侵略、麻薬による肉体と経済の侵略、四方八方の侵略を、中国の人たちは経験している〉ことを抜きには中国をまなざすことができない〈私〉は、過去と現在、故郷と日本が侵略した場所を重ねて見ることによって〈何を〉、〈いかに〉記憶すべきかを問い直し続ける。通学していた上海第一高女の近くをマイクロバスが通過するとき〈飛び降りたい衝動〉に駆られた〈私〉が見学コースの友誼商店を抜けだし虹口にあった家のすぐ近くまで行きながら立ち寄らずに帰るのは、その問いの故である。

一九九九（平成一一）年、林京子は最初の原爆実験が行われたニューメキシコ州の〈トリニティ・サイト〉を訪れ、『トリニティからトリニティへ』(『長い時間をかけた人間の経験』)を書いた。そのときのまなざしも上海を訪れた十八年前と変わらない。ニューメキシコ州アルバカーキへ向かう車のなかで〈ニューメキシコの山と荒野を愛した〉アメリカの女流画家、ジョージア・オキーフを思い起した〈私〉は、彼女の描いた絵と二重写しに彼の地の自然をまなざす。そして〈オキーフが好んで描く花、山などの自然のなかに、少女や熟した女の肉体がみえてくるのである。それが、彼女の求めた究極の生命なのかもしれない〉という思いが〈グランド・ゼロ〉に立つ〈私〉に、ある気づきを与える。

大地の底から、赤い山肌をさらした遠い山脈から、褐色の荒野から、ひたひたと無音の波が寄せてきて、私は身を縮めた。どんなに熱かっただろう――。

「トリニティ・サイト」に立つこの時まで、私は、地上で最初に核の被害を受けたのは、私たち人間だと思っていた。そうではなかった。被爆者の先輩が、ここにいた。泣くことも叫ぶこともできないで、ここにいた。

私の目に涙があふれた。(『トリニティからトリニティへ』)

人類史上初の核爆発実験という出来事から〈何を〉、〈いかに〉記憶するかを問うことは、〈未来をいかに見るか〉に繋がってくる。そうであるならば、最初の被爆者は人間ではなく自然だったという気づきは、人間が自らが生み出した核という巨大な生産力と破壊力を持つ技術とどう向き合うべきかという極めて現代的な問いを先に進める一歩となる。

〈グランド・ゼロ〉に着く前に訪れた〈ナショナル・アトミック・ミュージアム〉で、ひとりの老人のまなざしに〈老人たちの世代が勝ち取った栄光〉を見た〈私〉は、〈核廃絶は人類の良識、と鵜呑みに信じていた私の神話〉が崩れるのを感じた。原爆投下の「正当性」を主張する〈アトミック・ミュージアムに展示してある過去〉と〈私〉の過去は重なり合うことはない。だが、その位置性《ポジショナリティ》を超えたところで語り合うことでしか、人間は先へは進めない。〈「グランド・ゼロ」に向かう私は、被爆する以前の、十四歳の少女に還っていたようだった〉という言葉は、そのことを指し示すとともに、八月九日の外や後にいる者には計り知れない、被爆という自らの記憶を長い時間をかけて人間の経験とする思索の跡がある。被爆者であるという消し去ることのできぬ記憶を括弧に入れ、ひとりの人間として「グランド・ゼロ」に立つことができたのは、あらゆるものを二重にまなざすそのまなざし故《ゆえ》と言うことができる。

空虚の密度

一九四五（昭和二〇）年八月九日の出来事が林京子に死と再生に匹敵するような存在の在りようの転回をもたらした、と先に書いた。その転回の中味に分け入ってみたい。

おそらく、八月九日を境に自らの存在と世界が変貌してしまったことに林京子がはっきりと気づいたのは、その年の十月に女学校の始業式が〈追悼会〉から始まったときである。講堂の舞台正面の壁には被爆死した教師と生徒の氏名が書かれた紙が貼られ、白布の台の上にはお供え物が置いてある。その半数は原爆症のために坊主頭の、生き残った女学生は椅子に座り、教師と被爆死した生徒の保護者がそれを囲んでいる。読経が始まると、娘を亡くした母親は泣き伏し、父親たちは一様に天井を睨んでいる。


生き残った生徒は、生き残ったのが申し訳ない。母親の嗚咽《おえつ》は私たちの身を刺した。担任教師が教え子の氏名を呼ぶ。惜しみながら呼ぶ。

講堂には線香の煙がたちこめていた。秋風が吹きこみ煙を乱す。

生き残った生徒は爆死した友だちのために追悼歌をうたった。(『祭りの場』)

この短い一節に〈生き残った〉という言葉が三度繰り返されていることに注目したい。「生き残る」とは「他者は死に、自らは生きている」ということに他ならないが、その生と死を分けているのは全くの偶然であり、何の理《ことわり》もない。爆心地の近くで被爆しながら腕時計をしていた左手の手首に火傷を負った以外に外傷はなかった林京子は、〈あの峻烈な爆風と閃光からほぼ完全に近く囲ってくれた物体は何か。偶然を造り出した重なりが知りたい〉(『祭りの場』)と記している。

理《ことわり》のない死、つまり理不尽な死を死ななければならなかった〈爆死した友だち〉の存在が、〈私〉に〈身を刺〉すほどの〈申し訳〉なさを感じさせている。そして、担任教師が〈惜しみながら〉呼ぶ〈教え子の氏名〉が、彼女らの不在を指し示している。

不在のものが存在する、あるいは、かつて存在していたものが不在となった後の虚無が存在する。この存在論的な語法の転倒のなかに、八月九日が林京子にもたらした存在の在りようの転回を読み解く鍵が秘められているように思われる。

もうひとつ例をあげよう。三菱兵器工場で被爆した〈私〉が原爆投下直後の松山町を通りかかった場面である。

松山町はくわでならされたように平坦な曠野《こうや》になっていた。

松山町は電車と町工場が目立つ家並みが低い町である。兵器や製鋼所の下請仕事や鍋かまを修繕する家が多い町である。陽がささない通り鰯《いわし》を焼く匂いがただよう町だった。家族がつつましく身を寄せて生活している町だった。此の町の持つ匂いが好きで、電車を途中で降りて私はよく歩いた。時には稲富と待ちあわせて工場の帰りを楽しんだ。薄暗い土間に老人が坐ってフイゴで風を送っている。火勢があがり人のよさそうな老人の顔が赤く浮かぶ。稲富は気さくに入りこんで、それ何ですか？　とたずねたりした。抱きしめたい、ささやかな幸福で満ちたりた町だった。それらの家が残らず無い。住んでいた人もいない。

〈同前、傍点引用者〉

厳密な時制を持たない日本語において、現在形と過去形が混在する文章は少なくない。従って、そこに何か意味を見出そうとすることは多くの場合ナンセンスである。だが、この一節には、そのようにしか書くことができなかった必然性を感じないではいられない。

原爆投下直後の作品内現在において、松山町は既に無い。そこに現前しているのは、〈くわでならされた〉ような〈平坦な曠野《こうや》〉である。従って、かつて在った松山町は、過去形で語られるべきものである。だが、そこには、〈である〉、〈送っている〉、〈浮かぶ〉という現在形が差し挟まれている。〈私〉の眼には、現在の松山町と過去の松山町ではなく、現在の松山町の存在と不在——〈平坦な曠野〉とそこに在った町が現在《いま》は無いという現実——が二重写しになっている。〈それらの家が無い。住んでいた人もいない〉と打ち込まれるように記されている、その不在、あるいは不在が生み出す空虚が現在《いま》そこに存在することが、過去の松山町を過去形ではなく現在形で語ることを強いているのである。

このとき〈私〉を浸しているのは、存在の自明性が崩壊していく感覚である。自らの誕生を記憶することができない人間にとって「私」という存在者の存在も、世界の存在も自明のものとして立ち現れる。この原初的経験における存在の自明性が、世界や「私」がいま、ここに、こうして在ることの不思議を忘却させる。この忘却を打ち破るには、何事かが生起しなければならない。

ハイデガーは世人《ダスマン》を存在忘却から脱却させ存在への問いへと誘うものは、死への先駆であるとした。八月九日の夥しい死が〈私〉の存在の自明性を打ち砕いた、と説明することも可能であるように思われる。多くの論者が指摘するように、『存在と時間』は第一次大戦後という時代を色濃く反映しており、未曾有の戦争による夥しい死が存在への問いを引き出したとも言えるからである。だが、いま、〈私〉の前に在るのは、空虚である。死が骸という、破壊が残骸という存在者によって知覚されるものであるならば、〈くわでならされた〉ような〈平坦な曠野〉――死体や残骸の不在――はいったい何を知覚させるというのか。

このように問うたとき、『存在と時間』はやはり原爆やアウシュビッツ以前の思考であった、と言わざるを得ない。存在者をかつて存在した痕跡ごと消し去ってしまう凄まじいまでの殺戮と破壊を経験した第二次世界大戦後の人間は、存在することの意味を根底から問い直さざるを得なかった。ハイデガーの存在論を批判的に受け継ぎながらその問いを問うたのが、ユダヤ人虐殺の「生き残り」のひとりであるエマニュエル・レヴィナスである。林京子が様々な作品に繰り返し書いている松山町を見たときの、その驚きがもたらした存在論的な転回に、出来事の外や出来事の後にいる私たちが接近するためには、レヴィナスの思考を経由しなければならない。少し長くなるが核心部分だけは引用する他はない。

この実存者なき〈実存すること〉に対して、われわれはどのように近づいて行けば良いのだろうか。あらゆる事物、存在、人間の無への回帰ということを想像してみよう。われわれは、純粋な無に出会うのだろうか。このようにあらゆるものを想像のうえで一掃〈破壊〉した後に残るのは、何かあるもの quelque chose ではなくて、イリヤ *il y a*〈がある、それがそこにもつ＝ある〉という事実である。あらゆるものの不在が、ひとつの現前《プレザンス》として、つまり、そこですべてが失われてしまった場として、大気の濃密さとして、あるいは、沈黙の呟きとして、立ち戻ってくるのだ。事物と存在とのこのような破壊の後には、非人称的な〈実存すること〉の「磁場」があるのだ。主語でもなければ、名詞でもないような何ものかが。もはや何もないときに、否応なく強いられる〈実存すること〉という事実が。しかも、それは匿名的なものである。すなわち、誰ひとりとして、何ひとつとして、この実存を自ら引き受けるものはない。それは、〈il pleut〉〈雨が降る〉や〈il fait chaud〉〈気温が高い、暑い〉と同じように非人称的である。〈実存すること〉は、いかなる否定によって遠ざけられようと、再び立ち戻ってくるのである。そこには、純粋な〈実存すること〉の容赦なさとでもいったものがあるのだ。〈E・レヴィナス、原田佳彦訳『時間と他者』法政大学出版局、一九八六〈昭和六一〉年一月〉

レヴィナスが存在の思考の途上で措定した〈破壊の後〉は、林京子の記憶にある松山町の光景と酷似している。〈あらゆるものの不在が、ひとつの現前《プレザンス》として、つまり、そこですべてが失われてしまった場〉である松山町には、〈実在者なき〈実在すること〉〉、つまり、〈なにかあるもの〉が在るのではなく、ただ、在るという事実だけが存在している。そこに在るものを言葉にしようとすれば、〈主語でもなければ、名詞でもない〉ような、〈匿名的なもの〉としか言うことはできない。主語や名詞として名指せないものが存在する。この存在論の語法の彼方に在る空虚の密度こそ〈私〉が松山町で目の当りにしたものであり、〈純粋な〈実存すること〉の容赦のなさとでもいったもの〉が〈私〉を貫いているのである。

一九四五年八月九日以後、この空虚の密度を傍らに携え自らが生きて在ることの〈容赦のなさ〉に晒され続けたた林京子は、〈屈託がなかった上海時代の、母の胎内から生まれた私の生命と人生〉とは異なる生を生きることを余儀なくされた。その歳月は六十余年に及んでいる。

古稀を前して人生にひとつの句点をうつように書かれた『長い時間をかけた人間の経験』にもこの空虚の密度は漂っている。〈被爆を根にした死に的を絞って〉生きてきた〈私〉は、〈老いた末にくる老醜の死〉という〈新手の死〉が迫りつつあることに気づく。そして〈生きる、ということは何なのだろう〉と考え、三浦半島の三十三の札所を巡る遍路に出る。札所を探して長いトンネルを通った〈私〉は、〈くっく〉という〈クラスメートたちの笑い〉声を聴くのである。

これから先に続く札所巡りは、ありのままの姿であろう。笑いたいときに笑い、カナや友人たちと話したいときには、架空の姿に向かって語りかける。常の人であるために、心と肉体にはめてきた枠をはずして、気持に素直になろう。〔『長い時間をかけた人間の経験』〕

ひとりで札所を巡る〈私〉に届いた〈クラスメートたちの笑い〉声は、八月九日から半世紀以上の時間を死者が穿った空虚の傍らで生きた者だけが聴くことができるものである。〈常の人〉であろうとすることをやめ、あらゆる時、あらゆる場所で空虚の密度を感じる。林京子が長い時間をかけて辿り着いたのは、そのような生の在りようであった。『長い時間をかけた人間の経験』の翌年に書かれた『トリニティからトリニティへ』にも、崖のこぶし大の穴とその下に転がっている石を見て、爆死した五二人の旧友を思い出す場面がある。

同学年生の五十二人が埋めていたこの世の空間、抱きしめたくなって手を伸ばしても手ざわりのない五十二の空間を、何で埋めていけばよいのでしょう。〔『トリニティからトリニティへ』〕

死者は、存在するのとは異なる仕方で生者の傍らに在る。埋めようのない空虚として、密度を持ってそこに在る。林京子の文学が「原爆文学」というひとつのカテゴリーを超える響きをもっているのは、言葉にならぬものや存在論的な思考が届かぬものを言葉にしようとしているからに他ならない。

東日本大震災の被災地に、ただ、在るという事実だけが存在している、存在の容赦のなさがむき出しとなった光景を見たのは私だけではないだろう。空虚の密度を見つめ続けた人間だけが感じることができる、生の傍らに佇むもうひとつの世界。林京子の文学は、そのような視点からも読み返されるべきである。

第二章

本や人

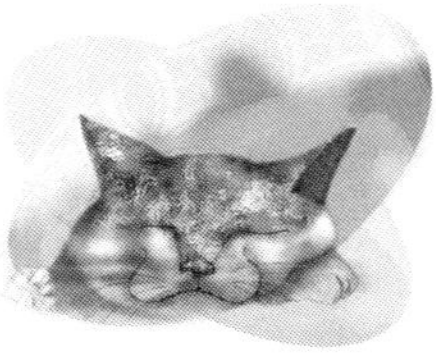

第一節

存在の家としての物語

――小川洋子『人質の朗読会』（中央公論新社二〇一一年一月）――

外国旅行中に反政府ゲリラの人質となった八人の日本人が、強行突入した特殊部隊とゲリラとの銃撃戦の犠牲となり、特殊部隊が仕掛けた盗聴器には、人質たちが開いていた朗読会の音声が残された。朗読されたのは、床板や窓枠などに針やヘアピンで書かれた、記憶の物語である。事件の二年後、その録音が、遺族の同意を得て、ラジオで放送されることになった。

このような設定で語り出される本作は、生者が未完のものとして語った物語が死者の完結した物語として読者に手渡されるという構造をとることによって、物語が果たす様々な役割を考えさせるものとなっている。

物語において作中の出来事の意味が結末によって与えられるように、生者にとって出来事の最終的な意味は、死を迎えるまで決定されないはずである。だが、人はその未決定に耐えかねるように、現在《いま》を句点とする物語を携えて生きている。たとえば、「第四夜　冬眠中のヤマネ」の朗読者、三十四歳の男性が語ったのは、いま、ここに在る「私」に全体性と連続性を与える物語である。中学一年生のとき、路上で右目しか付いていない手製の縫いぐるみを売る老人と出会ったことが、彼に眼科医となる道を選ばせた。

瑣末な日常を捨象し、過去のある出来事と現在を一直線に結ぶ物語によって、語り手の像は、他者に了解可能なものとして立ち現れる。これが生者の物語であったなら、そのような意味しか持たないのだろうが、彼が死者となったいま、この物語は、語られなかった夥しい出来事、彼の人生に伏在する、いくつもの物語の存在を指し示すという、もうひとつの役割を担っている。聞くことの不可能なそれらの物語に耳を傾けることによって、ひとつの生を終えた彼の像は、ようやくその姿を現すのである。

生を物語るということは、要約するということでもある。筋立てに必要な出来事を手掛かりに生の輪郭を描いていく過程で零れ落ちていくのは、その時々の想いなのかもしれない。『第七夜　死んだおばあさん』は、そんなことを考えさせる物語である。若い頃から「私の死んだおばあさんに似ている」と言われ続け、故人の思い出を聞かされてきた女性は、そのエピソードを語った後、〈最後に一つ付け加えさせて下さい〉と断り、こう語り終える。〈結婚して十八年、とうとう私は自分の子供を持つことができませんでした。これだけ大勢の死んだおばあさんに巡り合ってきたというのに、私自身は、死んだおばあさんには永遠になれないのです〉。

長大な物語もある一文の拡張だと言うことができるのならば、どのような人生もひとつの文で言い当てることができることになる。「私は死んだおばあさんになれなかった」という一文は、ある意味、〈主婦・四十五歳・女性／夫の赴任先からの帰途〉というプロフィールが添えられた女性の、人生の最も切り詰めた要約なのかもしれない。だが、この要約には、朗読者の経験の意味と想いが充分過ぎるほど込められているように思われる。そして、それは、耳を澄まし語られた言葉から滲み出てくるものを汲み取ろうとしない限り、聞こえてこないのである。

　他者の物語を受け取り、それに応答することは、「私」の生の物語を変容させ、了解し直すことに繋がっていく。そのようにして語られたのが、「第九夜　ハキリアリ」である。この物語は、ゲリラのアジトで朗読されたものではなく、盗聴器から聴こえてくる朗読会を〈祈りにも似た行為〉と感じた二十二歳の政府軍兵士が、放送に際して付け加えたものである。

　祖母と母、幼い弟妹と暮らす子どもだった彼は、昆虫のフィールドワークをしている日本人研究者と出会う。その土地ではありふれた昆虫であるハキリアリの生態を教えてもらった彼は、〈ハキリアリはラッキーだね〉と言い、こう続ける。〈おじさんたちに観察してもらえて。もしおじさんたちがいなかったら、誰もハキリアリの賢さを褒めてあげられないもの〉。おそらく、彼は人質の朗読会を盗聴し続けることによって幼い日の経験の意味を了解し直し、人にはその生を見つめ記憶する他者の存在が欠かせないことに気づいたのである。

　死者たちの生きた時間は、やがて生年と没年を繋ぐ「—《ダッシュ》」に変換されてしまう。物語だけが、それに抗う力を持っている。語るという行為は、それだけで完結するものではない。語り手の向こうには、聞き手がいる。そして、そこで語られるのは、既に在る凝固した物語ではなく、誰にどのような状況で語るのかということによって、物語は少しずつ姿を変えていく。であるならば、聞き手は、それを「私」に宛てられたものとして、受け取らなければならない。

〈小説を書いていると死んだ人と会話しているような気持ちになります〉。

小川洋子は、『物語の役割』に収められた講演でこのように述べている。そして、その行為は、〈なつかしい感じ〉がするとも。不可能な会話、在るはずのないなつかしさ、小川洋子の小説は、このようなものの上に成り立っている。換言すれば、存在論的な語法の彼方に人間の現実はあり、それを言葉にしたものが小説である、ということになる。確かに、死者は、存在するのとは異なる仕方で生者とともに在る。それと同じように、本作中の架空の死者も、ひいては虚構である小説のあらゆる作中人物も、「在る」と言ってよいように思われる。彼らは、物語のという存在の家に住まうのである。

人が生きていくということは、ひとつの物語を紡いでいくことに過ぎないのかもしれない。だが、ほんの小さな物語であっても、それを受け取った他者によって死者たちは、いつまでも物語のなかに住み続ける。本作は、そのようなことを静かに訴えているように思われる。

この原稿を書いている最中に「東北関東大震災」が起き、私の故郷も壊滅的な打撃を蒙った。もう少ししたら、私も被災した人々の物語を集め、彼らとともに在り続けるために、家族とささやかな朗読会を開こうと思う。

附記 「東北関東大震災」は、後に「東日本大震災」と呼ばれるようになり、その名称が定着した。

第二節

死者の気配を記憶する者たち

——絲山秋子『末裔』（新潮文庫二〇一四年四月）——

絲山秋子さんは、車好きで知られている。自動車の座席は、だいたい前を向いて座るようにできている。だから、ドライブの楽しみのひとつは、次々に新しい風景が開けることにある。絲山さんのこれまでの小説の爽快感《そうかいかん》もそういうところにあった。だが、『末裔』は、進行方向とは反対向きの座席に座って、遠ざかる景色を車窓から眺めているような視線を感じさせる小説である。

もちろん、『末裔』にも疾走感はある。自宅の玄関の扉から鍵穴《かぎあな》が消えて家に入れなくなってしまった五十八歳の地方公務員〈富井省三〉に次々起こる不可解な出来事や、彼が見る荒唐《こうとう》無稽《むけい》な夢からは眼が離せない。そして、〈省三〉とともに、〈そんなばかなことがあるものか〉と思いながら、鍵穴やホテルが消えたり、犬が話したりする、あり得ないはずの世界を彷徨《さまよ》ううちに、彼が迷いこんでしまった世界が確かな質感をもっていることに気づく。それどころか、『末裔』の作品内世界は、私たちが日常と呼んでいる現実の方が作り物に思えてくるほどにリアルなのだ。それは、〈省三〉がすれ違っている別次元が、誰の日常の傍らにも佇んでいるもうひとつの世界だからである。

私たちの日常の隣には、過ぎてしまった時間が消え泥《なず》んでいる世界がある。『末裔』という小説を奥行きの深いものにしているのは、そんな世界だ。それは、遠ざかる風景を惜しむように語られる。たとえば、いまは近所からゴミ屋敷と言われている、〈省三〉がひとりで暮らしている家は、こんな風に。

もとよりこの辺りは世田谷といってものどかな場所だった。砂利道があり、武蔵野の名残をかすかに残す雑木林があり、原っぱのようなものがあり、畑と家が散在する風景だった。井戸水を使う家もまれではなかった。昭和三十年代、インフレの頃に省三の父が一念発起してここに土地を買い、家を建てた。はめ殺しの小さな窓のついたドアは母の好みで、廊下の一面を書棚にしたのは父のアイディアだった。省三と姉と弟はこの家で育った。

絲山さんの小説は、緻密《ちみつ》な構成をもち、冗漫な部分がない。この短いセンテンスのなかに、子どもだった〈省三〉が暮らしていた頃の風景や、時代の空気、育った家の佇まい、父と母の人柄や二人の関係まで、さまざまなものが凝縮されている。そして、学者だった父が、蔵書に日が当たるのを嫌って書棚の位置を決めたことや、〈省三〉の子どもたちが入りびたっていた〈父の遺影があって母がいることが多い部屋〉などのエピソードが重ねられていくうちに、なかに入って描写されることのないこの家に、かつて漂っていた気配や、彼の五十八年間の人生を包んでいた空気が、立ち現れてくる。

ある家の過ぎてしまった時の出来事を語ることができるのは、そこにいた者だけだ。結婚した息子が独立し、妻は三年前に先立った。認知症の母親は、歌うことはあっても話すことはない。娘が置き手紙を残して出ていった後、〈省三〉は、それをひとりで反芻《はんすう》するしかない。彼の孤独の根はまずそこにあるのだが、いまは誰も住んでいない鎌倉にある伯父の家を訪れた〈省三〉は、その根の先にあるものを見つめることになる。

人が出て行って無人となった〈遺跡のはじまり〉のような伯父の家に入った〈省三〉を、この家に淀《よど》んでいた過ぎた時間が一気に包み込む。〈こむ　からこむ　からこむ　から〉という引き戸を開けたときの鈴の音。玄関に飾られた、記憶と寸分違わぬ位置にある小物。死んでしまったと思っていたオキナインコのルネ。祖父が愛用した卓袱台……。〈今が何年で自分がいくつなのか、わからなくなりそう〉な空間のなかで、家や物の底に沈んでいた物語が滲《にじ》み出てくる。材木座海岸の夏の一日、鎌倉カーニバル、杯を交わしながらの伯父と父とのエスプリに富む会話……。〈省三〉は、〈死者たちの紡《つむ》ぐおとぎ話〉に耳を傾ける。だが、彼は、それらに自分との繋《つな》がりを感じられない。父や伯父が〈突出した死者〉であることをやめてしまったからだ。

〈突出した死者〉。『末裔』には、思わず頷《うなず》いてしまうような言葉がいくつも出てくるが、これには、なるほど、そういうことだったのかと納得させられた。親しい人を喪《うしな》ったやり場のない思いがいつの間にか馴染《なじ》みのものとなり、日常がもどってくるのは、悲しみが薄れたからではない。先立った者が〈突出した死者であることをやめ、ほかの人々と同じように、時間と調和するように〉なるからだったのだ。そして、日常の傍らに佇む世界の住人となった死者たちの姿は、次第に朧気《おぼろげ》になっていき、さまざまな出来事で溢れかえっていたはずの彼らの人生は、やがて、生年と没年をつなぐ「——」《ダッシュ》のように、のっぺらぼうなものになってしまう。〈人間だってモノだって忘れられるのはつらいですよ〉。鎌倉で知り合った〈籠原《かごはら》氏〉は、〈省三〉にこう語る。言い換えれば、忘れられることは不条理だ。さらに言えば、いつかは自分のことを覚えている者が誰ひとりいない世界へ追放される人間の存在自体が不条理なのだ。

　末裔とは、自己に連なる死者たちを記憶し語り伝えることによって、彼らを不条理から引き離す役割を担《にな》った者たちなのである。末裔であることを意識する者は、時の移ろいとともに、自分自身が先へ先へと進みながら、遠ざかる死者たちの姿や、彼らがそのなかにいたはずの風景にも、眼を凝らさなければならない。だが、遺《のこ》された者たちは、それを在ったままに見ることができない。限られた言葉で象《かたど》られた在りし日の姿や風景は、いつしか、どこかで読んだ小説の登場人物と似てくるのだ。

伯父の家で偶然再会した〈末裔に近い〉者である〈省三〉と〈この家の最後の一人〉である娘が、亡くなった親族のことを話す場面がある。名前や没年を語る〈省三〉の言葉の確かさと、彼らの人生に起きた出来事を語るときの不確かさ。〈省三〉が〈俺自身が虚構の人間〉であってもかまわないが、〈俺の娘、梢枝《こずえ》だけは現実に生きている人間であってほしい〉と思うのは、自分もやがて末裔たちの語らいのなかにしか存在しなくなる日が来ることを知っているからである。

〈エピソードは失われた。理屈や辻褄《つじつま》は消え去った〉。〈省三〉が母のいる施設を訪ねる場面で繰り返されるこのフレーズは、『末裔』全篇《ぜんぺん》を流れる通奏低音となっている。人や出来事から挿話《エピソード》が剥《は》がれ落ち、もはや物語の体《てい》をなしてはいない。そして理屈や辻褄が消え去った後に残るのは、気配だけである。それは、明け方に見る夢と似ている。だから、言葉にしようとすれば、いくつもの具体的細部を包み込んだ、輪郭のぼんやりした絵のようになる。

〈幸せな家族だったら忘れてしまうような、ある日、普通の午後〉。〈省三〉が〈大きな森の中に住むあの一族〉に感じる郷愁がまさにそれだ。あるはずのないこの郷愁は、伯父の家で感じた〈ここにかつて、幸せな家族の午後があった〉という思いとどこかでつながっている。これらの言葉によって喚起されるものは、私にもそんな時が確かにあった、と叫びたいような懐《なつ》かしさの脇《わき》を、そんなものは夢のように最初からどこにもなかったのかもしれない、という不安がすり抜けていく奇妙な感覚である。私たちの日常は、そのようなものの傍らにある。

『末裔』を読んだとき、ある高名な作家を真似《まね》て「富井省三は私だ」と言ってみたい気がした。そんな風に感じるのは、彼と似た年格好の男たちだけではないだろう。この小説の構造と言葉が、年齢や性別をこえて、そう思わせるのだ。私たちに、仕事から帰ったら玄関の扉から鍵穴が消えていたというようなことは、たぶん起こらない。だが、日常を日常として維持している薄い皮膜がまくれあがり、剝《む》き出しの生と向かい合うようなことは、誰にでもある。不定形な未来を前に現在の足場が揺らぎ、確かにあったはずの過去にすがりながら、未来を覗《のぞ》こうとする。しかし、現在と過去は何とか言い当てることができるが〈未来の打率がよくない〉占い師の〈梶木川乙治《おつじ》〉のように、いつか死ぬ、ということ以外の未来は、誰にもわからない。それまでには少し時間があるだろう、と〈省三〉のように、自分を追放しようとする世界の鍵を〈内側から開け〉なくてはならないのだ。

母のうたう歌や、『絲的メイソウ』に出てくる〈ヒゲのおじいちゃん〉が遺した〈円卓〉と似たエピソードをもつ卓袱台、実在した安保小児科病院をはじめとする鎌倉の町並み、〈省三〉が佐久への旅で見出《みいだ》したもの、『末裔』とメーテルリンクの『青い鳥』との関連など、書きたいことはまだあるが紙幅も尽きてきた。最後に、絲山文学における死の問題だけには、触れておきたい。

絲山さんの小説に死の影がさしていることは、よく知られている。これまでも、事故死した友人の記憶を抱えていたり、同僚との約束を彼の死後、果たそうとする人物を通して、私たちのすぐ隣にある死を鮮やかに描いてきた。そして、『末裔』を書いていた頃、絲山さんは、死そのものと向き合おうとしていたように思われる。『末裔』と連続する時期に書かれたふたつの小説には、次のような一節がある。

価値のあったものが、ただのゴミになり、意味のあったことが抜け殻になっていく。畑の隅の木の下や中途半端な形の土地に見すてられた廃車と同じように、錆と植物と微生物に浸食され、ゆっくりとだが解体していく。

おまえは、そのすべてを見ていたいと思う。〔『妻の超然』〕

肉体ってのはモノだ。ミイラだって骨だってモノだ。だが、死ぬというコトが怖いのは、無がモノなのかコトなのか、或いは死後の世界がモノなのかコトなのか、そこで本人にとって止まってしまった時間っていうのは一体なんなのか理解できないからかもしれない。

〔『不愉快な本の続編』〕

絲山さんの紡ぐ言葉が心の奥深いところにまで流れ込んでくるのは、こういうくだりを読んだときだ。物語の底に、死の――ということは同時に、やがて死を迎えることから逃れられない時間的存在である人間の生の――手ざわりを潜ませている。
『末裔』を読めば、絲山さんのすべての小説をもう一度読みたくなることは、間違いない。

（二〇一四年二月）

第三節

語りの迷宮

―多和田葉子『雪の練習生』（新潮社二〇一一年一月）―

多和田葉子の『雪の練習生』は、ベルリン動物園に実在するホッキョクグマの〈クヌート〉に連なる三代記、という形をとっている。第一部「祖母の退化論」は、サーカスの花形から自伝作家となり、ソ連からカナダを経て東ドイツに亡命した〈クヌート〉の祖母の自伝であり、第二部「死の接吻」は、〈クヌート〉の母〈トスカ〉と同じ名前のホッキョクグマと角砂糖を口移しにする芸で人気を博した女性〈ウルズラ〉の自伝と、その芸を引き継いだ母熊〈トスカ〉の書いた〈ウルズラ〉の伝記で構成されている。第三部「北極を想う日」は、人工飼育され愛くるしい姿と仕草で動物園の人気者だった〈クヌート〉が成長するまでを語ったものである。

だが、周知のように、多和田文学の魅力は、このように作品の表層をなぞっただけでは語り尽くせない多様な読みの可能性が開かれていることにあり、本作にもいくつもの読みを可能にする仕掛けが施されている。

まず、最初の仕掛けは、本作が動物を主人公とする寓話的な形式をとっており、カフカの『歌姫ヨゼフィーヌ、あるいは鼠の族』や『あるアカデミーへの報告』、『ある犬の探求』、ハイネの『アッタ・トロル』などが参照を求めるように作中に置かれていることである。〈本当らしい物語、わたしらしい物語を作っていく義務なんかない。「ある犬の探求」の作者は自由自在に猿になったり、ねずみの世界に潜り込んだりして、自伝なんか書いていない〉という一節には、作者の本作に向かう方法意識の一端が表されているように思われる。『かかとを失くして』や『犬婿入り』などの初期作品にもカフカの影響を見ることはできるが、人間の現実を動物の現実として換喩的に叙述するという作品の形式そのものを借りているという点において本作は、よりその影が濃いと言えるかもしれない。

おそらく、作者は、これまで扱ってきた「越境」と、それによって可視化されるものという主題《テーマ》を、ホッキョクグマを主人公とすることによっていったん解体し、「越境」いう状況を生み出す人間の世界の歪みを浮き彫りにしようとしたのである。人間の視点から語ったのでは、そのリアルさの故に見えにくくなってしまう経験的世界を、動物のものとして語ることによって、露わにしようとしたとも言える。例えば、ホッキョクグマの〈わたし〉が、亡命先で〈社会主義圏の芸術家とスポーツ選手の人権〉についてインタビューされる場面がある。「〇〇人に人権はあるか」は、その自明性故に問いの態《てい》をなさないが、「動物に動物（人）権はあるか」という問いは、人間という存在の一面性と異形さを浮き彫りにし、その存在様式を問う命題となるのである。それと同様に、物語の進行とともに「亡命」、「国境」、「母語」、「翻訳」、「少数民族」、「社会主義圏」、「自然」、「本能」など、私たちの思考を象るいくつもの言葉に揺らぎが与えられる。本作が、東西冷戦とその崩壊から現代までの時代を背景においているのは、言葉の意味が、状況の変化によって変容していくことと、人はいったん刷り込まれた意味から抜け出すことが困難であるという言語の身体性とでもいうものの、両面を描き出すためであろう。

もうひとつの仕掛けが、「自伝」である。この言葉からも、日記に「自伝を書くという欲求」を書き付けていたカフカを想起しないではいられないが、深入りしている紙幅はない。第一部の〈わたし〉の自伝は、編集長の〈オットセイ〉によって、「涙の喝采」という題をつけられ雑誌に掲載されるが、西ベルリンでドイツ語に翻訳されたものは社会主義圏のサーカスにおける動物虐待の証拠として西側のジャーナリストに取り上げられ、カナダ亡命後は他人の書いた自伝を〈わたし自身の物語〉として書き継がれていく。第二部では、夢のなかで〈あなただけの物語を書いて、お母様の自伝の外に出してあげる〉と〈トスカ〉に約束した〈ウルズラ〉が書いた彼女自身の物語が、同じ〈わたし〉という一人称のまま〈トスカ〉が書いた〈ウルズラ〉の伝記に接続されている。そして、三人称で語りだされたかのような第三部は、途中で幼さ故に〈わたし〉という一人称を使うことができない〈クヌート〉が語っていることが明らかにされ、その後は〈わたし〉を主語として語られる。

　他者を語ることは「私」を語ることであり、「私」を主語として発話しても、語るそばから「私」はすり抜けていく。このような「私」を語ることと「私」という主語の不可思議さは、これまでの作品でも扱われてきた。前作『尼僧とキューピッドの弓』は、第一部と第二部の異なる語り手が〈わたし〉を主語として語り、その共鳴によって、修道院を去った尼僧院長の像が立ち現れるという構造をとっていた。

　本作は、人間だけでなく動物も含む様々な視点が〈わたし〉を主語として語り、ひとつの物語を編むという方法で、この問題のさらに深部に迫っている。例えば、動物の仕草に意味を見出すことを〈勝手に自分の考えていることを投影しているからそう見えるだけ〉だと獣医が言う場面があるが、〈ウルズラ〉には〈動物の考えていることがアルファベットを読むようにはっきり読め〉たり、〈諸言語の文法が闇に包まれて色彩を失い、溶け合い、凍りついて海に浮かんでいる〉と感じる瞬間がある。主客が錯綜するこのような関係を小説の形式として考えれば、誰を主語として語る（書く）かは、文法ではなく文体の問題へと移行し、〈わたし〉と発話することによって与えられていた語り手の特権性は失われ、語りは迷宮に入り込むのである。

　多様な読みの可能性という観点から横道に逸れたことばかり書いてしまったような気もするが、本作の魅力は、このようなところにもあり、このようなところにだけあるわけではない。作品世界にひきこまれ一気に読み通し、二読めに考え込み、それ以後は読み返す度に頭を抱えてしまったが、初読の感動がいつまでも消えない本作は、多和田文学のおもしろさと奥深さを併せ持った傑作と言えるだろう。

第四節

時代のふるまい

―橋本治『リア家の人々』(新潮社二〇一〇年七月)―

本書は、『巡礼』(新潮社、二〇〇九年八月)、『橋』(文藝春秋社、二〇一〇年一月)とともに、「昭和史三部作」と呼ばれている。橋本自身は、インタビューで「別にそういうつもりはない」と発言しているが、確かにこの三作は、「戦後」という時代における人間の在りようの変化と、それが招き寄せた孤独をテーマとしており、「三部作」と言って言えないことはない。だが、前二作が「ゴミ屋敷」や「子殺し」という、ある意味、現代を象徴するような出来事の成り立ちを、時代を辿ることによって浮彫りにするものであったのとは異なり、本書は、「一九六八年」という時代そのものを語った小説である。

東京帝大出身の元文部官僚で、公職追放という過去を持つ〈砺波文三〉と、その家族を描いた本書は、小津安二郎の映画や「昭和四十年代」のホームドラマのように、特別なことは、何も起きない。妻はすでに亡く、姉二人は結婚して家を出て、大学に通う二十一歳になった末娘の〈静〉と東大を目指して上京した甥の〈秀和〉との暮らしは、新聞やテレビが伝える社会の出来事をよそに、穏やかである。昨日と今日を隔てる些末な出来事は、当たり前のように起こるが、砺波家の茶の間は昨日と同じようにそこに在り、父親は何を言われても「そうか」としか言わず、末娘は父の問いかけに「ええ」と応える。そして「現代っ子」の甥は、「伯父さん、時代に置いて行かれちゃうよ」などと物怖じせずに言う。そのような場面が繰り返し描かれる。どうしてなのか、と問われれば、そういうふるまいが当たり前の時代だったから、と答えるしかない。

一九六八年は、「I love you」という英文に〈かすかな違和〉を感じる明治生まれの〈文三〉と、戦後生まれの〈静〉や〈秀和〉がともに生きた時代である。ミニスカートや男の長髪、そして、全共闘運動など、時代の新しい波のなかで、ある者は時代そのものを生き、ある者はそれに〈かすかな違和〉を感じて生きた。それは、現在から見れば、東大闘争や日大闘争と「明治百年記念式典」という異質なものが隣り合っていることに象徴される、いくつもの奇妙な光景に彩られた時代だったのである。

だからこそ〈文三〉は、語り手によって〈秩序を形成する者の「体質」〉、形成された秩序の「体質」〉を問うことであったとされる「一九六八年」の出来事を前に、「困ったことになったなァ」としか言えない。敗戦によって一旦壊れたかのように見えた秩序は、「追放解除」という逆転劇によって、「戦後」という一見新しく見える秩序のなかに、地下水脈として生き残った。だが、そのことを問題とする若い世代にも〈十九世紀的な枠組〉が、意識されぬままに残っていた。その典型として描かれているのが、〈静〉の恋人〈石原〉である。「見過ごしに出来ない時代の現場に立ち会うため」に羽田闘争へ行くという、まさに当時の青年が言いそうな科白を吐きながら、〈静〉を一人の女性として受け止められず、書物から学んだ言葉でズタズタにしてしまう。時代とは、古いものと新しいものが錯綜し、角逐しあいながら、徐々に移ろっていくものなのである。

本書がシェイクスピアの『リア王』の枠組みを借りているのは、親の世代の「自然」(=秩序)が子の世代には桎梏(=打倒すべきもの)としか感じられなくなる、時代の変化から取り残された〈文三〉の孤独を、リア王の姿と重ねるためである。そして、橋本治は、幕が下りるまで親の世代の「自然」を疑うことなく生きたコーディーリアの生き写しであるかのような〈静〉をも時代の波に呑みこませてしまう。ある意味、砺波家に一九六八年に起こった最も劇的な出来事は、〈静〉の心のなかの小さな革命だったのである。

「ゼロ年代」に入り、「全共闘世代」の回顧にとどまらない、数多くの「一九六八年」を扱った著作が出版された。「一九六八年」は、フランスの「五月革命」や、アメリカにおけるベトナム反戦運動、東欧諸国の民主化運動など、世界で起きた出来事とともに、捉え直されようとしている。

一九六八年に「とめてくれるな／おっかさん／背中のいちょうが泣いている／男東大どこへ行く」という東大駒場祭のポスターを作成したのは、橋本治である。では本書は、橋本が書いた「一九六八年」本なのかといえば、そうではない。本書と数多の「一九六八年」本とを敢えて関連づけて言えば、両者には「どうして現在《いま》の社会や人間は、こんなふうになってしまったのか」という疑問が底流しており、その分岐点を一九六八年に求めているということである。そして、様々な資料や理論を駆使して鋭利に分析してみせる数多の著作よりも、その時代を生きた人々の生活を淡々と描いた本書の方が、はるかに説得力をもっているようにも思えるのである。

橋本治は、『二十世紀』（毎日新聞社、二〇〇一）のなかで、一九六八年という年を次のように記していた。

〈この年の持つ〝ややこしさ〟は、決して説明不能ではない。しかしこの年の〝問題〟は、それを説明するための膨大な言葉を必要とする。おまけに、その千万言の言葉が、事態を明快にはしてくれない。かえって逆に、その説明の膨大さによって、説明される側の頭が混乱する。「説明のための言葉が事態をかえってややこしくする」——一九六八年とは、そんな年なのである〉。

橋本の指摘は、的確であり、いわゆる「一九六八年」本と本書が書店に並んでいる現在《いま》から見れば、予言的ですらある。

十歳で一九六八年を通過し、〈説明される側〉だった筆者は、能力の問題もあるのだろうが、「一九六八年」本の〈説明の膨大さ〉によって混乱を来していた。そんな時に出会った本書は、その時代の空気を確実に伝えるものであるように思われる。そして、その明快さは、おそらく小説という方法でしか得ることができなかったものである。

第五節
永遠の手ざわり

小説を読んでいると、ふだん口にしている言葉に新たな形が与えられることがある。その言葉が何か特別な意味で使われているわけではない。何気なく作中に置かれていたり、そこには一度も出てこなかった言葉が、読み終わった後、それまでとは異なる相貌をもって、私のなかに在ることに気づくのである。

朝吹真理子氏の小説を読んでいて、久しぶりにそのような奇妙な感覚を味わった。その言葉は、「永遠」である。『きことわ』の作中人物の名が「永遠子《とわこ》」なので、一種のサブリミナル効果か、と笑われそうだが、そんなに単純な話でもない。

「永遠」には、時間的な永続性と無時間性というふたつの意味があるが、有限な時間の内にしか存在できない人間が前者の意味で「永遠」と言うとき、比喩であるとか、言葉が非在のものを指し示すというだけでは説明のつかぬ、ある手ざわり《リアリティ》を伴っているように思われてならない。だが、それが何によって与えられるのかを、長い間言うことができなかった。だから、その言葉を口にするとき、こわばりを感じないではいられなかったのだが、朝吹氏の小説によって、それが少し薄らいだのである。

「永遠」や「時間」ほど、どのように言ってみても言い尽くしたと思えぬ言葉はない。だからこそ、繰り返し小説や哲学書に取り上げられてきたのだろうが、朝吹氏がこれまでに発表した三篇の小説も、これらの不透明な言葉を問いながら、人間という存在を捉えようとする流れのなかに位置づけることができるように思われる。

デビュー作『流跡』は、出生の記憶を持たず〈はじめがないのにはじまっている〉死へと向かう直線的な時間を生きる人間の生と、その前と後に横たわる永い時間を、日本の「神話」的思考や、ル・クレジオが『物質的恍惚』で展開した生物的生命消滅後の「物質としての永遠性」など、古代と近代、日本と西洋を交叉させるように描いたものであった。

円環と直線というふたつの時間を並べ、天体や自然のように循環するもののなかで、ひとり直線としての時間を生きる人間の在りようを描いたのが二作目の『家路』である。人間も生物的生命としては生殖によって循環しているとも言えるが、言葉で「私」の生きた時間を物語に変換し、死を「私」を起点とする世界の消滅だとする故に、人間だけが直線としての時間から逃れられないのである。

作中人物に名も与えず、人間一般の問題として「永遠」と「時間」を語ったこの二作も、じゅうぶんに示唆的であったが、私のなかの「永遠」に揺らぎを与えたのは、芥川賞受賞作となった『きことわ』だったような気がする。そこには、様々な「永遠」の手ざわり《リアリティ》が描かれている。たとえば、作品冒頭で〈永遠子〉が見ている、二十五年以上前の夏の日がそのままに甦る夢である。夢のなかの〈過去がいまとなって流れている〉という感覚を、『失われた時を求めて』の話者がゲルマント邸の中庭で敷石に片足をのせたときに感じた「ある幸福感」に近いものと、言ってみることもできるだろう。知覚とも想起とも言えない、現前と不在の間《あわい》に在るものとして過去が到来するとき、人は、時間の外に抜け出て、「永遠」を眼にしたかのように感じるのである。夢を見ない〈貴子〉にとって、あたかも時が静止したかのように二十五年前のままに建っている〈葉山の家〉は、自らに連なる他者の記憶を蔵し、「私」の物語の始源を内蔵させた、物的に過去を現在化する小宇宙であるという意味において、〈永遠子〉の夢と似ている。

だが、『きことわ』で見逃してはならないのは、ふたりが交わす〈こうしているうちに百年と経つ〉という言葉なのかもしれない。四十歳の〈永遠子〉にも、三十三歳の〈貴子〉にも、百年という時間の幅は、未知のものである。にもかかわらず、ふたりがそのように感じ、口にすることができるのは、時間が数で表象されるからである。数の無限性が時間の無限性を導き出し、人は、過去にも未来にも時間を無限に延長して物語ることができる。〈永遠子〉が娘と図鑑を見ている場面で〈およそ３５０，０００，０００ねんまえ〉と横書きされた数字は、客観的な宇宙的時間を表しているのではなく、物語によって与えられる人間的な時間というものが在ることを示唆している。人は、そのような時間によって、自分が存在しなくなるであろう遠い未来も言葉で編むのである。

プラトンは、『ティマイオス』のなかで、私たちが「時間」と呼んでいるものは、「一のうちに静止している永遠を写して、数に即して動きながら永遠らしさを保つ、その似像」だと述べているが、有限な時間を生きることは、「永遠の似像」のなかを通り抜けることであり、時間的存在であるからこそ無限を知り、時間の内に在るが故に「永遠」を眼にすることができるのである。

朝吹氏が『きことわ』で描き出そうとしたのは、時間的存在である人間が触れることはできないが、それでいて、それぞれの生の傍らに佇んでいる、そのような静謐で永遠の世界の似像なのであり、それは、おそらく小説のなかにしか写し出せないものである。

そのことに気づいたとき、私が「永遠」を口にするときに感じていた手ざわり《リアリティ》の正体に少しだけ近づくことができたような気がした。そして、長い間、逃れることができなかったこわばりが、ゆるゆると溶けていくのを感じたのである。

第六節
失われた時を求める道具

　パセイストを自任する私は、進行方向とは逆向きに座った旅人が、さっきまで居た場所が遠ざかっていくのを車窓から眺めるように、日々を送っている。そうだ、あの幸福感は、汚れっちまった悲しみや原稿が書けない苦しみなんて知らなかった、幼年時代に埋もれているに違いない！　というわけで、五月のある一日を「失われた時を求める日」と決め、その試みに没頭した。

　手はじめに、音楽。「懐かしのヒット曲」などというテレビ番組を時々目にする。歌には、時代を想起させる不思議な力があるらしい。スワンだってヴァントゥイユの小楽章を聞いて、オデットを愛した日々がありありと甦ってくるのを感じたのだ。よし、あの頃、父がポータブル蓄音機で鳴らしていた外国の歌を聞いてみよう。フランス贔屓だった父のことだ、シャンソンだったろうと当たりをつけて、数枚のCDを買い込んだ。イブ・モンタンの『うるわしの五月』やリュシエンヌ・ポワイエの『聞かせてよ愛の言葉を』に父の好きだった煙草の匂いを感じないではなかったが、あの至福の時は、甦らなかった。選曲に難があったのだろうか。

お散歩も兼ねて、風景。午後になった。散歩の時間だ。人生の大半を武蔵野で過ごしてきた私にとって、雑木林のなかを歩くことは失われた時に接近するひとつの方法のようにも思えた。リービ英雄氏だって、中国大陸の古い路地の奥に、在るはずのない「自分の家」を探し歩く「かれ」を描いたではないか。近所に玉川上水と雑木林に挟まれた、おそらく半世紀前と変わらぬ風景を保つ小径がある。その風景のなかに身を置けば、やはり武蔵野の一隅にあった、今はなぜか児童公園になっている、私の育った家が見出せるかもしれない。しかし、その小径を歩いても、気持ちのよい五月の風を感じるだけだった私は、かの本の一節を思い出した。「現実のなかに記憶の情景を求めるのは矛盾である」。嗚呼《ああ》。

苦しまぎれに、お菓子。原点に戻ろう。『失われた時を求めて』の語り手が幼年時代を過ごした街を見出したのは、紅茶に浸したプチット・マドレーヌを口にした、その時だった。散歩の帰りにコンビニで、お気に入りのおやつだった胡麻煎餅と牛乳を買った。食卓にあるものを、すべてビールのつまみにする中年男は、かつては、何でも牛乳と一緒に食べる、よい子だったのだ。煎餅を囓り、牛乳を一口。牛乳を含んで、ぬれせん状態になった胡麻煎餅を半眼になって味わった。やはり、旨い。醤油と胡麻と牛乳のミスマッチな取り合わせには、現代のスナック菓子にはない、二十世紀を感じさせる風味がある。だが、見出されたのは、それだけだった。

プルーストさん、そもそも、あなたがあの大長編でようやく到達した「過去を現在に食いこませる」という奥義を、安直な方法でわがものにしようとした、私が愚かだったのです。反省します。マルセルのように、それを芸術の方法とする以外に、失われた時を手にすることは、できないのですね。沼野充義氏が『賜物』の新訳を出したので、「見出されたボール」という詩を作品に挿入したナボコフさんにも訊いてみますけど……。

第七節　窓の外からずっと

――李恢成『地上生活者　第四部　痛苦の感銘』（講談社二〇一一年九月）――

本書は、二〇〇〇年一月から『群像』に連載されている長編自伝小説の第四部であり、二〇〇八年九月号から二〇一〇年一二月号掲載分が、まとめられたものである。語られた時間は、一九六六年から一九八〇年まで。民族新聞社を退職し、組織を離れた後、いくつかの文学賞を受賞し、作家となった〈趙愚哲〉は、金大中事件や民青学連事件、光州事態など、激動する時代のなかで、「北であれ南であれ、わが祖国」という信念に基づいて〈祖国統一〉を目指し、活動していく。

本作には、二つの画期的な意味がある。一つは、作者が自らを素材に「在日」二世の生を語り、日本人の「戦中」や「戦後」の集合的記憶に亀裂を入れていることであり、もう一つは、従来の自伝文学の在り方を根底から問い直している点である。そういった意味で、本作は、従来の

「在日」文学を踏襲しつつ、その枠を突き抜けるスケールをもっていると言える。

自伝文学の草分けといえばルソーの『告白』であるが、作者も「「告白論」を内在させた文学」を創作の基点に据えており、本作を『告白』との対比で読むこともできる。だが、十八世紀のルソーと二十一世紀の作者を決定的に隔てているのは、「私」と「記憶」に対する感覚である。「言語論的転回」を経たポストモダンな現代において、「私」も「記憶」も言葉で編まれた物語に過ぎないのならば、ルソーのように、〈まったく真実のままに描かれた〉と語ることはできない。作者が自らの生を告白する方法として自伝ではなく自伝小説を選んだのは、事実と虚構の間《あわい》にある小説という形式でしか光を当てることのできぬ真実を語ろうとしたからに他ならない。

〈愚哲〉という三人称と〈ぼく〉という一人称の混在や、〈ぼく愚哲〉という言い方は、そのことを端的に示している。自伝は、現在を句点とする一つの物語であり、経験として整序された過去の出来事は、現在から意味づけられ、形を変えて語られる。出来事の渦中にいた「私」と、現在それを意味とともに了解している「私」を峻別し、過ちを犯す可能性を孕みつつ、常に、その時々の限られた状況のなかで選択することしかできない人間を描こうとすれば、作中人物と語り手が分離する、小説の語法を用いるしかないのである。

本書で注目すべきは、朝鮮総連を離脱した後の一九六〇年代から七〇年代にかけての、二度の韓国訪問を描いた部分である。「革命神話」による歴史の歪曲と個人崇拝の傾向が強まる組織のなかで良心を問われ、〈宋東奎《ソンドンギュ》〉の拉致事件をきっかけに組織を離れた〈愚哲〉の姿は、作者の年譜の行間を埋めるものとなっている。そして、朝鮮労働党員となった〈宋東奎〉から〈そのライン〉で韓国に入国することを提案された〈愚哲〉は、一九七〇年十月、日本に戻れなくなることを覚悟で秘密裡に禁断の土地を踏む。

幼い頃母に手を引かれて渡って以来三十年ぶりに祖国の南の地を踏みしめた〈愚哲〉は、〈日本からみても朝鮮半島からみても、異邦人にすぎないとおもいこみがちな弱い情念と疎外感〉に囚われていたことに気づき、「北であれ南であれ、わが祖国」という思想に辿りつく。この信念が一九七二年に〈韓国Ｋ新聞社の公式招待〉で訪韓した〈愚哲〉の、何ものにもおもねらない姿勢となって現れるのだが、作家としても「在日」二世としても大きな転換点となったこの一九七〇年の韓国訪問は、〈愚哲〉を思いもかけぬ出来事へと導いていく。自らの訪韓を伏せたまま先輩の文学者がもちかけた〈合同祖国視察団〉に反対した〈愚哲〉は、同胞文学者たちから〈査問〉を受け、暴力を振るわれる。そして〈卑怯者〉、〈転向者〉という〈悪い噂〉を流され、孤立していく。

この問題が一九九〇年代に作者の韓国国籍取得を巡って再燃し、いくつかの雑誌でそれぞれの主張が交わされたことは記憶に新しい。だが、その背景にこのような事情が横たわっていたことは、筆者を含め多くの読者が初めて知ったのではないだろうか。告白とは、「誰かが誰かを非難する」ためにではなく、「みずからがすすんで過去の不足点を埋めるために」行われるものである、という作者のエッセイの一節を噛みしめつつ、私は、この件《くだり》を、作者の真摯な文学的告白として読んだ。

本書の末尾近くには、一九八〇年五月に〈愚哲〉が〈H大学〉で行った集中講義の場面が描かれている。大教室に入った彼は〈開けた窓という窓にまで男子学生が鈴なりになっている〉のを見て驚く。韓国の光州で進行している出来事の意味を求めて、学外からも聴衆が押し寄せたのだ。〈みなさん、きょう私は光州《グワンジュ》の事態についてのべたいとおもいます〉と〈愚哲〉は、学生たちに語り出す。

一九八〇年五月二十六日、作者も寸分違わぬ言葉で講義を始めた。筆者も窓の外からこの講義を聴いた一人である。教室に充満した熱気に比して、静かな声だったと記憶している。〈愚哲〉は、光州事態がこの講義が始まった直後に起こったのは偶然に過ぎないが、そこに〈ある必然的なもの〉があったと感じている。私も、その場に居合わせたことを、それが窓の外という位置だったことを、〈愚哲〉とは異なる意味で、必然的だったと思う。それから三十年余、文学を通して李恢成という作家を見つめ続けることになったからである。

小説という形で作品を発表しなかった十年間があった。その間、三十四年ぶりに故郷サハリンを訪れ、在日文芸誌『民涛』を主宰した。ソ連を訪れ、その地で暮らす「高麗人《コリヨイン》」と出会った。それは「在日」することの意味を捉え直す日々でもあった。そして一九九〇年代には、再び小説を書きはじめる。

本書は〈愚哲〉が〈「在日」の問題に否応なしに逢着した〉ところで擱筆されている。韓国の自生的社会主義を模索する青春群像を長編小説に描いた〈趙愚哲〉は、どのような道筋で〈「在日」の問題〉へと進むのだろうか。

語られるべきこと、語ってほしいことは、まだ多く残されている。第五部の連載再開が待ち望まれる。

第八節
『地上生活者』への旅

北海道立文学館で開かれていた特別展『李恢成の文学』のイベントに出演するために、李恢成氏と札幌を訪れた。東京で打ち合わせを行った折、仕事が終わったら〈超愚哲〉が育った場所を案内してほしい、と李氏に頼んだ。この言い方は、正確ではなかった。「李さんが育った」と言うべきだった。「もう、何も残ってないですよ」と李氏は笑った。

二月十八日、会場の下見も兼ねて特別展を見る。限られた空間に樺太時代からの写真や自筆原稿、色紙、「ニコヨン」時代の失業対策事業紹介適格者手帳、スケッチなど貴重な資料が陳列されている。李恢成文学を深く理解し、愛する人の手になるものであることが感じられる展示だ。

二月十九日、「李恢成文学における〝記憶〟をめぐって」は、李氏と樺太真岡第一国民学校の同級生で写真家の藪博《やぶひろし》氏、「戦後」生まれの私の鼎談の形で行われた。

「藪、元気そうじゃないか」

「李くん、いい顔になったね」。

開演直前に控え室で再会した旧友は、手を握り合った。時計の針が、くるくると逆回りしていくようだった。

「李恢成文学の言葉は、日本語でありながらロシア語のようであり、胎内で聞いていた朝鮮語のようでもある」。進行役を務めて下さったロシア文学者で詩人の工藤正廣氏の発言に、満員の会場には、頷きの波がひろがる。詩人の言葉は、一瞬にして現実のもうひとつ奥にあるものを垣間見せることがあるが、工藤氏の言葉もそのような輝きを放っていた。

藪博氏は、一九七〇年に書かれた、朝鮮人と日本人の敗戦直後の樺太での記憶のすれ違いを主題《テーマ》とする『証人のいない光景』の〈矢田修〉、二〇〇〇年から『群像』に連載中の『地上生活者』第一部の〈蔦聰〉の原型《モデル》となった方。一人称の「ぼく」と三人称の「超愚哲」を混在させ、視点と人称に細心の注意が払われた自伝小説『地上生活者』のなかで、〈蔦聰〉という他者の視点で書かれた第一部第五章『月』と、日本人〈矢田修〉を視点人物とする『証人のいない光景』第二章。三十年の時を隔てて書かれた二つの小説を結ぶ糸は、作者と原型《モデル》を結ぶ糸であり、それを手繰っていけば、戦争によって異なる位置性《ポジショナリティ》を持つことになった者どうしの記憶が、和解する道が見えてくるはずである。そんなことを私が話し、鼎談がはじまった。

絵のうまかった藪氏の描いた戦艦や戦闘機の画をもらうために教室に列をつくり、その絵を見て李氏が絵描きになることをあきらめたこと、成績のよかった李氏が担任教員の指名で副級長になったことなど、初めて耳にするのに、どこか懐かしい話の後、ソ連軍の真岡侵攻後の記憶が語られた。解放民族の朝鮮人と敗戦国民の日本人は、学校も別になり、ふたりの間には目に見えぬ距離ができていった。だが、藪氏が真岡の地図を指しながら、戦闘に巻き込まれて亡くなった人々の屍体が製紙工場に積まれていたのを見たことを話し、「李くんも見たよね」と尋ねたとき、李氏は「僕も見た」と強く、そして短く答えた。十歳の少年たちが戦争というものの酷薄さを目の当たりにした光景を、そのとき、私も見たような錯覚を覚えた。その光景を心の裡に抱え、身内の死と重ね合わせながら、ふたりは「戦後」の時空を生きてきたのである。東京に帰って、ある市長が〈南京事件というのはなかったのではないか〉という発言をしたという報道に触れ、愕然とした。歴史は、過去とともに未来をも照らすものだ、ということを考えたことがあるのだろうか。互いに証人となれぬふたりが分有する記憶を語ったあの瞬間を、多くの人に伝えたい。

二月二十日、いよいよ作者とともに『地上生活者』の世界を彷徨う日がきた。雪に反射した光が目をさすほど、よく晴れた日だった。

李氏が十二歳からの七年間を過ごした北円山の家は、すでにない。当時、二十万人だった札幌の人口は、今や二百万人近くに膨らみ、麦畑が広がり畜舎があった場所は、マンションや住宅が並ぶ瀟洒な住宅街に変わっていた。

立ち尽くしていた私の肩に、雪が降りかかってきた。雪は激しくなってくる。降りしきる雪のなかを粗末な身なりをした少年が、犬橇を押してくるのが目の端に映った。豚の餌にするザッパを集めてきたらしい。荷をおろす少年の傍らで、若い母親がザッパから食べられそうなものを選り分け、腹を空かせた少年に与え、自らもそれを口にした。ふたりは目を合わせ、少しだけぎこちなく微笑みあった。〈愚哲〉と義母のようである。だが、目を凝らすと、若い頃の母と少年の私のようにも、東京で帰りを待っているはずの妻と息子のようにも、見える。

その時、『地上生活者』が〈趙愚哲〉の物語であると同時に、あの時代を生き、いまを生きる人々の物語であるという、当たり前のことに気づいた。人は、異なる場所で、異なる時間を、異なる記憶をあたためながら、生きていく。李氏の分身である〈愚哲〉は、私であり、私の息子なのだ。

コートの裾を掠めるように、車が通り過ぎていく。気がつくと雪はやみ、母子の姿も消えていた。ただ、現在《いま》が見えるばかりである。

振り向くと、七十六歳になった〈愚哲〉の沁みいるような笑顔があった。

「李くん、いい顔になったね」

藪氏の声が、聞こえたような気がした。

二〇一二年二月二十一日記す。

第九節
記憶の匂い

札幌の北海道文学館で「李恢成の文学」展が開かれている。先日、その関連イベント「李恢成文学の〝記憶〟をめぐって」に、鼎談者として出席するために同館を訪れた。

打ち合わせの合間をぬって、駆け足で特別展を見た。展示室は、広くはないが、限られた空間に写真や自筆原稿、手帳、書簡などの、貴重な資料が手際よく並べられている。李恢成文学への深い理解と愛情を感じさせる展示だ。なかでも、義姉の写真は『またふたたびの道』を、失業保険日雇労働被保険者手帳は『われら青春の途上にて』を、母親の葬儀の写真は『砧をうつ女』の作品世界を髣髴とさせる。

高校生のときに、『伽倻子のために』を手にして以来、李恢成文学とのつきあいは、三十五年をこえる。書店の棚から青い背表紙の文庫本を引き抜いた時の、指の感触を覚えているような気がする。李恢成文学の解説者を自任し、伝記的な事柄も知り尽くしているはずの私が、いつまでもそこにいたいと思うほどの濃密な空気が、展示室を充たしていた。

二月十九日に行われた鼎談については、紙幅の関係もあり、他のところにも書いたので詳細は省くが、次の事だけは書いておきたい。

鼎談は、李氏と樺太真岡第一国民学校の同級生で一九七〇年に書かれた『証人のいない光景』や二〇〇〇年から『群像』に連載されている長篇自伝小説『地上生活者』の作中人物の原型《モデル》である藪博氏の記憶語りに、「戦後」世代の私が口をはさむ形で行われた。

国民学校五年生の「少国民」だった二人は、ソ連軍が真岡に侵攻した一九四五年八月二十日を境に、別々の道を歩んできた。解放民族と敗戦国民に分かれた十歳の少年たちの心に刻まれた記憶も、異なるのだろうと思っていた。だが、必ずしもそうではなかったのである。

藪氏が真岡の地図を指しながら、戦闘に巻き込まれた人々の屍体が王子製紙の工場前に積まれていたことを語り、「李くんも見たよね」と尋ねたとき、「僕も見た」と李氏が短く答えた。少年たちの目に映った戦争というものの実相を露《あらわ》にした光景を、二人は忘れてはいなかった。そして、戦闘のさなかに父親を亡くし、弟妹の父親代わりとして生きてきた藪氏も、「在日」する日々のなかで朝鮮人としての自己を再獲得し、小説に描き続けてきた李氏も、その光景を心のどこかに置きながら六十七年間の歳月を過ごしてきたのである。

そのとき、見たはずのない光景を、私も記憶しているような奇妙な感覚を覚え、李氏が二十年前に書いた小説『流域へ』の〈誰かのその一言が真実であれば、すべてが匂ってくるものなのだ〉という一節を思い出していた。

他者が経験した遠い日の出来事も、匂ってくるものである。記憶の具体的細部《ディテール》の齟齬や、位置性《ポジショナリティ》の違いをこえて、複数の声が和声《ハーモニー》ではなく多声《ポリフォニー》として響き渡ることによって、過去の出来事は浮かび上がる。李氏と藪氏の声は、まさにそういうものとして私に届いた。

歴史は、過去だけでなく未来をも照らし出すものである。「……はなかった」という、他者の記憶を抹殺する発言が繰り返されている。だが、そのような内向きな発言は、多声《ポリフォニー》が醸す匂いによって、常に撤回することを余儀なくされてきた。

記憶にも匂いがある。展示室を後にしようとした私を引き止めたものは、李恢成氏の記憶の匂いだった。自伝小説や私小説に虚構《フィクション》が含まれているかどうか詮索することには、興味がない。小説とは、事実のもうひとつ向こうにある、真実を映し出すものである。ただ、『地上生活者』をはじめとする李氏の小説から漂う記憶の匂いが「李恢成」展の展示室に凝縮していることを確認すれば、それで充分である。

できうることなら、会期末の三月二十五日までにもう一度札幌を訪れ、あの展示室を充たす匂いに身を浸してみたい。そして、いま拙文を目にしている方々が「李恢成の文学」展に足を運び、その匂いの記憶を分かち有《も》つことができれば、と思うばかりである。

第十節

結末のない物語

――李恢成『地上生活者　第五部　邂逅と思索』（講談社二〇一五年九月）――

本書は二〇〇〇年一月から十五年にわたり文芸誌『群像』に掲載されている自伝的長篇小説『地上生活者』の第五部である。樺太での幼少年期と「引き揚げ」後の札幌時代を惜しむように振り返った第一部『北方から来た愚者』と第二部『未成年の森』、東京の大学で「留学生運動」に打ち込んだ日々を扱った第三部『乱像』、大学卒業後就職した朝鮮総連（在日本朝鮮人総連合会）を離脱した後〈G新人文学賞〉を受賞し、作家として一九八〇年の光州事態（光州事変）を迎えるまでを描いた第四部『苦痛の感銘』に続く本巻は、「在日」の問題に逢着した趙《チョウ》愚哲《チョル》の八十年代半ばまでの姿を追っている。

三年以上の歳月を費やし「祖国統一」への夢を描いた長篇小説を巡る先輩作家との対談を終えた愚哲は、自分のなかに、ある変化がおこるのを感じ、小説が書けなくなる。三十四年ぶりに訪れたサハリンで義姉や外義祖母と再会し、フランクフルトの朝鮮人学術団体の招きによって訪れた西ドイツで年若い女性科学者安淑伊《アンスニ》と運命的な出会いをする。妻と別れ、淑伊との新しい生活を築こうと決意した愚哲の前に、三人の息子たちを巻き込んだ「家族の問題」が立ちはだかる。このような日々のなかで、愚哲は、自らの生を、「在日」という枠をこえ、世界に散在する故国／故郷喪失者と同じものとして捉え直しはじめる。

『地上生活者』を作者の年譜の行間を埋めるもののように読んでみれば、『見果てぬ夢』を巡る安岡章太郎との対談「文学・革命・人間」(『群像』一九七九年十月号)や『サハリンへの旅』(講談社文芸文庫)、そして、『可能性としての「在日」』(講談社文芸文庫)に収録されたいくつかの講演録を読み返したくなる。作者は、一九八〇年に『馬山まで』を書いた後、それまでの思想的展開を色濃く反映した長編『流域へ』(講談社文芸文庫)を九二年に発表するまでの間、完結した小説を書いていない。本書は、小説を書かなかった一〇年余の思想のあゆみを支えた出来事と思索の記録であるようにも読める。そして、作者と趙愚哲の像を重ね合わせる誘惑にかられる。だが、その一歩手前で立ち止まらせるものがある。

第四部が刊行された後、私は『地上生活者』について、「在日」二世の生を語り日本人の「戦中」・「戦後」の集合的記憶に亀裂を入れていることと、事実と虚構のあわいにある小説という形式でしか光を当てることのできない真実を告白しようとしている点に画期的な意味がある、と書いたことがある。〈ぼく趙愚哲〉という語り方は、出来事の渦中にいた「私」と、それを意味とともに了解している現在の「私」を峻別し、過ちを犯す可能性を孕みつつ常にその時々の限られた状況のなかで選択することしかできない人間の在りようを描こうとする方法意識のあらわれだとも。この考えは、いまも変わっていない。

第五部を読み終えたいま、もうひとつ言い添えたいことがある。本書の冒頭近くには次のような一節がさりげなく置かれている。〈そもそも、結末が見えていないのに結論があるかのような小説を書くとすれば、自己欺瞞《じこぎまん》にすぎないのではないか〉。おそらく、『地上生活者』は、このような認識から書き始められたのだ。大きな歴史のうねりのなかで、限られた時間しか与えられていない人間の傍らには、結末や結論などないのかもしれない。だが、愚哲が言うように〈自分が歩んできた歳月をありのままに再吟味〉し、そこから生の意味や哲学を見出そうとするのも人間なのだ。そして、小説家とは、小説を書くことで、それらを発見し生み出していく、ある意味、奇妙な存在なのである。

愚哲が感じているように、人生は、振り返ってみれば〈何者かに歳を盗まれたような錯覚〉に陥るように、早く過ぎる。『群像』二〇一五年十月号に掲載された『地上生活者　第六部最後の試み』では、愚哲はもう八十歳になっている。だが、『最後の試み』には、一九八〇年代の終わりから九〇年代にかけておきた世界の大きな変化のなかで、〈元小説家〉だった日々の思索を小説に書くことで思想にまで高めていく「小説家趙愚哲」の姿が描かれるだろう。語られるべきこと、語ってほしいことは、まだ多くある。『地上生活者』は、その完結を望まない多くの読者とともに、いつまでも読み継いでいきたい小説である。

附記　『地上生活者　第六部　最後の試み』は、『群像』二〇一九年四月号までに掲載され、二〇二〇年二月に単行本として上梓された。しかし、その第十五章「一九八七年前後」の末尾には「(未完)」と記されている。出版直前にお目にかかった際、「『地上生活者』第七部の構想をまとめているので、当分、会えない」と李恢成氏は、私に言った。第七部の連載再開が待ち望まれる。

第十一節
Y・H先生の思い出

極めて私的な出来事でも、言葉にしておかねばならぬことがある。芸術家なら、詩や小説の言葉で語るだろう。だが、私には、その力がない。君のことを想うとき、私は、文芸評論家ですらなく、同じ学校で、同じ時間を、同僚として、ともに過ごした、年長の、一人の教員でしかない。だから、君のことを、そして、君との思い出を、顕わに書くしかない。そのことを許してほしい。それでも、己を語ろうとするこの本に、君のことを書いたこの文を置かずにはいられないのだ。

君は、昨年十二月に、突然、逝った。昨春、転勤した先の学校の、部活動の引率から家に帰り、心臓に不調をきたし、還らぬ人となった、と聞いている。

一月の新学期が始まった日に、そのことを知った私は、君の死を知らずに、最後のお別れもせずに、冬季休業中の補講や、家族や友人、親戚と過ごしたクリスマスや正月、一月の授業の準備に明け暮れた日々を、茫漠たる思いで振り返った。

私が大切に思う人は、なぜか、突然、逝ってしまう。父も、義母も、父親代わりだった伯父も、君も、みな、突然、いなくなってしまった。そして、君の場合、十数日という時間を、その死も知らずに過ごしてしまったことに脚をすくわれ、心が顛倒してしまったのだ。

最後のお別れができなかったことは、君の死に顔に接することができなかったことは、親しい方々のご意向で内内に葬儀が営まれたのだから、仕方がない。しかし、私の学校でも囁かれていた君の死を私が知らなかったのは、いかにも迂闊だった。

君が本校で、前期課程（中学校）三年生まで担任をしていた生徒に動揺を与えないようにとの配慮から訃報が伏せられていた、とも聞いている。もっともなことである。十六歳の生徒たちには、まだ、四十になるかならぬか、という君の死は、受け入れがたいものだったろう。校長の教育者としての配慮には、頭が下がる。しかし、私は、自分が喪に服すべき非日常を、日常と地続きに過ごしてしまったことが、居心地が悪く、それがもたらす罪障感のようなものが心のどこかにひっかき傷を残したように、いまも思われてならない。

君とは、六年間、同じ学校で、教員として働いた。ある時は、生活指導部の部員として、ある時は、君が前期課程の学級担任、私が前期課程の生活指導担当として、ほんとうに手を携えるようにして、働いた。そして、私は、教員として、いや、それ以前に、人間として、二十歳以上年下の君を、尊敬していたのだ。

人の眼には、死の直前に、走馬灯のように生きた日々が映るという。

生者としての最後の時間に、君は、あの日の光景を見たのだろうか。いまだ生者である私は、君とともにいた、いくつもの場面を想起することができる。

「人として、人として、君は、それでよいのか?」。

生徒に発した、君の、張りつめ、少し震える声も聞こえる。

君が、新入生を迎えた春に、ある出来事があった。学級担任の君と、生活指導担当の私の二人で、生徒を指導していた時だった。当時、五十歳代後半で、前期課程生活指導主任の肩書を持ち、いくつかの格闘技経験があり、体も声も大きく、厳つい容姿の私の厳しいだけの指導に、俯いてしまった中学校一年生が、君の一言で顔をあげた。

「人間として、人間として……」。

君は、話し続けた。

小柄で、優しそうな君の、しかし、真剣に、全身で、話しかける声を、生徒は君の眼を正面から見て、聞いていた。ほんとうの生徒指導は、そこから始まり、そこで、すでに終わっていた。

隣で話す君の声に、身体と心が震え出すのを、私は感じた。君という一人の人間が、同じ人間である一人の生徒を変え、育てていく、その現場に、私はいた。生徒の人格と、教師の人格が共振しつつ、ともに高めあっていく場面に立ち合い、私の人格も、揺らぎ出した。君は、生徒のみならず、先輩の教員であるはずの、私をも変えたのだ。

指導が終わり、生徒が去った後のその部屋で、私は、君に何か言わねばならぬことがあるような気がした。しかし、二十歳以上年下の君に、ある言葉を使って自分の気持ちを伝えることには、衒いがあった。だから、英語で言えば、口の強張りも薄らぐような気がした。しかし、その英単語が思い出せない。目の前にいる君は、英語教師だった。私は、日本語のその言葉を英語ではどういうのかを、君に尋ねた。

「respect」。

怪訝そうな君の眼と声を、いまでも覚えている。それは、そうだ。指導のまとめをせねばならぬその時に、英語の質問をすること自体が、ちぐはぐだ。

「Yさん。僕は、あなたをリスペクトしますよ。あなたは、きっと、よい教師になる」。

これまた、場違いな私の言葉に、頭を掻きながら、上目遣いに私を見ている、君の顔と仕草を、私が忘れることはないだろう。

君が担任する学級が後期生(高校生)になる春、つまり、君が東京都立M高等学校に転勤になる直前の春、重ねて言えば、盟友だった三学年主任のK先生と私がともに定年を迎える春に、前期課程(中学課程)最後の学年集会が剣道場で開かれた。この集会の光景も、死を迎えようとしている君の眼に映らなかったはずはないと、私は確信している。

あの日は、三月にしては暖かい日だった。生徒を床に座らせ、どういうわけか、私に五十分間、話す時間が与えられた。生徒の後ろには、君や、東京都立K高等学校で教員としての新たな歩みを始めることになったK先生、美術のM先生、年若い数学のS先生、それに、生活指導全般を統括する生活指導主任であり、私たちの学校を全国高等学校サッカー選手権大会に出場させた監督でもあるS先生がいたことを覚えている。

「まず、三年生の諸君には、お詫びをしなければならない。生活指導重点校や工業高校の教員をしてきた僕は、中学生にはふさわしくない、荒い言葉で、三年間、君たちを指導してきた。まず、そのことを謝ろう。ごめんなさい。でも、君たちのおかげで、やっと、中学生がどのような人たちなのか、わかりました。今頃、わかってもしょうがない？　そうだよね。君たちは、四月から後期生（高校生）になるんだから。でも、君たちの後輩のために、前期生（中学生）の生活指導担当としてふさわしい教員になります」。

こんな風に、話し始めた。君は、生徒の右後方で体育座りをして、笑顔で、いや、初めて落語でも聞く少年のような眼をして、私の話を聞いていた。先ほど書いた、君と私とのエピソードも披露した。君は、あの時と同じように、頭を掻きながら笑っていた。

今から一年も経たないあの日のことを、ずいぶん遠い日のことのように、輪郭の滲んだ絵のように思い出すのは、君が逝ってしまったからだ。君が担任していた生徒は、いま、四年生（高校一年生）として、一回り大きくなったよ。この本が世に出る頃には、五年生になっている。

昨年の三月末日で定年を迎えた私も、再任用の教師として、あの学校に、いまもいる。自分では、あの時よりは少しだけ中学生の生活指導を担当する教員として、成長したような気がしている。

Yさん、なのに、なぜ、君だけが歩みを止めてしまったのか、私にはわからない。君を責めているわけじゃない。でも、私には、君がいなくなった訳を理解することが、納得することができない。いまでも、職員室ですれ違った誰かが、君だったような気がしてならないことがある。

君が転勤していく日に、握手をして別れたことは、覚えている。転勤先の学校でも頑張ると言っていた。頑張りすぎて、疲れてしまったのかもしれない。そういえば、最後に君と会ったのは、去年の九月の文化祭のときだった。階段ですれ違ったときに、簡単な挨拶を交わしただけだった。その三か月後に、君と二度と会えなくなってしまうなんて、私を含め、誰も思っていなかったからだ。せめて、あのとき、もっと、多くの言葉をかわしておけばよかった。君の手を、強く握り締めておくべきだった。君の手の温もりを、覚えておくために。

「早逝した者は、ある意味、幸せだ。遺された者の心に、永く、生きる。」

若かった頃、教え子の追悼会で、私は、こんなことを言ったことがある。友人を交通事故で突然喪い、表情をなくしている教え子たちに、そう言うしかなかったからだ。だが、いま、私は悔いている。この言葉は、死者を鞭打つとまでは言えないにしても、生者の傲慢だ。人生の途上で、若くして、ふいに、死を迎えた者たちは、生きたかったのだ。他者の記憶のなかにではなく、いま、ここに、肉体と精神をもって、存在する者として。

Y先生、君の死に遭遇して、私は、ようやく、そのことに気がついた。

教師として、私より優れた資質を持っていたあなたは、私のように三十五年間働いて、定年を迎えても、退職せずに、再任用の教員として働いて、生き続け、老い、地を這うように、それでも胸を張って、もう、そろそろ引き時かな、という心根になるまで働き、生徒を育て、年上の教員からリスペクトされ、年下の教員に影響を与え、そのことは個人の問題だから当てはまるかは知らないけれど、父親となり、父親の眼で学校を見て、生徒を見て、子の親として教員として、生き続け、変わり続け……。だめだ。どれだけ言っても、言い尽くせない。

Y先生、これだけは、言える。君と出会ってなければ、いまの私はいなかった。あなたは、教員として、人間としての私を変えた。本気で、君のように、生徒を導ける教員になりたいと、腹を固めた。だから、定年を迎えても隠居せず、君が、そして、私が、心から愛した学校で働くことを選んだのだ。私が、この一文を草し、その文を己を語るために出版する本に置くのは、そういう訳だ。

国際交流の担当者となった私は、君が教えていた英語を勉強し始めた。しかし、英会話の教材は、味気ない。「Excuse me」だの、「You're welcome」と、CDの無機質な声のあとに、壁に向かって言ってみても、生きた英語は、身に付かない。だから、インターネットで、若い頃の思い出を携えた、英語の歌を聴いてみた。そうしたら、君を思い出す、いや、君そのものを感じる、まるで、君の言いそうな言葉を、歌っているとしか思えない歌があった。
若くして逝った君は、その歌を聴いたことがないのかも知れない。君が生まれる前の、一九六〇年代に君より若くして逝った、女性のシンガーの生涯を描いた一九八〇年代に制作された映画の主題歌だ。私が、聴きとれた、英語の歌詞を、日本語にしてみる。

ある人は、愛を、流れ去る川だと、言った。
ある人は、愛を、心を切り裂く刃だと、言った。
ある人は、愛を、癒されることのない渇きだと、言った。
私は言う。愛は、咲き誇る花だと。

前三行は、まるで、生きることに疲れていた頃の、生徒にとってだめな教員だった頃の、文学に逃げ込んでいた頃の、よい父親とは言えなかった頃の、私の言いそうなことだ。紋切り型の作詞者の書いた歌詞のようでさえある。だが、最後の一行は、人として、生徒とともに高めあいながら生きていた、君の言葉のようではないか。君に、「What is love?」と呼びかけたら、君は、あの頃も、いまも、「I say love, it is a flower.」と言うだろう。そして、この歌は、冬の間は、苦い雪のなかに埋もれていた種が、春になれば、太陽のあたたかさ、つまり、愛によって、大輪の薔薇として、咲くだろう、という言葉で終わる。

最後に、いつも呼んでいた通りに、君に語りかけよう。

依藤さん、あなたが、生徒たちの心に蒔いた種は、きっと、彼（彼女）らが、いつか、出会う、「sun」、つまり、彼（彼女）らを、心から、全身で、愛する、誰かの愛で、大輪の薔薇となるだろう。

さよならは、言わない。いつか、私も、そちらへ、君のいる場所に行く。必ず。なぜなら、理不尽なことに、人は、誰もが、いつか、死ななければならないからだ。そして、さらに不条理なことに、やがて、誰も、自分のことを、覚えていない世界へと、追放されるのだ。生年と没年が「——《ダッシュ》」でつながれるだけで、その間にあった、いくつもの出来事が、なかったかのように、なってしまうのだ。没年なんて、早いか、遅いかの違いに過ぎない。永遠から見放された、時間的存在でしかない人間は、誰もが、そういう道筋を辿るのだ。

だけど、しばらくは、少なくとも、私たちの生徒たちが生きて在る間は、彼（彼女）らの心のなかだけには生きていたいじゃないか。だから、この本に、君の、在りし日のことを、刻印する。くどいようだが、この本が、存在する限り、君の生きた証は、遺る。そうだ、君の生は、消えはしない、と断言しよう。絶対に。君の生きた時間は、無駄ではなかった。充分過ぎるほど、有意味だ。君は、いま、そして、しばらくの間、生きて在る若い人々に、種を蒔いて、育て、そして、逝ったのだ。

また、会おう。その時までに、私は、君が教えていた英語で、自分の内奥を、ほんとうの気持ちを、君に語りかけることができるようにしておくよ。そして、「The rose」という、この歌を、ともに、歌おう。卒業式の二部で、卒業生全員が、君を、あの体育館に出現させるように祈り、歌うように。高らかに、そして、君の英語が、そうであったように、その人自身が、発したかのような、言葉として。

二〇二〇年二月十六日

追記　三月七日に、生徒主催で行われるはずだった卒業式の二部は、コロナウィルス感染拡大防止のため中止となった。本校五期生卒業祭委員が「The rose」を歌う私をスマートフォンで撮影し、その動画を卒業生に配信してくれた。私の下手な歌を聴いて、故依藤弘道先生を想い出し、学恩を感じ、卒業して行った諸君がいることを、私は確信している。

第三章

補遺・鏡のなかの他者

この自由に動くこともできなければ、栄養も人に頼っているような、まだ口のきけない状態にある小さな子供が、自分の鏡像をこどりしながらそれとして引受けるということ（assomption）は、わたしというものが原初的な形態へと急転換していくあの象徴的母体を範例的な状況のなかで明らかにするようにみえるのですが、その後になって初めてわたしは他者との同一化の弁証法のなかで自分を客観化したり、言語活動がわたしにその主体的機能を普遍性のなかでとりもどさせたりします。

佐々木孝次訳、ジャック・ラカン『〈わたし〉の機能を形成するものとしての鏡像段階』

一

私の机の上に『過ぎし日のことなど　川治勇遺稿集』という本の、校正刷りがある。二百頁ほどの小さな本として自費出版されるはずだった。巻末には「鏡のような小説――『川治勇遺稿集』に寄せて」という、私の解説文が添えられている。校正も終わり、印刷、製本するばかりになっていた。

川治勇は、小説家ではない。私の大学時代の同級生で、都内の高校で社会科を教えていた。ここ数年は、年賀状のやり取りだけだったが、心を許せる数少ない友人のひとりだった。

彼は、三年前の二月に死んだ。小さな手術の後、敗血症をおこしてあっけなく逝った。五十をこえたばかりだった。そんなに早く死ぬとは、思っていなかったのだろう。死出の支度は、何もしていなかった。

死後、彼の机の抽出の奥から、原稿用紙やノートに書かれたいくつもの小説や、その草稿が見つかった。川治が小説を書いていたことは、彼の妻も、息子も、知らなかった。日曜日の午後に書斎に籠もることはあったが、授業の下調べでもしているのだろうと思っていた、という。子煩悩な父親で生徒思いの教師だった川治が、出版のあてもなく孤独に小説を書きつづけていたことは、私にとっても小さな驚きであった。

川治の妻は、数年前にある文学賞を受賞した私に夫が書き遺したものを託した。できれば、本にして小学生の息子に遺してやりたい、とも言ってきた。

渡された手提げの紙袋に入っていたのは、ガリ版刷りの古い冊子と、綴じ紐でとじられた百枚ほどの原稿用紙の束が二つ。そして、二十数冊のノートだった。彼が十七歳のときに出身校であるT高校の文芸部誌に掲載された掌編『ゆび』を除けば、おそらく、彼の妻と私のほかには、誰も読んだことのない小説である。完結した小説が三篇、中絶した小説や、作者しか知らぬ物語の場面を描いたいくつもの断片が含まれていた。

そのすべてに目を通し、川治が『過ぎし日のことなど』という題名で、幼少期からの半生を辿る小説を書こうとしていたことがわかった。彼の妻と相談し、川治の手で「一」、「二」、「五」と番号がふられた完結した三篇の小説を柱に、草稿や創作ノートからおこした、三章と四章の梗概を付して一篇の小説にまとめる方向で、遺稿集は編まれることになった。

私の解説文も校正が終わり、ようやく完本の見通しが立とうかというときになって、出版人となるはずだった川治の妻から、出版は取りやめる旨の連絡があった。理由を尋ねる私に、彼の妻は、こう言った。

「あの小説のなかに、川治がいるような気が、しませんので……」。

この言葉の意味を、私はつかみかねた。川治が書いていたのは、自伝的な小説であった。大学時代から彼を知る友人である私には、多少の虚構はあるにしろ、彼の半生を描いたものとしか読めなかった。しかし、すでに出版社にも連絡し、これまでにかかった費用は清算した、解説文を書いてくれたことに対しても何らかの形でお礼をする、と続ける彼女に抗う気は、おこらなかった。作者の最も親しい人が下した決断に、編集人にすぎない私は、従うしかない。自分が書いた梗概や解説文のことは、どうでもよかった。ただ、川治が遺した小説には、愛着があった。そのことを話すと、川治の妻は、次のようにこたえた。

——彼の小説を材料に何を書いてもかまわない。ただ、そのときは作者の名は本名ではなく、彼が作中人物に与えた「川治勇」という名にしてほしい。

したがって、私がこれから書くのは、手にする人が作品を読んだことのない、仮名の作家の評論とでもいうものに、なるだろう。

川治勇の略歴は、以下の通りである。

一九五八年一二月、東京都S区に生まれた。そのとき既に父はなく、母親の手で二十歳まで育てられた。小学四年生のとき、多摩地区のK市に転居。大学在学中に母を亡くしたが、三十八歳で結婚するまでK市のアパートに住んだ。大学卒業後は、都内の高校の教師となり、四十二歳のときに長男が生まれた。二〇一一年一月末に腹痛を訴え、近所の病院に入院。盲腸炎と診断され、手術を受けるが、その三日後に敗血症で死去。享年五十二歳。

二

川治の小説を手にしたのは、彼の自宅で営まれた一周忌のときである。私のほかには彼の妻の親族が数人出席しただけの、ささやかな法要が終わると、彼が使っていた小さな書斎に招かれ、川治が小説を書きためていたことを知らされた。その部屋は彼が使っていた頃のままに残されていた。川治がそれらを書いていたであろう机と椅子を借りて、彼の小説に目を通した。

北向きの窓からは、道路越しに隣家の狭い庭が見えた。山茶花の花が咲いていた。川治もこの花を見ながら、誰にも告げずに、この椅子に座って、小説を書いていたのだろう。万年筆で書かれた端正な文字を追いながら、彼の早すぎる晩年の静けさを感じた。

渡された紙袋のなかにあった最も古いものは、ガリ版刷りの都立T高校文芸部誌『波涛』一九七五年十二月四日発行の「冬号」に、「K生」の筆名で掲載された掌篇『ゆび』である。このとき川治は十七歳になったばかりである。題名の右斜め上に『過ぎし日のことなど（一）』と書き込んである。青いインクの文字から、ずいぶん後になって書き加えられたものであることがわかる。

原稿用紙三枚ほどのごく短い作品である。全文を引用する。

ゆび

K生

あれは、夢だったのかもしれない、と思うことがある。夢なのか、ほんとうにあったことなのかはっきりしないのだから、僕が四歳か五歳のときのことだろう。

テーブルの向こうには、男が座っていた。男が背にしている大きな窓の外を迷彩色に塗られた飛行機が離陸していくのが見えた。ずっと後になって、T飛行場の近くにあるデパートの最上階のレストランの窓からよく似た飛行機を見たことがあるので、たぶん、そのレストランでのことだと思う。

僕の前には、食べ終わったパフェの器があった。あまりおいしかったので、もうひとつ食べたかったが、母がそばにいなかったのでそれを言うことはできなかった。

男は、何も言わずに、ビールを飲んでいた。一口飲んでは、溜め息のような長い息を吐き、しばらくすると、また一口飲んだ。

僕はこの男に預けられているようだった。母は、彼に僕のことを預けて買い物でもしていたのだろうか。

ビールジョッキの傍らには、ピーナッツがのった小さな紙皿があった。僕は、男が時折つまむピーナッツを見ていた。食べたかったわけではない。ほかにすることがなかっただけだ。

やがて、それに気づいた男は、ひとさし指で紙皿を僕の方に押してよこした。僕は、ピーナッツをひとつつまんで前歯で噛んだ。男は、満足そうにうなずいた。

あの男は、誰だったのだろう。顔は覚えていない。覚えているのはピーナッツの載った紙皿をこちらに押しやった、ひとさし指だけだ。

父は、僕が生まれる前に死んだと聞かされていた。だから、父であるはずはない。たった一人の男の親戚である伯父は、畑仕事で荒れた、無骨な指をしている。だから、伯父でもない。

あの指は細く、繊細といってもよいほどで、その動きはやさしいとも言えたが、少しだけ邪険な感じもした。

母が見知らぬ男に僕を預けたとは思えない。幼い僕を託せるほどの信頼を母が寄せていた人物なのだ。

飛行場に迷彩柄の飛行機が飛ばなくなった頃から、それが誰であったのか、もうどうでもよいことのように思えてきた。〔川治勇『ゆび』全文〕

同誌の「編集後記」は、この作品について次のように記している。

〈本号には二人の新人が投稿してくれたので、詩五編と小説四編という盛りだくさんな構成となった。新人は、詩……を書いた……くんと、短編小説『ゆび』の筆者K生くんである。……中略……『ゆび』はベトナム戦争たけなわの一九六〇年代の幼い頃の思い出を、高校生となった作者が、サイゴン陥落後の現在から振り返るというもので、この戦争がベトナム人民の犠牲のもと、いかに長く、理不尽に続けられたのかを感じさせる〉。

高校生がまだ政治の熱い渦に巻き込まれていた一九七〇年代という時代の文脈においてみれば、このような読み方がされたことは、理解できる。だが、この作品には、迷彩色の飛行機によって表現されている「ベトナム戦争のさなか」と「戦争終結後」という対立項のほかに、「夢」と「ほんとうにあったこと」や、「いつも自分を見守ってくれる母の不在」と「見知らぬ男の現前」、「覚えていない男の顔」と「その動きまではっきり思い出せる指」という、何かを背後に秘めた対立が、書き込まれている。この短い作品から断定的に何かを言うことは難しいが、作者には、この掌篇を書くことによって、現実には会うことができなかった父親との邂逅を果たそうとするモチーフがあったことが、推測できる。

賑わうデパートの最上階のレストラン、食べ終えたパフェの器。母親が買い物をしている間に、ビールを楽しむ父親が幼いわが子の視線に気づき、つまんでいたピーナッツを与える。視点を〈僕〉から第三者へ移せば、そこには、父と子の幸せな午後という、もう一枚の絵が見えてくる。そして、最後の一文は、父親の死という自らの運命を振り切り、自立を果たそうとする青年としての意志のあらわれのようにも読めるのである。

この掌編が川治の文学的出発だったのかは、わからない。手提げ袋のなかには、十代だった川治が書いたと思われるものはなかった。ほかにも『波涛』に掲載された作品があったのではないかと、彼がT高校在学中に文芸部顧問だったN先生を訪ねてみた。N先生は九十歳を越えるいまもご健在で、大切に保存されている『波涛』のバックナンバーを見せて下さった。だが、

「K生」の筆名で発表された作品は、『ゆび』以外にはなかった。N先生も川治勇という生徒について、特段の思い出はないようだった。

遺されたものを見る限り、川治が再び小説の筆を執り始めたのは、四十歳をいくつか過ぎた、二〇〇〇年以降である。川治の原稿やノートのほとんどには、起稿日や脱稿日が記されていないが、唯一の例外は『過ぎし日のことなど（二）章吉《ジョンギル》の自転車』である。原稿用紙の欄外に「二〇〇二年十月二十三日」と赤いインクで記されているので、推敲を終えた日であることが推察できる。

では、なぜ、川治は、二十五年以上もの空白の後に、自らの半生を辿る小説を書こうとしたのだろうか。私には、四十を過ぎて父親となった彼が、幼い息子に書き残そうとしたからだという気がしてならない。一人息子が誕生した頃、「父親の記憶がない俺には、父親ってものがどんな存在であるべきなのか、まったくわからん」と嘆いていたのを覚えている。川治は、まだ言葉が話せない息子に語り聞かせるように、日曜日の午後のひとときを『ゆび』の続篇にあたる『章吉の自転車』の執筆にあてたのだ。

三

小学校四年生で転校した〈勇〉の一夏を描いた『章吉の自転車』は、原稿用紙百枚ほどの中篇である。赤いインクで推敲され、前述したように、その日にちも記されているので、作者によって完成したものとして扱われていたことが伺える。

夏休みまであと数日という日に、S区のアパートを〈誰かから逃げる〉ようにして出ていった母親と〈勇〉は、中央線〈K駅〉から歩いて三十分もかかる所にある〈小さな雑木林と原っぱに挟まれた〉古いアパート〈三和荘〉の一階の部屋に引っ越した。見慣れぬ街へ移り住んだ不安と新鮮さを、川治はこんな風に描いている。


薄く開けた流し台の上の小窓の外に、梔子の花が咲いていた。

「いい匂いがする」

顔を洗いながら、そう言うと、

「くちなしの花よ」

と母が教えてくれた。

はじめての朝を迎えたその部屋に、漂っていた甘い匂いを、勇は胸いっぱい吸い込んだ。

〈川治勇『過ぎし日のことなど（二）章吉の自転車』部分〉


引っ越しは、〈勇〉の生活を大きく変えた。仲良しだった友だちと会えなくなったことも悲しかったが、眠れぬ夜を過ごすことの方が辛かった。看護師をしていた〈勇〉の母は、数日毎に、夜勤で家をあけた。S区にいた頃は、母親が帰らぬ夜は、近くに住む遠縁の〈幸子おばさん〉の家に預けられていたのだが、K駅から電車で四十分もかかるその家にはもう行けない。母の用意していった夕食をひとりですました〈勇〉は、テレビをつけっぱなしにして布団に入る。そして、眠るのをじっと待つ。彼が引っ越した〈三和荘〉は、古いアパートだった。隣や二階の部屋からいろいろな音がもれてくる。二階の部屋の学生が、夜遅くまで麻雀牌をかき混ぜている夜、〈勇〉は、なぜか、よく眠れるのだった。

おそらく、このあたりは、川治の少年期を素材としたものだろう。川治の母親は、都立病院の看護師だったし、私が彼と知り合った大学時代、川治は母親とふたりで中央線K駅からずいぶん離れた、古いアパートに住んでいた。

北向きの扉を開けると、六畳ほどのダイニングキッチンがあり、その南側に四畳半の部屋が左右に並んでいた。川治は、左側の、南と東に窓がある、明るい部屋を使っていた。私がその部屋に足繁く通うようになった頃は、両隣に家が建ち、雑木林や原っぱは姿を残していなかったが、『章吉の自転車』を流れる時間はそれよりも十年ほど前である。

〈勇〉を怖がらせるのは、夜の闇だけではない。母と〈勇〉を追ってきたかのような、〈背広を着た男〉の存在も彼の心を凍えさせる。

学校から帰ると、背広を着た男がアパートの前に立っていた。鍵のかかったドアノブに手をかけ、扉をノックしながら、小声で、何かを言っている。母の名を呼んでいるようにも聞こえた。見覚えのない顔だったが、勇はその男を知っているような気がした。勇が知っているのは、その男の顔ではなく、扉をノックする指だったのかもしれない。〈川治勇『過ぎし日のことなど（二）章吉の自転車』部分〉

〈勇〉の存在に気づくと、〈男〉は、顔色を変えて、逃げるように去ってしまう。そして、意味ありげなこの〈背広を着た男〉は、これ以後『章吉の自転車』には登場しない。

おそらく川治は、この場面によって、『章吉の自転車』をT高校文芸部誌『波涛』に掲載された『ゆび』と関連づけようとしたのだろう。後に述べるように、川治の完結した三篇の小説は、「指」をキーワードとして結びあわせられている。ピーナッツの紙皿を〈僕〉に押してよこした〈ひとさし指〉、見覚えのない〈背広を着た男〉の知っているかもしれない〈指〉。そしてもうひとつの指は、『過ぎし日のことなど』の五章にあたる『惜別』にでてくるのだが、話を『章吉の自転車』にもどそう。この小説の主題は、別のところにあるからだ。それは、同じ年の在日朝鮮人少年〈朴章吉《パクジョンギル》〉とその家族との、出会いと別れである。

転校したばかりで友だちのいない〈勇〉は、夏休みの一日を持てあまし、初めての街を歩きまわる。


大きな川の土手に出た。

この川は、どこから流れてきて、どこへ流れていくのだろうと、勇は思った。前に住んでいたアパートの近くにも小さな川があった。この川の水は、そこへ流れていくような気がした。いっしょに遊んだ友だちの顔が浮かんだ。

向こう岸には、夏の陽を浴びた砂利山の間をダンプカーが行き来しているのが見えた。シャベルカーがゆっくりと砂利をすくってダンプカーの荷台に載せていく。それが、欲しかったミニチュアカーのように見えるのがおもしろくて、勇は長い間それを眺めていた。

「おめえ、だれだ」

河原に生えた背の高い草のなかから男の子が顔を除かせた。目を細めて睨んでいる。勇は、一瞬身構えたが、あまり怖くはなかった。肩幅が狭いわりに汚れた顔はえらが張っていて、穴の空いたランニングシャツからのびた腕も半ズボンをはいた脚も細かった。勇と同じ年くらいの少年は確かに凄んでいるのだが、なぜか笑いを誘うようなところがあった。

「ここいらの奴じゃ、ないな」

少年は、細い木の枝を振り回しながら近づいてくる。十日ほど前に近くのアパートに引っ越してきた、と勇は急いで答えた。

「じゃあ、俺のことは知らねぇはずだ」

少年は、そういうと、自分の家に来ないかと、勇を誘った。少年のこぐ自転車の荷台にまたがって、勇は彼の家に向かった。じっとりとした汗の匂いがした。勇には、その匂い

が自分のものなのか、少年が発しているものなのか、わからなかった。〔川治勇『過ぎし日のことなど（二）章吉の自転車』部分〕

三歳年上のガキ大将〈俊一〉から爪弾きにされている〈朴章吉《パクジョンギル》〉と転校生の〈勇〉は、瞬く間に兄弟のように仲良くなる。そして、〈章吉〉の家に入りびたりとなった〈勇〉は、章吉《ジョンギル》の父親《アボジ》と出会う。〈章吉〉の父親〈南植《ナムシギ》〉は、この小説のなかで、もっとも魅力ある人物として描き込まれている。

夕方、巨大なダンプカーを運転して帰ってきた〈南植〉は、庭先で裸になり、頭から水をかぶって体を洗う。長屋住まいの〈章吉〉の家には、風呂がないからだ。筋肉の塊のような逞しい体と、明らかに自分とは違う股間に、〈勇〉の目は釘付けになる。辛くて〈勇〉には食べられない、真っ赤なキムチをつまみながら、安いウィスキーを啜る。煙草を吸うときに口をすぼめて輪っかのような煙を吐くのも、父親のいない〈勇〉には珍しかった。酔うと、〈章吉〉や〈勇〉にプロレスの技をかけ、〈俺は大木金太郎ことキム・イルだ〉と叫び、やがて、大の字になって大きな鼾をかいて眠りこける。

彼は、洒落者でもある。土曜日の夜には、派手なストライプのシャツを着て、夜の街に出かけて行く。鏡の前でポマードをたっぷりつけて、念入りに櫛を使う〈南植〉の背中に、妻の〈李述伊《イスニ》〉の罵声が飛ぶ。〈女にくれてやる金があるなら、ジョンギルに新しい自転車でも買っておやりよ〉。そんな夫婦の諍いも〈勇〉には、新鮮なものに感じられる。

この家には、自分の家にはない、生きた人間の、匂いがする。〈川治勇『過ぎし日のことなど（二）章吉の自転車』部分〉

〈勇〉が〈章吉〉の家をこのようにまで思う背景には、自分の家に抱く複雑な感情があった。彼は、小学校に入ってしばらくした頃から〈うちは、どこか、よその家とは違う〉と感じていたのである。

「おとうさんは、勇が生まれる前に、交通事故で死んでしまったんだよ」。母は、何度も同じ言葉を繰り返した。「菊田慎吾」という父の名を聞かされたときも不思議な気がした。母や自分の苗字と違うその名前を、勇は、父親のものとは思えなかった。「勇が生まれたら、おかあさんと結婚する約束だったのよ。でも、おとうさんは、その前に亡くなったから……」

結婚したら子どもが生まれるので、子どもが生まれたら結婚するというのは順序が逆じゃないか、と勇は思ったが、それ以上、母に尋ねるのはやめておいた。父のことを訊くと、母がいつも辛そうな顔をしたからだ。

勇は、父親の顔を知らなかった。勇の家には、仏壇はおろか、遺影すらなかった。洋服箪笥の上に小さな写真たてに入った手のひら大の写真が置かれていたが、二十人ばかりの学生がどこかの湖畔で撮ったものだった。その中に、若い頃の父と母がいた。

毎年、体育の日に、母と並んで、その写真に向かって手を合わせた。

「天国にいるおとうさんがしあわせにくらせますように」

お祈りの後、写真を見上げて、幼かった勇は尋ねた。

「おとうさんは、どれ？」

母親は、白いワイシャツをきちんと着た、ひとりの青年を指さした。写真が小さいせいか、太い黒縁の眼鏡をかけた男の顔が、自分と似ているのか、勇にはわからなかった。

〈川治勇『過ぎし日のことなど（二）章吉の自転車』部分〉

そして、成長とともに〈父の不在〉が〈勇〉に重くのしかかってくる。

看護師だった母は、家にいないことが多かった。毎朝、うぐいす色のスーツを着て、急ぎ足でバス停に向かう母の背中を見送った。

アパートにひとりでいるとき、勇はいつも、言葉ではうまく説明できない何かを感じていた。その何かが、勇の心を震わせる。

大人になってから古本屋で見つけた詩集の題名を見て、勇はそれが何だったのか、わかったような気がした。

『不在の質量』。黒い詩集の背表紙には、消えかかった銀色の活字が並んでいた。勇の家には常に、どこかに、父の不在が、質量をもって、蹲っていた。〈川治勇『過ぎし日のことなど（二）章吉の自転車』部分〉

たった一人のアパートで、十歳の〈勇〉が感じていた〈言葉ではうまく説明できない何か〉。それは、不在の父でも、父が残した気配でもない。父の痕跡は、〈菊田慎吾〉という名前と母の言葉、たった一枚の〈手のひら大〉のスナップ写真の他には何もない。引用末尾の一文は、持たぬはずの質量を不在のものが持つという矛盾を通して、不在であることだけが、自分にも父親が存在したことを感じさせるという、奇妙な感覚を言おうとしているのだ。ここには、もう『ゆび』にあった父親への単純な憧憬は見られない。

『章吉の自転車』は、児童文学のような平明な言葉で書かれた作品である。息子が一定の年齢に達したら、この作品を読ませようという思いが川治にあったかもしれないことは、先に述べた。だが、この部分だけは〈不在が、質量をもって、蹲っていた〉というような書き方がされている。おそらく、川治は、幼い自分に刻み込まれた複雑な思いを、子どもにもわかる言葉に言い換えることができなかったのだろう。

そして、〈章吉〉の父〈南植〉が、〈勇〉の〈アボジ〉になる夜が来る。母親が夜勤の夜、夕食を急いですませた〈勇〉は、いつものように〈章吉〉の家に行った。そこで〈なにかのひょうし〉で〈勇〉の生い立ちが話題にのぼる。

「じゃあ、おめぇは、生まれたときからおやじがいねぇのか」

勇は頷いた。章吉の父親は、コップに半分ほど残ったウィスキーを一気に飲み干した。

「なんてこった……かわいそうに……」

ウィスキーをコップにドボドボ注ぎながら、充血した目は勇から離さなかった。章吉の母親が大きな溜息を吐いた。

しばらくして、章吉の父親は、勇が思いもしなかったことを言った。

「今日から、俺を父親だと思え。アボジと呼んでいいぞ」

アボジ。それが朝鮮では父親を指す言葉であることを、勇は章吉から教わっていた。だから父親でない人に向かってその言葉を口にするのは、少し照れくさかった。もし、おとうさんと呼べ、と言われたのなら、言えなかっただろう。

勇は、急いでこう考えた。父親は死んでしまった。だから誰かに向かって「おとうさん」と呼びかけることはない。ならば、僕を自分の息子のように大切にしてくれる恵介おじさんを「おんちゃん」と呼んでいるように、いま目の前でそう言ってくれる人を「アボジ」と呼んでもいいのではないか。

「アボジ……」

口の中で小さく呟いてみた。

「ああ、ああ……。じゃあ、俺はお前のことをサムと呼ぶからな。息子が二人になった。ジョンとサムだ。アメリカ人みてぇじゃねぇか。なあ、スニ」

章吉の母親は、目頭を押さえて頷いた。

「俺の方が先に生まれたんだから、俺が兄貴だからな」

章吉もうれしそうに笑った。〔川治勇『過ぎし日のことなど（二）章吉の自転車』部分〕

この場面には、何度も推敲された跡が残っている。特に、会話文のなかの「ああ、ああ……」は、最初は「アイグ……」となっていたのを青インクで「アイゴ……」とされた後、赤インクで二重線が引かれ、「ああ、ああ……」に直されている。そして、原稿用紙の枠の外には、次のような鉛筆書きがある。

章吉やアボジの声がいまにも聞こえてくるような気がする。あの夜の暑さも、扇風機の風も、食べ物の匂いも、私たちを包んでいたすべてを、手に取るように思い出すことができる。目をつぶれば、あの夜に戻れるような気がするのだが、言葉が思い出せない。意味もわかっている。声も聞こえる。なのに、発せられた言葉だけが思い出せない。〔川治勇『過ぎし日のことなど（二）章吉の自転車』枠外の鉛筆書き〕

これを書いていたとき、川治は三十年近く前の夜の、すぐ傍らにまで辿りついていたような気がする。もうほんの僅か身体を動かせば、現在の被膜が破れ、その夜の〈章吉〉の家に倒れ込んでゆけるような思いが、この小説を書き、推敲していく力となっていたに違いない。だからといって、『章吉の自転車』が具体的細部まで事実をそのままに書いたものと判断するのは、拙速であるようだ。川治のノートには、〈勇〉が〈章吉〉の父親を〈アボジ〉と呼ぶようになったきっかけとなる場面のスケッチがいくつもあるのだが、それはだいたい三つのバージョンに分けることができる。

まず、先の引用と近いものとして、〈章吉〉の父親が〈コップに半分ほど残ったウィスキーを一気に飲み干した〉後、コップをじっと見つめながら、ひとさし指でコップをちーんとはじくというものがある。

そのゆびを見て、勇には思い出すことがあった。まだ、ずっと幼い頃、紙皿にのったピーナッツを自分にくれた人がいた。ひとさしゆびで紙皿を押してよこした。章吉のとうさんがその人であるはずはない。でも、そのゆびの動きには、似たような思いが込められている気がした。それを敢えて言葉にすれば、父親が自分の子に感じる半歩手前の愛おしさ、ということになる。〔川治勇『過ぎし日のことなど（二）章吉の自転車』創作ノート、部分〕

この後、章吉の父親が「アボジと呼んでいいぞ」という場面に続いていくのだが、このスケッチが採用されなかったのは、『章吉の自転車』と掌篇『ゆび』を関連づける意図が、すでに〈背広を着た男〉の場面で果たされていたからだろう。

ふたつめのものは、〈章吉〉のように父親に接したい〈勇〉が、自分から〈アボジ〉と呼びかけるというものだ。一見、豪放そうに見える〈章吉〉の父親も他人の子である〈勇〉にはどこか遠慮がある。プロレスの技をかける時も、〈章吉〉のときより力を加減しているように、〈勇〉には感じられていた。〈アボジ、ギブアップ、ギブアップだよ、アボジ！〉と〈勇〉は〈章吉〉のように叫んでみたかった。

顔を真っ赤にしてヘッドロックという技に耐えた。

「ぜんぜん、へっちゃらだい」

章吉の父親の両腕と胸で頭を締めつけられた勇は、挑発するように言った。

「ギブアップしなさーい」

外国人レスラーがしゃべるようなイントネーションでそういうと、章吉の父親は少しだけ腕に力を込めた。

いまだ、と勇は思った。この技をかけられている間は、お互い顔が見えない。だから、いまなら言える。

「アボジ、ギブアップ」

小さく叫んだ。頭を締めつけている太い腕が、小さく反応したように思った。技がとかれても勇はのびたふりをしていた。顔をみられるのが照れくさかったし、「俺はお前のアボジじゃない」と言われるのがこわかったからだ。

「オーケー、オーケー、私は世界チャンピオン。いつでも挑戦してきなさーい」

アボジはそう言うと、逃げようとする章吉をつかまえて四の字固めをかけはじめた。薄目をあけて、アボジを見た。その顔は「アボジと呼んでいいぞ」と言っているように見えた。〔川治勇『過ぎし日のことなど（二）章吉の自転車』創作ノート、部分〕

三つ目は、〈勇〉が〈章吉〉一家に連れられて駅裏にある朝鮮料理屋へ行ったときの出来事として描かれている。

朝鮮料理屋のおかみさんに〈あれまあ、いつから息子が増えたんだい？〉と軽口をたたかれた〈章吉〉の父親は、二人の頭を大きな手でつかんで〈実は双子でござんして、こいつがジョン、こっちのちょっとでかいのがサム。二人ともアボジ思いの、よい息子でございます〉とおどける。そして、親子を演じたその店で、初めて〈章吉〉の父親を「アボジ」と呼んだ〈勇〉は、〈帰り道にはその言葉を自然と口にできるようになっていた〉というものである。

先の引用も含めて、この四つの場面のどれが川治が戻りたがっていた夜なのかは、彼が還らぬ人となったいま、確かめようがない。もし、川治に訊くことができたとしても、確かな答えが返ってくるかはわからない。だが、私には、それはどうでもよいことのように思える。すべてがほんとうにあったことのような気もするし、すべてが虚構であってもかまわない。

川治には、還りたいほど幸福だった幼い日があった。それが、すべてである。そして、小説という窓から、還ることができないはずの、その日、その場所へと、にじり寄るように近づこうとしていた。川治は、あったことや、あったかもしれないことを描いたいくつものスケッチから、ひとつを選びとり、小説のなかに出来事として置いた。自伝的なものであっても、小説とはそういうものだ。私が彼の小説を「鏡のような小説」として論じた理由のひとつは、そのようなことを言おうとしたことにあったのだ。

四

十歳の〈勇〉は、〈章吉〉の家というもうひとつの世界を知った。貧しくとも父と母がいて、二人は一組の夫婦でもある。夫婦喧嘩もするが、〈アボジが家に帰ってきてくると、章吉の母親は昼間より少しだけきれいになる〉ことを〈勇〉は不思議に思っていたのだ。〈そういう家はどこにでもあるのかもしれない〉と〈勇〉が学校の屋上から、立ち並ぶ数多の屋根を見ながら思う場面があるが、彼にとって〈章吉〉の家は、内側から見たはじめての〈普通の家〉であった。〈勇〉は、〈章吉〉をうらやましいと思うのだが、〈章吉〉も〈勇〉に似たような思いをもっていた。

「朝鮮人は嫌いか？」

章吉が突然、そんなことを言いだした。

嫌いか、と訊かれても、勇が知っている朝鮮人は、章吉とアボジと章吉の母親の三人だけだ。その三人は、好きだ。そして、章吉の父を「アボジ」と呼んでいる自分も、三分の一か半分かは家族のつもりだった。日本人には、好きな人や嫌いな人がいるけれど、朝鮮人で嫌いな人にはまだ会ったことがなかった。

勇は自分の考えていることを、そのまま言った。章吉は、それには答えず、吐き出すように言った。

「朝鮮人はずるくて、うそつきだって、俊一の野郎が言うんだ。おれの自転車だって、アボジが木村のじいさんからぶんどったって、言いふらしてやがる」

章吉は、大人が乗る、古くて頑丈な自転車に乗っていた。身体の小さな章吉は、サドルに腰掛けず、前のめりになって大きく尻を振りながらペダルをこいだ。その姿は、ガキ大将の俊一たちの、からかいの的だった。それに尾ひれがついて、アボジがぶんどったとか、かっぱらってきたと言われていることは勇も知っていった。

その自転車は、穴の空いた鍋を直したり、包丁研ぎを生業とする、木村という老人が使っていたものだった。長屋の人たちは「木村のじいさん」と呼んでいた。としをとった木村のじいさんは、街まで自転車で行くのがつらくなって、長屋を訪れる人だけを相手に商売をするようになっていた。

引き戸の脇に長い間、置かれたままにしてあったその自転車を、アボジは章吉のために譲ってもらった。丁寧に錆を落として、油を注して、緑色のペンキを塗って、章吉に与えた。緑色は、その頃人気だったロータスというスポーツカーに似た色で、アボジはその自転車を「ロータス号」と呼んでいた。

「俺が日本人なら、あいつらもそんなこと、いわねぇかもしれねぇな」

章吉は、そう言って、勇を見た。〔川治勇『過ぎし日のことなど（二）章吉の自転車』部分〕

〈章吉〉は〈勇〉に様々なことを話す。

戦争の時代に祖父が〈プサン〉という街から日本にやって来たこと。学校で呼ばれている「木辺《きべ》」という苗字は「朴《パク》」が木偏だからで、本当の名が〈朴章吉《パクジョンギル》〉であることを忘れないために、祖父が考えたものである。小学三年までは大阪の生野という朝鮮人がたくさんいた街に住んでいたが、アボジが人に騙されてつくった借金が原因でこの街に引っ越してきた……。

〈勇〉は、自分が知らない大人の世界の、さらにもうひとつ向こうの世界を覗いたような気がする。父と母がいて子どもがいるという点では〈普通の家〉にいるのは〈章吉〉だが、どこの国の人でどこの国に住んでいるかかという視点にたてば、日本で暮らす日本人の〈勇〉が〈普通〉ということになる。少年の〈勇〉の世界は、在日朝鮮人である〈章吉〉との出会いによって、徐々に形のあるものとなっていく。

『章吉の自転車』の魅力のひとつは、この小説が十歳の少年〈勇〉の成長物語であるところにある。引っ越しと転校によって、母親の世界に附属していた〈勇〉は、自分だけの世界をもつようになる。母の知らぬ場所で、〈章吉〉や彼の父親から〈サム〉と呼ばれ、彼らを〈ジョン〉、〈アボジ〉と呼ぶ新しい世界をつくりあげていくのだ。

〈勇〉と〈章吉〉は、街の自転車屋からカタログをもらってきて、ボロボロになるまで隅から隅まで眺め回す。〈勇〉はドロップハンドルの青い自転車を、〈章吉〉は黄色のセミドロップタイプがお気に入りだった。自転車は、十歳の少年が自分の世界を広げる翼なのだ。二人は、国道で見掛けた青年のようにテントや寝袋を荷台に積んで、大きくなったら日本一周の旅に出ようと約束する。だが、その約束が果たされることは、なかった。

〈章吉〉や〈アボジ〉との別れは、突然、やってきた。あと一週間で夏休みが終わるという日、夏休みの宿題をいっしょにやろうと〈章吉〉の家を訪れた〈勇〉は、家の様子がおかしいことに気づく。

午後の一番暑い時間だった。太陽が頭の真上で燃えている。勇の額を汗が流れた。それなのに、章吉の家は、戸も窓も閉め切られていた。家の中に人の気配がなかった。出かけているのだろうか、と思った。でも、いままでにそんなことは一度もなかった。いつも誰かがいて、戸も窓も開けっ放しにしている家だった。

引き戸に手をかけると、カラッという音とともに開いた。鍵は、かけられていなかった。中に入ると、外よりも暑い空気が籠もっていた。部屋の真ん中に、昨日、章吉と向かい合って観察日記を書いた卓袱台が、ぽつんと置かれていた。箪笥の一番下の抽出から白い下着がはみ出していた。きれい好きの章吉の母親が、そのままにしておくわけがない。

もう、章吉たちは、ここへは帰ってこない。

何の根拠もないのに、勇はそう思った。

外へ出ると、俊一が土手の上から勇を見おろしていた。苛められるかもしれない。勇は俊一と目を合わせないようにして、川沿いの道を急いだ。

「夜逃げしたぜ」

俊一の一言で、勇の足は、止まった。

「今朝、とうちゃんたちが言ってた。それで、わかったんだ。昨日の夕方、章吉の奴が、わけわかんねぇこと言ってたことがよ。あの自転車」

と、俊一は、顎で章吉の自転車を指した。

「てめぇにやると言ってたぜ。てめぇが自転車を持ってねぇから、やるってよ」

勇は、アボジが緑色のペンキを塗った、章吉の自転車を見た。夏の太陽がハンドルにあたって反射していた。勇が自転車がとめてある章吉の家の前に戻ると、俊一が近づいてきた。

「心配すんなよ。てめぇが、この自転車に乗ってて、かっぱらってきたんだろ、とか言う奴がいたら、俺が証人になってやる。この自転車は、章吉のおやじが木村のじいさんから買って、章吉にやったもんだ。そんで、章吉がお前にやるって言ってたって俺が言ってやるよ」〈川治勇『過ぎし日のことなど（二）章吉の自転車』部分〉

この後、〈勇〉が〈章吉〉たちは大阪がある西の方へ行ったのだと、土手沿いの道を、〈章吉〉からもらった自転車に乗って走り続ける場面をはさみ、『章吉の自転車』は、次のように擱筆される。

「そう言ったのなら、あの人は、アボジは、いつまでも、あんたのことを息子だと思っているよ。そういう人なんだよ。だから、あんたもアボジはどこかで元気にしているって思えばいい。生きてりゃ、いつかは会えるよ」

　朝鮮料理屋のおかみさんは、そう言って、勇を慰めた。朝鮮半島で戦争があったとき、生き別れになった親子は、いっぱいいる。みんな、いつかは会えると思って南と北に別れて暮らしている、とも言っていた。

　生きてりゃ、いつかは会える。その言葉を、勇は、長いあいだ信じていた。もちろん、あれから三十年以上経った、いまも。〈川治勇『過ぎし日のことなど（二）章吉の自転車』部分〉

五

　川治は、〈勇〉を主人公とする小説を書き続けようとした。だが、『過ぎし日のことなど』の三章と四章にあたる部分の『春先の頃』と『六月の風』は、何度か書き直された後、中絶している。出版されるはずだった遺稿集に、創作ノートをもとに私が書いた『春先の風』の梗概は、次の通りである。

第三章　春先の頃（梗概）

中学生になった勇は、バスケットボール部に所属する快活な少年となった。三月はじめのある日、勇は一学年上の節子から四つ葉のクローバーの栞をもらう。その栞には、「恋するあなたへ」という文字が書かれていた。恋に落ちたふたりは、学校の帰りに、よく大きな川の土手を歩いた。手も握らない、淡い恋だった。

章吉の住んでいた長屋は、取り壊されて、新しいアパートが建っていた。近くの土手に腰をおろした勇は、節子に章吉一家との思い出を話す。節子は「勇くんが、また、ジョンギルくんとアボジに会えるように、私も祈ってあげる」と告げる。

その頃、勇は、母の同僚からかかってきた電話で、母が夜勤だと言って家を明けた夜に病院にいなかったことを知る。どこで誰とその夜を過ごしたのか、勇の心は、乱れる。

日曜日の朝早く、勇の家の電話が鳴る。節子の父親からだった。節子の父は、勇の母に「二人の交際は認めない」と強い口調で言う。そのことで母と口論になった勇は、「かあさんだって、僕の知らないところで何をしているか、わかったもんじゃない」と言い放ってしまうのである。

中学時代の初恋と、母親との葛藤をテーマとした『春先の頃』を川治が書き続けられなかったのは、おそらく、そのときすでに母親が亡き人となっていたからだろう。逆説めいているようだが、亡き母の秘められた過去や、その人との軋轢を書くことを、彼はためらったに違いない。川治は、そういうところに細やかな人だった。

中絶のもうひとつの理由として、『春先の頃』があまりに『章吉の自転車』に引きずられた作品だったことがあげられる。〈勇〉が〈節子〉に語る〈章吉〉一家との思い出は、『章吉の自転車』の繰り返しが多く、肝心の初恋も〈節子〉が〈勇〉の〈章吉〉一家への思いを理解してくれる、というところで行き止まってしまうのである。

職業作家ではない川治が書いた小説に、紋切り型の表現や、作者の思いだけが先走りした部分があることは否めないが、初恋の人〈節子〉の描写には、その傾向が顕著である。〈ふっくらとした頬〉とか〈黒く大きな瞳〉といった書き方がされているが、美しくやさしい少女という以外の像が見えてこない。

もしかしたら、川治は、この小説を書きながら、妻のことを思ったのかもしれない。遠い日の思い出に過ぎない初恋であっても、妻以外の女性に対する思いを赤裸々に綴ることを躊躇ったことが、〈節子〉を具体性に乏しい少女にしてしまった原因と言えるだろう。

梗概からは省いたが、『春先の頃』の草稿には、見逃せないエピソードがひとつ書き込まれている。それは『章吉の自転車』に出てくるガキ大将の〈俊一〉との友情である。〈章吉〉が自分の自転車を〈勇〉に残していったことを伝える〈俊一〉の態度には、すでに〈勇〉に対する思いやりが見られるように思われるが、高校生になった〈俊一〉は、中学生の〈勇〉に影響を与える存在として描かれている。

その日も勇は、俊一を訪ねた。借りた本を返し、感想を語り合うために。そんなことが何度か続いていた。

三日前に俊一が、読んでみろ、と渡してくれたのは、在日朝鮮人二世の作家が、樺太で死んだ母親を追想する小説だった。勇は、そのなかに出てくる「アイゴ、うちのジョジョや、ジョジョ……」という言葉に懐かしさを感じた。章吉の母親が、よくそんな言い方をしていた。

「やっぱり、そう思ったろ」

俊一は言った。

「俺も、この小説を読んで、章吉《ジョンギル》のおふくろさんのことを思い出したよ。小さい頃、あいつが泣いてると、おばさんが飛び出してくるんだ。あいつをぎゅうっと抱きしめて、そんな風に言ってたよ」〈川治勇『過ぎし日のことなど（三）春先の頃』草稿、部分〉

この後、〈俊一〉が、高校の歴史の授業で習ったことを話していくうちに〈勇〉が〈章吉〉一家の置かれていた状況を理解していくくだりが描かれているのだが、それよりも注目すべきことは、この〈在日朝鮮人二世の作家が、樺太で死んだ母親を追想する小説〉が一九七二年に芥川賞を受賞した李恢成氏の『砧をうつ女』であろうことである。

それを前提にして『章吉の自転車』を読み返してみると、〈章吉〉の母親の名〈述伊《スニ》〉は、『砧をうつ女』の〈ジョジョ〉の母の名であり、父親の名〈南植《ナムシギ》〉は、やはり李氏の長篇小説『見果てぬ夢』の登場人物〈趙南植《チョナムシギ》〉と同じであることがわかる。

あら探しをしているのではない。川治が自伝的な小説を書こうと思い立ったきっかけを考えているのだ。幼い息子に語りかけるようにして書いたのであろうことは、前に述べた。だが、それを実行に移すには、もうひとつの何かが、川治の背を押したに違いない。おそらく、川治は、その後も李氏の小説を読み続けていたのではないだろうか。李恢成氏は、二〇〇〇年一月から、自伝的な長篇小説『地上生活者』を連載し始めている。それを読んだ川治が、自伝的な小説を書きはじめたのではなかろうか。私には、そう思われてならない。

『過ぎし日のことなど』の四章にあたる『六月の風』は、ストーリーすらはっきりしない、いくつかの断片が残されているだけである。大学時代、川治は、高校生の頃のことを、あまり話さなかった。母親の負担を考えて、大学進学を諦め、公務員試験を受けようと思っていたことや、父親がいないことを話せるような親しい友人がいなかったことは、聞かされていた。彼にとって心楽しまない三年間だったのかもしれない。そのことが、梅雨時の湿った空気を連想させる題名からも伺える。

六

完結した三本目の小説『過ぎし日のことなど（五）惜別』は、『章吉の自転車』を流れる時間の十年後、二十歳の大学生になった〈勇〉を描いたものである。

『惜別』は、川治の実生活をほぼ忠実に写し取ったものである。そう言いきるには訳がある。この小説に描かれた時期、つまり、大学二年から三年にかけて、私は川治と行動をともにすることが多かった。そこに描かれた出来事を、私は直接に、あるいは川治から聞かされるという形で、間接的に経験し、記憶しているからである。さらに、『惜別』には、私をモデルとする〈永井〉という人物が登場するのだが、その場面は、私がそこで見聞きしたままに描かれている。

『惜別』は、三月のある日曜日、〈勇〉が母親から、故郷の郡山に帰る、と告げられる場面から書き出されている。

「このアパートは、勇が卒業するまで借りておくし、学費も生活費も仕送りするから、二年間ひとりで頑張れないかな……」

母は、そう言って茶をすすった。

勇には、母が突然そんなことを言いだした訳が、わかるような気がした。誰かと距離を置こうとしているのだ。十年間、突然S区からこのアパートに越してきたときもそうだった。十歳だった勇は、急な引っ越しのあいだ中、誰かから逃げているような気がしていた。ここに移ってしばらくして、部屋の前に見知らぬ男が立っているのを見たときには、その男が母親を捕まえにきたと思ったほどだ。

いずれにしても、勇は、母の申し出を受け容れるしかなかった。四月から働く病院も、住むアパートも、母は先月郡山へ行って、決めてしまっていた。大学を卒業するまでの二年間を一人で生活して行くことへの不安は、なくはなかった。しかし、いずれは、母と別々に暮らす日がくるのだ。それが少し早まっただけだと思えばいい。

明日、母が郡山に発つという日の夜、勇は、永井を家に招いた。その夜を母と二人で過ごすのが、少し気詰まりだったからだ。永井は、その頃、もっとも気の許せる友人だった。境遇が似ていたからかもしれない。彼も、幼い頃父親と死に別れ、いっしょに遊んだ記憶がない、と言っていた。

「えっ、おばさん、田舎《いなか》に帰っちゃうんですか？　こいつ、どうすんですか？　ひとりでメシ炊けるんですか？　えっ、炊けるの。あっ、そう。こっちのおばさんの部屋、空くんですよね？　俺、ここに引っ越してきていいですか？」

永井は、荷物が運び出された母の部屋を覗き込んで言った。彼は、無神経というよりは天真爛漫な男なのだ。

夕食の間も、永井はひとりで喋り続けた。その夜を湿っぽいものにしないように気遣っていたのかもしれない。サークルの女の子にあっさりふられたことや、夜中に無灯火の自転車に乗っていて、警察官から職務質問を受けたときのことを、おもしろおかしく話した。母も楽しそうだった。

夜が更けていった。

「でも、なんでまた、田舎に帰ろうなんて思ったんすか?」

勇ができないでいた質問を、酒がまわった永井がした。

「要するに、疲れちゃったのよ」

少しだけ酒を飲んだ母は、いつもの口調でそう言った。〈『過ぎし日のことなど(五)惜別』部分〉

川治の小説を読み返すたびに、三十五年ほど前の春の夜が、甦ってくる。私は、川治が書いているような人間だった。このような口調で喋り、野放図に振る舞うことで、自分の底の浅さを隠し、人に愛されようとしていた。そして、この夜、私は、さりげなく、彼の母が郡山へ帰る理由を訊きだす約束を、川治と交わしていた。

「要するに」や「要約すると」と話しだして細かなことを話さないのは母の癖だ、と川治は言っていた。幼い頃、父親のことを尋ねると、決まって「要するに、勇がまだ私のお腹のなかにいるときに、死んじゃったのよ」と答えたと言っていた。この夜もそうだった。彼の母親の言葉を、私は、いまもそのままに覚えている。

川治の母親は、気さくで、美しい女性だった。彼女の亡くなった年をこえ、五十も半ばになった私の記憶のなかの川治の母は、魅力的と言ってもよいほどだ。あの頃、彼女は、まだ四十を少し出たばかりだったのだ。そんな若さで、川治の母親は、逝ってしまった。

それは、その年の夏休み、川治がアルバイトでアパートを一ヶ月も留守にしていた間の出来事だった。川治の母は、夜勤明けの朝、くも膜下出血で倒れ、還らぬ人となった。

川治が「恵介おんちゃん」と呼んでいた伯父が、手を尽しても連絡はとれなかった。そのとき川治は、山梨県のリゾート地にあるホテルで、住み込みのアルバイトをしていた。彼はそのことを、誰にも告げていなかったのだ。

八月の終わりに、アパートに帰った川治は、ドアに挟み込まれた数通の電報を見た。

「ハハシキョ。シキュウレンラクコウ。ケイスケ」

川治が郡山の伯父の家に駆けつけたのは、彼の母が亡くなった二十日ほど後だった。遺体はすでに荼毘に付され、密葬も、伯父の手で営まれた後だった。

『惜別』には、その日のことが、次のように描かれている。

「この暑さだ。何日もそのままにしておくわけにもいかなくてな……」

伯父は、それが自分のせいであるかのように、言った。

伯父の家の客間に、小さな祭壇がしつらえられていた。白い布が被せられた骨壺の隣に、写真がおかれていた。母がまだ看護学校の生徒だった頃の写真だった。その写真のせいか、勇には、骨壺に納められているのが母ではなく、よく知っている若い女性であるような気がした。

「静枝の部屋を探したんだけど、見つからなくてな。家にあった写真を使ったんだ」

伯父の言葉で気がついた。どこかの湖畔で撮った、箪笥の上のスナップ写真の他に、母を写した写真を見たことがなかった。家にカメラがなかったからだろうか。それとも、母にカメラを向ける人が、いなかったからだろうか。

伯父の運転する車で、母の住んでいたアパートへ行った。白い壁の、まだ新しいアパートだった。

部屋に入ると、不思議な気がした。はじめて入った部屋なのに、なぜか、懐かしい、と思ったからだ。子どもの頃から見慣れた箪笥と鏡台は、三和荘にいたときと同じ西側の壁に並んでいた。箪笥の上に、あの写真は、なかった。

母は、どこかに出かけているだけだと思おうとしたが、できなかった。母の部屋は、十年前の夏に見た、章吉の家と同じ気配が漂っていた。住んでいた人は、もうこの部屋には帰ってこない。母は、いなくなった。もう会うことはない。それだけは、確かなことのように思えた。

父は、生まれる前に死んだ。それは、母から何度も聞かされた。母の死も、伯父から聞かされた。骨壺と母のいない部屋も見た。しかし、死に顔は、見ていないし、葬式にも出られなかった。テレビドラマの中の出来事のように、それぞれの場面を思い描いてみることはできた。

誰かが仕組んだ筋書きをなぞっているようだ、と勇は思った。(『過ぎし日のことなど(五)惜別』部分)

『惜別』は、三人称小説であるが、引用した部分は、最後の一文を除けば、まるで一人称小説のような視点と筆の運びである。正確なことはわからないが、『惜別』の執筆は、出来事から二十五年以上も後のことである。時を隔てても、このようにしか書けなかった川治の心情をわかるような気がする。

やや唐突のようにも思われる最後の一文は、この小説の主題と深く関わっている。現実とは、自分やまわりの人がそうだと認識していることに他ならない。自分がまわりの人間の認識に追いついていけないのに、出来事だけが先に進んでいくのなら〈誰かが仕組んだ筋書きをなぞっている〉のと同じだ、ということになる。

〈勇〉のような経験をすれば、そのようにしか思えなくなるのも無理はない。彼は、二十日間も、母親の死を知らずにいたのだ。アルバイト先の仲間と冗談を言い合い、酒を飲み、普通に生活していた彼は、そう意識していたかどうかは別にして、母親が生きているという物語のなかにいた。そして、アパートの扉に挟み込まれた電報を見て、別の物語のなかに、突き落とされたのだ。

そうではなく、電報を見た〈勇〉は現実を知ったのだ、ということもできるだろう。しかし、彼には母親の死も〈テレビドラマの中の出来事〉としか思えなかった。それは、母親の死が、直接の経験というよりは、伯父から語り聞かせられるという、間接的な経験として訪れたからだ。祭壇に置かれた骨壺や写真、住んでいる人の気配を消した部屋。それらのものは、聞かされた母親の死が事実であろうことを間接的に証立てているが、芝居の大道具や小道具のように、よそよそしいものに感じられたに違いない。

そして、彼がそう考えるようになったは、母親の死からだけではなかった。〈勇〉は、自分が物語を生きていると感じる、もうひとつの出来事を経験する。

母親の死から一ヶ月ほど経って、〈勇〉は、突然、上京してきた伯父から、〈菊村慎一〉という人が会いたと言っていると告げられる。そして〈菊村〉は、〈君の父親だ〉と。

伯父が何を言っているのかを理解するのに少し時間がかかった。しかし、動揺はなかった。いや、動揺はしたが、それは予想していたほどではなかった、と言った方が正確だろう。予想？　そうだ、どのような形にせよ、誰かから父親のことを聞かされる日が来るのではないか、と勇は思っていた。〔『過ぎし日のことなど（五）惜別』部分〕

伯父は、秘められた過去を洗いざらい〈勇〉に話す。

医大生だった〈菊村慎一〉と、附属看護学校の生徒だった〈勇〉の母〈静枝〉は、学内の合唱サークルで知り合い、恋愛関係となった。〈菊村〉は、翌春に卒業を控えていた〈静枝〉より二歳下の新入生だった。〈静枝〉の妊娠を知った〈菊村〉は、人工中絶を求めたが、〈静枝〉は拒んだ。二人の間に立ったのが〈静枝〉の兄〈恵介〉である。高校生の時に父親を亡くしていた〈静枝〉は、年の離れた〈恵介〉を頼りにしていた。中絶が可能な時期を過ぎて、三人の間で密約が交わされた。

〈静枝〉は、〈菊村〉に結婚も、生まれた子どもの認知も、求めない。〈菊村〉の両親にこのことは伝えない。郡山にいる〈静枝〉の母親には、時間を置いて〈恵介〉が話をする。生まれる子どもには、父親は交通事故で死んだと伝える。

授かった命を殺さないために〈静枝〉がぎりぎりまで譲歩した条件を、〈菊村〉は承諾した。〈勇〉を出産した後、〈静枝〉は、乳飲み子を抱えながら看護師として働きはじめ、その数年後には〈菊村〉も医師となった。

伯父の話を聞きながら、子どもの頃、夜中につけっぱなしにしていたテレビで見た、古い映画のあらすじを聞いているようだ、と勇は思った。いまは渋い二枚目となった俳優が若い頃の姿でその医学生となり、スカーフで顔を隠した若い女と肩を寄せて歩いているシーンが頭を過ぎった。

どんな複雑な出来事も、短い時間で話そうとすると、映画のあらすじのようなものになってしまうのかもしれない。

それが自分の出生にかかわる話であるという実感が、勇には、どうしてもわかなかった。

「こういう状況をつくってしまった責任の一端は、私にもある」

伯父は、頭を深く下げた。

父親が生きていることを、いつ、どのように勇に告げるかということを、母と何度も話し合ったと伯父は言った。その度に、高校生になったら、十八歳になったら、成人したら、と繰り延べにされてきたことも。母が突然、郡山へ帰ってしまったのは、二十歳を過ぎた自分にそのことを告げることができずに、苦しんでいたからかもしれない。母が距離を置こうとしていたのは、背広を着た男ではなく、自分だったのか、と勇は思った。

「僕が生まれた後も、母は菊村という人と会っていたのでしょうか」

あの指のことを考えていた。もし会っていたのなら、あの指は、夢ではなかったことになる。

「それは、わからない。私は郡山にいたし……。ただ、二人が真剣に愛し合っていたことは事実だ。だから、会っていてもおかしくはない……」

菊村は、祖父の代から続く、大きな病院の跡取り息子だった。母と結婚できなかった事情もそんなところにあったのだろう。それに、勇が生まれたときに、彼は、まだ二十歳の医学生だったのだ。いまの自分と同じ年か、と勇は思った。恋人の妊娠に動転して、父親になることから逃げ出したとしても、無理はない。〔『過ぎし日のことなど（五）惜別』部分〕

数日間考えた末に、〈勇〉は、〈菊村慎一〉と会う決心をする。

菊村と会ったのは、秋空の広がる十月最初の日曜日だった。彼が指定した駅前の喫茶店は、すぐにわかった。前もって指示された通りにレジの女の子に自分の名を告げると、奥の個室に案内された。

「勇か？」

上質の背広を着た菊村は、椅子から立ち上がって、勇を招いた。四十歳にしては、落ち着いた感じの男だった。それなりの地位にある者だけがもつ雰囲気を醸していた。

「わたしが知っている君は、まだ、こんなだった」

彼は、腰のあたりに手を当てた。

「法学部に行ってるんだってな。将来は弁護士か？」

そう言って、菊村は、作り笑いのような、笑みを浮かべた。

まるで遠い親戚か、親の友人が言いそうな台詞だ、と勇は、思った。

勇が固い表情を崩さないことに、菊村は、戸惑っているようだった。

「静枝は、かわいそうなことをした」

と母のことを話し出した。

母との出会いと妊娠、勇の出生……伯父から聞かされた話が、繰り返された。ただ、今度は映画の場面のように、情景が浮かぶことはなかった。二十年も前のことだが、その当事者が目の前で話しているのだ。

しかし、当人から聞かされても、これはひとつのお話だ、と勇は思った。菊村という男の側から見た出来事にしか過ぎない。女である母親に語らせれば、違う話になっていたかもしれない。

菊村は十年ほど前に結婚し、三人の子どもがいると言った。一人っ子だと思っていた自分に、腹違いだが年の離れた弟や妹がいたことに、驚いた。でも、彼らに会うことは、たぶんないだろう、とも思った。

「実は、妻には、君のことを、話してはいない」

そう言うと、菊村は、セカンドバッグから紙封筒を出して、テーブルの上に置いた。

「ある程度、まとまった金が入っている。君が大学を卒業するまでの学費と生活費として充分な額だと思う」

彼はそれを勇の前に差し出した。勇は、下を向いて、首をふった。

「さあっ」

菊村は、人差し指で、封筒をさらに押して寄こした。

その指を見て、勇は、叫び声をあげそうになった。

やはり、デパートのレストランで、幼い僕にピーナッツの紙皿を押して寄こしたのは、おとうさんだったのだ。自分にもおとうさんがいて、ピーナッツをくれたのだ。胸に熱いものがこみあげてきた。泣いてしまいそうだ、と勇は、顔を両手で被った。

「パパがしてやれることは、これくらいしかない」

菊村の声が、した。勇は、その声に、横っ面をはられたように、顔をあげた。

パパ……。パパって、いったい誰のことだ？　そうか、この男は、自分の家で、妻や幼い子どもたちからそう呼ばれ、自分でもそう言っているのだ。「パパ、おかえりなさい」。「パパは、今日おしごとなんだよ」。そうだ、この男は、名前も聞かされていない弟や妹たちの「パパ」であって、僕の「おとうさん」ではない。

「天国にいるおとうさんがしあわせにくらせますように」

母と幼かった自分の声が、重なって聞こえた。母は、「天国にいる」というところを早口で言うので、息を合わせて祈りはじめても、いつも先に言い終わってしまうのだった。

「先生」

勇は、顔をあげて、菊村を見た。そんな言葉が自分の口から出たことに驚いてもいた。

「わかりました。これは頂戴します。私は、もう先生とはお目にかかりません。ご家族にもご迷惑はおかけしません。先生と私の関係は、誰にも口外いたしません。失礼します」

むしりとるように紙封筒をつかむと、勇は、喫茶店を飛び出した。駅に向かって急ぎ足で歩いた。菊村は、追ってはこなかった。頬を伝う涙のあたたかさで、自分が泣いていることに気がついた。

「さようなら、おとうさん」

勇の口から、そんな言葉が、呻くように、こぼれた。〔『過ぎし日のことなど（五）惜別』部分〕

ここに書かれた出来事を「父親だという男に会ったことがある」という形で聞かされたのは、それから二年ほど経った、大学卒業間際のことだった。ここに書かれているような、詳しい話ではなかった。卒業を控えた私たちには、過去よりも未来の方が大きく見えたからだろう。春から都内の高校の常勤講師となることが決まっていた川治は、二年以内に教諭になると意気込んでいた。

だが、いま思えば、彼は二年もの間、一人でこの出来事と向き合っていたのだ。人が変わったように寡黙になったのは、母を喪ったせいだとばかり思っていたが、川治が向かい合っていたのは彼自身だった、とも言えるのである。『惜別』には、次のような場面が描かれている。


誰かが書いた筋書きを生きていたってことか。

父親は、勇が生まれる前に死んでいたはずだった。どこか変だとは思っていたが、二十年間、父親のいない子として生きてきた。その筋書きを書いたのが、他ならぬ父と母、そして父親代わりだと思い信頼していた伯父であったことに、勇は打ちのめされた。自分にとってよかれと思ってしたことは、勇にも理解できた。しかし、勇には、自分という存在が実感できなくなっていた。「川治勇」という名前すらも。

父親の名は、「菊田慎吾」だと聞かされていた。子どもの頃、父が死なずに母と結婚していれば「菊田勇」という名だったのか、と考えたことを覚えている。

生きていた父の名は、「菊村慎一」だった。その名前を安直に考え出された偽名のようだと思った。だが、菊村病院は東京都N区に実在する。二十年間そう思い続けた父の名の方が、母か伯父が考え出した、偽物だった。ならば、自分の名が「いさむ」ではなく「いさみ」や「おさむ」であってもいいはずだ。生きてきた二十年間がすっかり入れかわってしまったのならば、「菊田治《きくたおさむ》」とでも名乗って、別の人生を生きてみることもできるような気がした。

もしかしたら、いまも他人が書いた筋書きを生きているのかもしれない、と勇は空想を膨らませた。

やっと妻と離婚できた菊村が、母との復縁を迫った、というのはどうだろう。僕と三人で暮らすことはできないと考えた菊村は、一計を案じた。まず母を郡山に帰す。そしてそこで死んだことにする。僕の身辺を調査して、夏の間アルバイトでアパートを空けることを知り、そこをねらって芝居がはじまる。伯父の迫真の演技に、僕は母の死を現実のものと受け止める。あとは菊村が現れ、僕に金を渡すだけだ。菊村と母は、知らない街で、ひっそりと残りの人生をともに過ごす。僕は、その金で大学生活を続ける。困る者は、誰もいない。

勇は、そのあらすじをノートに書いてみたりした。もし、そうだったら、勇は、父親だけでなく、母親にも、捨てられたことになる。でも、この筋書きのほうが、勇には、受け容れやすいことのように思われた。〔『過ぎし日のことなど（五）惜別』部分〕

〈誰かが書いた筋書き〉を生きているのではないかという、生の不確かさが『惜別』全体を覆っていることは、先にも触れた。二十歳までともに暮らしていた母親の突然の死、そして、二十年間死んだものと思い込んでいた父親の出現。〈生きてきた二十年間がすっかり入れかわってしまった〉という言葉で言い表された衝撃は、それを経験した者でなければ、わからないほどの大きさだったただろう。

ただ、この経験が、過去を物語として捉え直し、反芻することによって、出来事の意味を組み替えていくことができることを川治に教えたことは、想像に難くない。過去形の言葉に置き換えられ保存されている記憶は、不動のものであるように見えて、実は、そうではない。川治は、そんなことを考えながら、この小説を書きつづけたような気がする。

『借別』は、一周忌で郡山の墓を訪れた〈勇〉が、〈どうしても、ここに母が眠っているようには思えなかった〉という場面を描いた後、次のように続く。

もう二度と会わないと決めた菊村に会ってみようと思った。会うというより、顔が見てみたかった。十ヶ月前に見た父親の顔を、勇は、忘れかけていた。自分と似ているところがあるのか確かめてみたい、そんな気持を、勇は、おさえられなかった。

救急指定病院にもなっている菊村病院は、大きな道路に面した五階建てのビルだった。人の出入りも多い。病院には、ガラス張りの大きな正面玄関のほかに、救急患者専用の出入り口と、「職員専用」と書かれた扉があった。駐車場からは、正面玄関と職員専用の出入り口の両方を見ることができる。おそらく、菊村は、そのどちらかから出てくるに違いない。直接会いに行けない勇は、その駐車場で探偵のように、時折場所を変えながら、菊村を待った。

夜になって病院の窓に明かりが灯った。そのときになって、勇は、自分のうかつさに気づいた。看護師だった母がそうだったように、医師には夜勤もある。サラリーマンのように決まった時間に家に帰るわけではない。次の日の午前中に、勇は、患者を装って、病院の中へ入っていった。

いくつも並ぶ診察室の扉の横には、医師の名と診察日が書かれたボードがあった。「菊村副院長八月十二日。学会のため午後の診察はありません」と書かれた紙が、一番奥の診察室のボードの下に、貼られていた。

この日しかない。午前中の診察を終えた菊村は、昼前後に病院から出ていくはずだ。あの場所に潜んでいれば、菊村の顔を、父親の顔を、見ることができる。

その日の午前中に勇は、菊村病院の駐車場に着いた。友人から借りたカメラも用意していた。夏の強い日射しを浴びながら、勇は、菊村が現れるのを待ち続けた。

茶色の書類鞄を持った男が急ぎ足で自動ドアから出てくるのが見えた。

「菊村先生。このたびは……」

うぐいす色のワンピースを着た女が、その男にかけた声を、勇は、確かに聞いた。ワンピースの色は、母が若い頃よく着ていたスーツの色に似ていた。何かの礼を言っているようだった。

菊村先生と呼ばれた男は、にこやかに応ずると、勇の数メートル先を無表情に通り過ぎた。彼は、十ヶ月前に、自分の父親だと名乗り、紙封筒を渡したのとは、別の男だった。白昼夢を見たのかもしれない。

勇は、長い間、その場に、立ち尽くした。〔『過ぎし日のことなど（五）惜別』部分〕

この場面の後、『惜別』には、乱暴に引かれた傍線とも、抹消記号とも判別しがたい鉛筆の線が引かれた文章がある。

〈十ヶ月前と今の、どちらが白昼夢なのだろう。菊村という医師が二人いるのかもしれない。さすがに、自分に父親だと告げた人物が、菊村に頼まれた身代わりだったということは、ないだろう。いずれにしても〉。

線が引かれているのはここまでで、次のように『惜別』は擱筆される。


僕には、生まれたときからおとうさんが、いなかった。他人が書いた筋書きであったとしても、そう思って生きた日は、消しようがない。

額の汗を拭って、勇は、歩き出した。午後の日射しが容赦なく勇を照らしていた。〔『過ぎし日のことなど（五）惜別』部分〕

『惜別』には、惜しまれる別れが三つある。母と父、そして、過去の自分との別れである。『ゆび』も、『章吉の自転車』も、父の不在が大きな柱となっていた。そこには作者の自己憐憫のようなものが漂っている。川治が、中学高校時代を扱った第三章と第四章に着手しながらそれを中絶し、五章に当たる『惜別』の完成を急いだのは、母親の死と、死んだとばかり思っていた父親との出会いという出来事の衝撃もさることながら、乳児から幼児、そして小学生へと成長していく一人息子のために、父のない子という過去を振り落とし、川治がひとりの父親として立ち上がろうとしたからだろう。歩き出した二十一歳の〈勇〉の姿は、そんな四十代の父親の決意をも背負っている。

七

ここまでは、私の「鏡のような小説　『川治勇遺稿集』に寄せて」に書いたものをもとに、小説の引用を大幅に加えたものである。ここで筆を擱いてもいいのだが、出版が取りやめとなってから、改めて気づいたことがいくつかある。そして、そちらの方が川治の小説の解説としては正しいのではないかと、日を追う毎に思われてきた。

綴じられた原稿用紙の『惜別』には、プロローグとエピローグがついていた。ただ、プロローグには赤いインクで大きく×印がつけられており、活字にする段階で割愛することにした。

そうすると、エピローグだけが残ることになり座りが悪く、また、エピローグは『惜別』の本文との関連が明確ではなく、これもまた活字にはしなかった。しかし、いま振り返ってみれば、それでよかったのかは疑問である。

冒頭に擱かれた「プロローグ」は次のように書き出される。

十七歳のとき、教室の片隅に投げ捨てられていたガリ版刷りの冊子を拾ったことがあった。通っていた高校の生徒たちが作った同人誌だった。その中の一編を読んで、愕然とした。私の中にもうひとりの私がいて、そいつが書いたとしか思えなかったからだ。

よく似た境遇にある者は、同じ夢を見たり、出来事に対して同じ反応を示したりするものだろうか。

それは、わからない。だが、その短い小説の主人公は、確かに、私自身だった。〈『過ぎし日のことなど（五）惜別』プロローグ、抹消部分〉

この後に一行開けて掌編『ゆび』が書き写されている。

私小説と読まれないために、拾った小箱のなかに入っていた小説とか、他人から聞いた話だ、といった額縁をつけることは、よくあることだ。自己の内奥を語るとき、作者はより身を隠す、と指摘した評論家もいる。

不可解なのは、川治が何故、自伝的な小説の最終章にだけこのような額縁をつけ加えたかである。もし、川治に『過ぎし日のことなど』の一章から五章までを書き通す時間があり、完成した小説を誰かが読むと仮定すれば、第五章の冒頭で第一章が繰り返され、そしてそれが作者の作品ではないと明かされた読者は、混乱するだけだろう。『惜別』だけを独立した小説にしようと考えていたのかもしれないが、そもそも、職業作家ではない川治に、自伝的小説ではないと思わせる仕掛けが、必要だったのだろうか。

そんなことを考えていた私は、彼の妻が出版をやめると言ってきたときの言葉を思い出した。この小説のなかに川治がいるような気がしない。そう彼の妻は言ったのだ。

彼の妻の言葉を、小説のなかに作者はいるか、という文学論に置き換えるのは適当ではないだろう。たぶん、彼女はそんなことを念頭に言ったのではない。小説に描かれた子どもの頃や青年期の〈勇〉と、十四年間ともに暮らした川治とのほんの僅かなずれを見逃さなかったということかもしれないが、彼女がそう感じたのは、いったいどの部分だったのだろう。

私と出会う前の少年期を描いた『章吉の自転車』は措くとしても、多くの時間をともに過ごした大学時代を扱った『惜別』を、私は川治を偲ぶよすがとして読んだ。前に述べたように、『惜別』には私が居合わせた場面や、彼から聞かされた話がほとんどそのままに書き込まれている。だから、私は「鏡のような小説」として論じたのだ。

しかし、私が論じたのは、彼の小説だったのだろうか。それとも彼の人生だったのだろうか。

私は、それを混同する過ちを犯していたのかもしれない。若い頃からの友人というものは、始末に負えないものだ。断片的な体験や聞いた話を繋ぎ合わせて、その人物の全体像を知っていると思い込んでしまう。「話したこと」というのは「話せること」の謂いで、人は他人には話せないことの束でできている。

そう考えてみれば、私が川治の小説を「鏡のような小説」、つまり、自伝的な作品と断じたことが、彼の妻に出版を躊躇わせる大きな原因となっているようにも思えてくる。

『過ぎし日のことなど』は、その題名とは裏腹に、私が居合わせた場面と、母親の死の周辺以外のほとんどが、虚構なのかもしれない。一部がありのままに書かれてるからといって、その全体を事実に基づいた自伝的な小説だと言い切ることが許されるはずがない。

もうひとつ気がかりなことがある。T高校の文芸部誌『波涛』に掲載された『ゆび』の作者である。「K生」の「K」は川治の本名のイニシャルでもある。そして、題名の斜め上に、川治の筆跡で「過ぎし日のことなど（一）」と書き込んであった。だから、私はこの作品の作者は、川治であると思い込んでいた。その推測は、間違っていないようにも思われる。

しかし、『惜別』のプロローグには、『ゆび』は教室の片隅に投げ捨てられていたガリ版刷りの冊子のなかにあった、と記されている。続けて川治は、〈よく似た境遇にある者は、同じ夢を見たり、出来事に対して同じ反応を示したりするものだろうか〉と書いている。

活字にするときには気にもとめず割愛してしまったこの部分を読み返してみて、思い出すことがあった。「死んだ父親が生きていた夢」のことである。

『惜別』に書いてあるように、私も幼い頃、父と死別した。父に遊んでもらった記憶はない。川治と私が同級生という以上の交わりをもったのは、似たような境遇にあったからかもしれないが、あの夢の話以来、急速に親しくなったのだ。

そんな夢を見たことはないか、と尋ねる彼に、私は、自分が見た、いくつかの夢を話した。

故郷の田舎道を歩いていると、坂の下から父が歩いてくるのが見えた。背広を着て帽子を被り、ステッキをついて喘ぎながら、その急な坂を登ってくる。「おとうさん」と大声で呼びかけると、顔を上げ、左手で帽子をとって大きく振った。父は生きていたのか、と駆け寄ろうとするのだが、走っても走っても、父の姿は大きくならない。そして、気がつくと、父の姿は、消えている。

こんな夢も話した。

日曜日の朝、布団をあげようと襖を開けると、押入の床下にある地下室から父が顔を覗かせて、不思議そうに部屋を見まわしている。そこへ、茶を入れた父の湯飲みをもった母がやってきて「おとうさん、ご苦労様でした」と言うのだった。

「押入の下の地下室っていうのは、防空壕みたいなものか?」

川治の目は、笑っていた。昭和三十年代のはじめに父が建てた家に、防空壕があるはずがない。夢というものは、辻褄が合わぬものだ。

酒の席の他愛のない話が、そうではなくなったのは、私が中学生の頃にみた夢の話をしたときだ。

日曜日の午後、私は母とテレビを見ていた。画面には、戦争が終わってからも、長い間ジャングルに潜んでいて、何十年ぶりかに帰還した、元日本兵が映っていた。

「おとうさんよ」

突然、母が叫んだ。画面を見ると、元日本兵の顔は、父のようにも見えた。

「おとうさんって呼びなさい」

母は、恐慌をきたしていた。

何かが違うと思いながら、私は、母と並んで、茶の間の小さな白黒テレビに向かって、「おとうさーん、おとうさーん」と大声で叫び続けた。いくら呼んでも、画面のなかの父は、口を真一文字に閉じて、あらぬ方に鋭い目を向けて、軍隊式の敬礼をしていた。

「お前も、その夢を見たのか……」

川治の顔は、青ざめているように見えた。

「そのとき、おふくろさんは、取り乱してるんだよな。いつものおふくろさんじゃないんだよな。お前も、何か変だ、と思ってるんだよな」

そうだ、と答えると、川治は言った。

「まったく同じ夢だ」。

中学生だった川治も、似たような――彼は、「まったく同じ」と言っていたが――夢を見ていた。

彼は、自分の見たその夢を話し出した。私の話より少し具体的だった。窓の外は、曇り空だった。そして、卓袱台の上には煎餅の袋があって、母親は茶を飲んでいた。そう言われてみれば、部屋のなかは薄暗かったような気もする。茶を飲んでいた母が卓袱台に茶碗を置く音もしたように思えてくる。

よく似た境遇にあるものは、同じ夢を見る。川治が『惜別』のプロローグに、そう書いたのは、私との話がきっかけとなっているのかもしれない。しかし、たった一度の、偶然の符合かもしれない経験が、確信をもたらすだろうか。

私は、こうも考える。川治と私が同じ夢を見たことは、彼の推論を確信に変える、二度目の出来事だったのではないかと。そして、彼がそう考えるようになったきっかけは、十七歳だった川治が教室に投げ捨てられたガリ版刷りの冊子のなかにあった『ゆび』という小説を読んだことではなかったかと。

もし、川治が、「K生」という、彼とは別の高校生が書いた小説『ゆび』を読み、もうひとりの自分を見るようにして、自分の内奥に潜んでいた心の震えを発見したとしたら、そして、私の夢を「まったく同じ夢」と断じたように、『ゆび』という他人の小説のなかに、自分と同じ人間を見出したのだとしたら、それを始点として語り出された『過ぎし日のことなど』は、川治の過ぎし日でありながら、そうではなかったことになる。

私の推理が間違っていないとしても、彼の妻がそのことを知っていたとは思えない。だが、記憶のなかの生きて在る夫と、小説のなかの若き日の夫との手ざわりの違いを、彼女は見過ごせなかったのだ。鏡のように自分の過去を写し出した小説という私の解説文が、彼女にそれを気づかせたのかもしれない。私が書いた解説文のゲラを読むまでは、彼女は息子とともに、出版を待ちわびていたのだから。

二枚の鏡を合わせると、一枚に写った像を、もう一枚が写すということを繰り返し、二枚の鏡に無数の像が浮かびあがる。それは、すべて同じに見える。川治が小説を鏡として、直接眼で見えない自分を見ようとしていたのならば、私は、彼の小説の解説を鏡として、私自身を見ようとしていたのかもしれない。

二枚の鏡を合わせることによって、いったい何が見えたのだろう。その像は、川治でも、私でも、ない。それはわかっている。しかし、川治でもあり、私でもあり、誰かでもある、実在するひとりの人間であることは、間違いない。

今度こそ、もう筆を擱こう。

でも、忘れていたことがあった。『惜別』に付されていたエピローグのことだ。本文との関連が見出せず、活字にするとき割愛してしまったものだ。だが、よく読み返してみると、それは、エピローグの形をとった『過ぎし日のことなど』の、最も適切な解説文であるようにも思われてくる。

忘れられない夢がある。

夢と言っても、そう長いものではない。古い映画の一場面のようなものだ。ずいぶん前に見たものもあれば、ついこの間見たものも、ある。

ほとんどの夢は、目覚めたときには、すでに消えているのだろう。明け方に見た夢も、その多くは、数日のうちに形のないものになる。だが、そのうちのいくつかは、まるでほんとうにあったことのように、いつまでも、心の襞に、消え泥んでいる。


若い頃の夢を見た。

日が暮れかかっていた。寂れた駅前通りを抜けて、線路沿いを歩いていた。家に帰ろうとしていつもの道を歩いているはずなのだが、そこは見知らぬ場所だった。家までは、まだずいぶん歩かなければならぬようだ。

線路は、夕日のずっと向こうまで続いているように見えた。おそらく、そこに私の帰る場所があるのだろう。夜の匂いが、ひたひたと近づいてくる。親とはぐれたこどものような心細さが、脇をすり抜けてゆくのを感じた。私は、なぜか、途方にくれていたのだ。

ふと耳を澄ますと、妻の声が遠くからかすかに聞こえてきた。妻は、うたっていた。

さといも、にんじん、だーいこん
さといも、にんじん、だーいこん

目を凝らすと、手に持った買い物籠を大きく振りながら、妻が近づいてくる。私を見つけた妻は、笑いながら大きく手をふった。

妻は、ふだん、歌をうたうようなことは、しない。というよりも、うたうことが得意ではないのだ。なのに、そのときの妻の歌は、美しかった。心の奥深いところに、流れ込んできた。

私は途方にくれていたのだ。何もかもが、どうしてよいのか、わからなくなっていたのだ。

だからだろうか、

今夜は筑前煮だよ

という妻の言葉に、私は、大きく頷いたのだった。

息子が幼いときの夢だ。

私の腰の高さくらいの背だった。やっと意味の通る言葉を、話せるようになっていた。

また、明日ね

日の傾きかけた路地で、息子は、小さな手をひらひらさせながら、そう言った。私を見上げる目は寂しそうでは、なかった。

明日まで会えないのか、あのむくむくした子犬のようなからだを、だっこしてやることもできないのか、と心が凍えた。

息子を残して路地を抜け、通りに出て、家路についた。明日は、いっぱいお話をしよう。大好きな絵本を、何冊も読んでやろう。だっこも、おんぶも、かたぐるまも、してやろう。そう思いながら、せかせかと歩いた。

駅前まで来て、あることに、気づいた。

家に連れて帰ればいいのだ。

家では、先に帰った妻が風呂を沸かし、夕飯を用意して待っている。

こうたー

こうたー

大声で息子の名を呼びながら、いま来た道を、ころびそうになりながら、駆けた。いま、抱きしめてやらなければ、明日どころか、ずっと会えないような気がしたのだ。

暮れかかる路地の端にしゃがみ込んで、息子はなかよしの子と、目を輝かせて、石ころをひっくりかえしていた。木にとまっている昆虫をひきはがすように、私は、息子を抱きあげた。息子は手足をばたばたさせた後、不思議そうな目で、私を見た。

夢の多くが、辻褄のあわない、ばかげたものであることは、わかっている。抑えこまれた欲望が形となってあらわれてくる、ということも本で読んだことがある。しかし、そんなことは、どうでもよいのだ。それよりも気がかりなのは、夢がほんとうにあったことよりも、大きく、確かなものとして、私の過去を、私という人間を、形づくっている、ということなのだ。

夢を見るという言い方は、それでよいのだろうか、と思うことがある。消え泥んでいる、私の夢の欠片は、見た、というよりも、そのなかにいた、と言った方がしっくりするような気がする。暮れかかる街の湿った匂い、いまも聞こえてくるような妻の歌声、抱き上げたときの息子の、ずっしりとした重さ……。もう、還ることのできない、過ぎてしまった時の、すべてのように、私の夢には、確かな手ざわりがある。
そして、そんな夢のなかに、私は、還りたいのだ。

あとがきにかえて

この本に収めた二十篇の言葉の束は、私の十六年間に亘る歩みをあからさまにする。とぼとぼと、よたよたした、行きつ戻りつの、不体裁な足どりであることは、否めない。

二十年ほど前、文学研究者になろうと思って、高等学校で社会科を教える身でありながら、大学院で日本語文学の研究をしていた。研究所の研究員も兼ねていた。エドワード・サイードの方法を用いて、在日朝鮮人文学の全体像を、明らかにしようとしていたように記憶している。

そんな日々のなか、ある夜、テレビで、私より少しだけ年上の、女性シンガーが歌っているのを、見た。これが芸術だ、と思わせてくれる詩と、曲と、歌だった。その姿と歌声を思い出すたびに、芸術への思いが高まり、芸術に寄りかかりたくなった。そして、結局は提出できなかった博士論文作成の傍らに書いたのが、「擬態と仕掛けの向こう側　金子光晴『風流尸解記』」だった。

それを出発点として、第五十二回講談社群像新人文学賞評論部門受賞作「言語についての小説　リービ英雄論」を転機に、還暦を過ぎた、初老の「売れない文芸評論家」永岡杜人が、いま、ここに、こうして在る。この本には収録しなかった、いくつかの評論やエッセイが在る。

重複や、回り道は省き、辿ってきた足跡を刻印するように、この本を編んだつもりである。

なぜ、他のジャンルではなく、文学だったのだろう、と思うときが、ある。

文学を志しながら、医師にならざるを得なかった、『作家の病理』という論文の連載途中で若くして逝った、父の遺志を継ぐつもりだったからだろうか。それとも、漱石を耽読していた、はじめて心から「先生」と呼びかけることができ、いまでも教師としてその背を追う、高校時代の学級担任だった社会科教師の影響だろうか。高校生の頃覚えた「根無し草《デラシネ》」という言葉で自分を象り、ひねくれた生き方をしていた三十代の私に、「だったら、ここが、故郷《ふるさと》だと、いうことにすればよい」と言い、盆暮れには故郷《いなか》に帰る真っ当な生き方を教えてくれた、福島県立高校の国語教師だった、妻の伯父であり、亡き人となったいまでも親父《ちちおや》だと思っている「盛之おじさん」との、心の残響のせいだろうか。あるいは、時代や社会と対峙しながら、質実で堅い文学的な歩みを続けている、歳の近い叔父のように慕っている「在日」作家の背中を、窓の外からずっと、見つめ続けてきたからだろうか。

その、いずれでもあり、いずれでもないと、いま、私は、考えている。

私は、自分で選び取ったのだ。文学を、己をさらす手段として、表現の道具として、他者と向き合う方法として。文学でしか、言葉でしか、私は、何かを他者に伝えることが、できない。

「本を読む人ではなく、本を書く人になりたい」と思ったのは、十四歳のときであったと記憶している。もっと幼いころの記憶として、いや、気配として、冬に近い秋の夜、古い家の襖越しに、咽び泣くような、トランペットの音を、布団のなかで微睡みながら、聴いたような気がする。そして、そのトランペットを奏でていたのは、黒人のジャズ・マンで、「It never entered my mind」という曲だった、という気がしてならない。聴いていたのは、父だったのだろう。この、私の言語ではない英語の題名と、曲想以外に手掛かりのない、この曲そのものが、生きて在る世界の幕を自ら下ろしてしまったかのように私から去った、父の内奥にあるものを漂わせる。

だが、親をこえる、いや、親から身をかわすのが、子の常ならば、そのような父の子として、私は、わが子に言葉を遺しておきたい。記憶のなかの声としてではなく、文字にして、文字の連なりが醸す、意味として、わが子に言葉を遺してやりたい。

なぜなら、息子には、自由に生きてほしいからだ。文学者として完結しなかった父親の子として文学をやるなんてことは、生き地獄だ。そして、息子は、すでに文学へと踏みだしているようなのだ。私は、十歳の息子が書いた詩を読んで驚愕し、いままでの足跡を示す、この本の刊行を決意したのだった。

まあいいか

おなかがすいた

なまけ　ものすけ

まあいいか
のどがかわいた
まあいいか
雨がふってきた
まあいいか
雪がふってきた
まあいいか
ひょうがふってきた
まあいいか
友だちがきた
まあいいか
木からおちちゃった
まあいいか

この「まあいいか」のくり返し《リフレイン》のなかに、かの「Das ist gut.」の残り香を感じた私は、「大甘《おおあま》の親父《おやじ》」を自任する、ただの無力な父親だろうか。だが、敬意をもって接している先輩のアーティストは、「これは、Que sera sera. だ」と、また、「Let it be. だ」とも言ってくれた。

だから、私が読点を打ち、さらに歩み、句点を打っておかねば、ならないのだ。だから、息子よ、文学は、趣味程度にしておきなさい。私は私で、勝手に完結したような気になって、あっちへ行くから。

そんな、私的な動機で編まれた本だったのか、宛先は読者ではないのか、と落胆しないでほしい。「事実」と「真実《ほんとう》」は、「語られたこと」と「語りたかったこと」は、いつも少しだけ、ときには大きく、ずれている。そんなことは、言い尽くされたことである。先達の本を少しばかり読んだことのある人なら、先刻、ご承知のはずである。だから、いま、読んでいる駄文に気を悪くし、この本を、紙に文字を印刷し、製本されただけの他の駄本と一緒に縛り、紙ごみの日に家の外に出すのは、待ってほしい。捨てられることには、子どもの時分から慣れてはいるが、待ってほしい。

私は、自分にではない、他者に向けられた言葉から、なにがしかの意味を、私への呼びかけを、そして、それに応える必要を、感じることがある。不特定多数に向けられた、誰かの、遠い過去の言葉から、いま、ここに、生きて在る、私の、立ち位置や、向かうべき方向を、知ることも。

そっと、静かに、縦ではなく、横置きでもよいので、あなたの書架の片隅に、この本を置いてくださることを、願う。

そろそろ筆を擱いたほうが、よいだろう。私は、いつでも、どこでも、誰にでも、どんな場合にも、過剰な、出過ぎた、感情の量が多すぎる、言葉の多い、やっかいな、ややこしい、人間なのだ。

最後に、このような言葉の連なりを、同じ主題の変奏に過ぎない二十篇の、言葉の束を、本として出版することを決断してくださった、同時代社の川上隆氏に、装幀を担当し私の不出来な文章に衣装を着せてくださった、グラフィックデザイナーで、西荻窪にあるGALLERY FACE TO FACE代表／ディレクターである山本清氏に、わが家のリビングに飾ってある五枚の絵の作者で、この本に絵を提供してくださった、画家の樹乃かに氏に、「オール三鷹」の心意気で校閲や入力を担当してくれた、教え子で、年少の友である竹島美結氏に、そして、還暦を過ぎて狂い咲いたように本を出版するなどという暴挙にでた夫を赦し、校正を担当し支えてくれた妻に、「まあいいか」という詩を書き、父親にもう一度、文学的に立ち上がる決意をさせた、「なまけ　ものすけ」という筆名をもつ詩人でもある息子に、そして、そして、この本の出版を待ちわび、私を励ましてくれた、多くの知己に、感謝する。

二〇二〇年四月二十日。十一歳となった、息子の誕生日に。

永岡杜人

初出一覧

第一章　作品と作家

第一節　擬態と仕掛けの向こう側　―金子光晴『風流尸解記《ふうりゅうしかいき》』―
法政大学大学院研究誌『日本文学論叢』第三十三号　二〇〇四年三月※本書に掲載するにあたって、大幅に訂正・改稿した。

第二節　言語についての小説　―リービ英雄論―
講談社『群像』二〇〇九年六月号

第三節　内なる他者の言葉　―磯崎憲一郎と平野啓一郎の交叉―
講談社『群像』二〇一〇年二月号

第四節　日常と異邦　―〝故郷〟の崩壊―
書き下ろし

第五節　ロゴスの極北　―多和田葉子試論―
書き下ろし

第六節　内破の予兆　―諏訪哲史論―

書き下ろし

第七節　静謐にして、永遠の……　―朝吹真理子『流跡』・『家路』・『きことわ』論―

書き下ろし

第八節　空虚の密度を見つめて　―林京子論―

ゆまに書房『戦争の記憶と女たちの反戦表現』二〇一五年六月

第二章　本や人

第一節　存在の家として物語　―小川洋子『人質の朗読会』―

講談社『群像』二〇一一年五月号

第二節　死者の気配を記憶する者たち　―絲山秋子『末裔』―

新潮文庫　絲山秋子『末裔』解説二〇一四年三月

第三節　語りの迷宮　―多和田葉子『雪の練習生』―

文藝春秋社『文學界』二〇一一年四月号

第四節　時代のふるまい　―橋本治『リア家の人々』―

講談社『群像』二〇一〇年十月号

第五節　永遠の手ざわり

講談社『群像』二〇一一年三月号

第六節　失われた時を求める道具
講談社『群像』二〇一〇年七月号
※本稿は、『私のベスト3』というコーナーに掲載されたものである。
第七節　窓の外からずっと　—李恢成『地上生活者　第四部　痛苦の感銘』—
講談社『群像』二〇一一年十月号
第八節　『地上生活者』への旅
講談社『群像』二〇一二年五月号
第九節　記憶の匂い
北海道新聞　二〇一二年三月六日夕刊
第十節　結末のない物語　—李恢成『地上生活者　第五部　邂逅と思索』—
北海道新聞　二〇一五年十一月三十日朝刊
第十一節　Y・H先生の思い出
書き下ろし
第三章　補遺　鏡のなかの他者
書き下ろし

【著者略歴】

永岡杜人（ながおか・もりと）

1958年、東京都生まれ。法政大学大学院人文科学研究科日本文学専攻博士課程単位取得退学。

1984年から高等学校・中等教育学校社会科教員。2012年から法政大学非常勤講師を兼任。

2009年、『言語についての小説　リービ英雄論』で第52回講談社群像新人文学賞評論部門受賞。著書に『柳美里という物語』（勉誠出版、2010）、共著に『戦争の記憶と女たちの反戦表現』（ゆまに書房、2015）、日本社会文学会編『社会文学の三〇年　バブル経済　冷戦崩壊　3・11』（菁柿堂、2016、研究者としての名で論文を掲載）などがある。

言葉が見る夢

2020年7月20日　　初版第1刷発行

著　者　　永岡杜人
発行者　　川上　隆
発行所　　株式会社同時代社
〒101-0065　東京都千代田区西神田2-7-6
電話　03(3261)3149　FAX　03(3261)3237
組　版　　有限会社閏月社
装　幀　　山本　清
絵　　樹乃かに
印　刷　　中央精版印刷株式会社

ISBN978-4-88683-877-3